Pangaïa

Sur l'auteur

Né à Dublin en 1965, Colum McCann est l'auteur de plusieurs romans – dont *Le Chant du coyote*, *Les Saisons de la nuit*, *Danseur*, *Zoli*, *Et que le vaste monde poursuive sa course folle* (National Book Award) et *Transatlantic* – et de deux recueils de nouvelles : *La Rivière de l'exil et Ailleurs, en ce pays*. Il vit aujourd'hui à New York.

COLUM McCANN

LES SAISONS DE LA NUIT

Traduit de l'anglais (Irlande)
par Marie-Claude Peugeot

**10
18**

BELFOND

Du même auteur
aux Éditions 10/18

Titre original :
The Side of Brightness
publié par Metropolitan Books, an imprint of
Henry Holt and Company, Inc., New York.

© Belfond, 1998, pour la traduction française.
ISBN 978-2-264-02950-8

Les nôtres commencèrent de mourir avant les premières neiges, et, comme elles, continuèrent de tomber. Il était même étonnant que la mort trouvât encore parmi nous sa pâture.

Louise ERDRICH,
La Forêt suspendue

À Siobhan, Sean, Oonagh et Ronan.
Et, bien sûr, à Allison.

1

Le soir qui précéda la première chute de neige, il vit un grand oiseau gelé dans les eaux de l'Hudson. Il savait bien que ce devait être une oie sauvage ou un héron, mais il décida que c'était une grue. Le cou était replié sous l'aile et la tête plongeait dans le fleuve. Il scruta la surface de l'eau, et se représenta la forme antique et décorative du bec. L'oiseau avait les pattes écartées et une aile déployée comme s'il avait essayé de prendre son vol à travers la glace.

Treefrog trouva des briques au bord du chemin qui longeait le fleuve ; il les brandit bien haut et les lança autour de l'oiseau. La première rebondit, puis glissa sur la glace, mais la deuxième en rompit la surface et la grue s'anima un instant. Les ailes tressaillirent à peine. Le cou décrivit avec raideur un arc de cercle majestueux, et la tête, grise et boursouflée, émergea de l'eau. Treefrog fit pleuvoir les briques sur la glace avec une détermination féroce jusqu'à ce que l'oiseau soit entraîné plus loin, à un endroit où le fleuve coulait.

Relevant ses lunettes de soleil sur son front, il le regarda s'éloigner au fil de l'eau. Il savait bien que l'oiseau allait sombrer dans les profondeurs de l'Hudson ou rester de nouveau bloqué dans les glaces, mais il tourna le dos et s'en fut à travers le parc désert. Il donna des coups de pied dans des détritus, toucha l'écorce glacée d'un pommier sauvage, arriva à l'entrée du tunnel et ôta ses deux pardessus. Puis il se glissa par une brèche dans la grille de fer et se faufila à l'intérieur.

Le tunnel était haut et large, sombre et familier. Il n'y avait pas un bruit. Treefrog longea la voie de chemin de fer jusqu'à un gros pilier de béton. Il le tâta des deux mains et attendit un instant que ses yeux s'habituent à l'obscurité ; puis il s'accrocha à une prise et se hissa avec une force spectaculaire. Il avança sur la poutrelle dans un équilibre parfait, atteignit une autre passerelle et se propulsa plus haut encore une fois.

Dans l'obscurité de son nid, tout en haut du tunnel, il alluma une petite flambée avec des brindilles et du papier journal. La soirée était avancée. Un train gronda au loin.

Quelques crottes de rat s'étaient amassées sur la table de chevet, et il les fit tomber avant d'ouvrir le tiroir. Des profondeurs du tiroir, il sortit un petit sac à bijoux violet et en dénoua le cordon jaune. Il réchauffa un instant l'harmonica au-dessus de la flamme dans son poing ganté. Il le porta à sa bouche, vérifia qu'il avait tiédi, et aspira une bouffée d'air du tunnel. Le Hohner glissa le long de ses lèvres. Sa langue pointa furtivement contre les tuyaux, et les tendons de son cou resplendirent. Il sentait la musique l'habiter, s'imposer à travers lui. Une vision de sa fille surgit soudain – elle était là, elle écoutait, elle faisait partie de sa musique, assise les genoux repliés sur la poitrine, se balançant d'avant en arrière en une extase enfantine – et il repensa à la grue gelée dans le fleuve.

Assis là, dans son nid, dans l'obscurité pleine de miasmes, Treefrog se mit à jouer, recomposant l'atmosphère, rendant aux tunnels leur musique originelle.

2

1916

Ils arrivent à l'aube, véritable géographie de
chapeaux. Champ de silhouettes sombres, tiges en
mouvement, tournées vers le quartier des docks.

D'abord éparpillés dans les rues de Brooklyn – venus
par le tram, le ferry-boat et le métro aérien –, ils se
rejoignent peu à peu pour former un seul flot. Ce sont
des hommes rudes, qui fument la cigarette assidûment
et marchent à pas pesants en faisant tomber de leurs
semelles la boue de la veille. Ils laissent une traînée de
gadoue derrière eux dans la neige. Des flaques gelées
craquent sous leur poids. Le froid s'insinue dans leur
corps. Certains ont de grosses moustaches qui ondulent
au-dessus de leurs lèvres comme les herbes de la
Prairie. D'autres, des jeunes, ont la peau irritée par le
rasoir. Tous ont le visage creusé par les risques du
métier ; ils fument comme des fous, sachant qu'il
pourrait bien ne leur rester que quelques heures à vivre.
Engoncés dans leur pardessus, ils sentent peut-être
encore sur eux l'odeur de la nuit passée – peut-être se
sont-ils saoulés, peut-être ont-ils fait l'amour, ou bien
les deux à la fois. Leurs histoires de beuveries et de
sexe, ils en plaisanteront plus tard ; pour lors ils se

taisent. Il fait bien trop froid pour songer à autre chose qu'à marcher et à fumer. Ils se dirigent vers l'East River et se rassemblent près de l'entrée du tunnel, battant la semelle sur le pavé afin de se réchauffer.

La neige fond à leurs pieds.

Quand le coup de sifflet les appelle à leur tâche souterraine dans l'air sous pression, ils tirent une dernière bouffée. Les cigarettes rougeoient soudain et tombent à terre une à une, comme des nuées de lucioles qui s'arrêtent en plein vol pour se poser.

Dans la file, Nathan Walker regarde les hommes de l'équipe de nuit émerger du tunnel, couverts de boue de la tête aux pieds, éreintés. Il comprend qu'il a devant les yeux ce qui l'attend lui-même, alors il évite de regarder de trop près, mais, de temps en temps, sa main se tend vers un de ces hommes crevés pour lui donner une tape sur l'épaule. L'homme épuisé lève la tête, fait un signe, et passe son chemin en titubant.

Walker réprime une envie d'éternuer. Il sait qu'un rhume, c'est une journée de salaire en moins – dans l'air comprimé sous le fleuve, il risque de saigner du nez ou des oreilles. Si la nouvelle s'ébruite, le chef de poste le fera sortir du rang. Alors il ravale sa toux et ses éternuements au fond de ses tripes. Il sort une amulette de sa poche, un morceau de pierre, qu'il fait tourner entre ses doigts. Son porte-bonheur est glacé au toucher.

Walker s'adresse tout bas à son copain Con O'Leary : « Alors, mon pote ?

— Malade comme un chien. Une gueule de bois à tout casser.

— Moi aussi.

— Nom de Dieu qu'il fait froid !

— Oui, pas vrai ?

— Attention, mon gars, on y va. »

Le chef de poste leur fait un signe de tête et ils se joignent aux ouvriers rassemblés à l'entrée du puits. Ils restent côte à côte et ils avancent petit à petit. Walker entend la machine à air comprimé gémir sous terre. Un son prolongé, aigu et âpre, qui bientôt, dans ses oreilles, sera réduit à néant : le fleuve est un dévoreur de sons, il les happe, les engloutit. Walker rajuste son chapeau et jette un dernier coup d'œil au loin. Sur l'autre rive, le bureau des Douanes et ses trois arches sont gris dans le petit matin ; des dockers s'activent sur les quais ; deux cargos naviguent parmi les glaces flottantes ; et, au milieu de l'eau, une jeune femme en manteau rouge vif, debout sur le pont d'un ferryboat, fait de grands signes en agitant les bras. Walker reconnaît Maura O'Leary. Juste avant de disparaître à sa vue, Con, son mari, porte la main à son chapeau en un geste qui pourrait être de rejet ou d'ennui, mais qui, en fait, est un geste d'amour.

Walker sourit à ce spectacle, il baisse la tête, et il attaque sa descente sous le fleuve pour une nouvelle journée de terrassement, par un matin si froid qu'il a l'impression d'avoir le cœur gelé contre la paroi du torse.

Dans le sas, la porte est hermétiquement fermée et l'air comprimé siffle tout autour d'eux.

Walker défait le bouton du haut de son pardessus. À présent, dans la chaleur de l'air sous pression, il sent ses orteils se relâcher. Une goutte de sueur perle à son front, et il la chasse du pouce. Près de lui, O'Leary est affalé contre la paroi, il respire à fond. Bientôt Sean Power et Rhubarbe Vannucci viennent les rejoindre. L'air devient torride au fur et à mesure que la pression monte. Comme si une vague de chaleur s'était avisée de les accompagner sous terre en plein hiver. Ils se pincent le nez tous les quatre, jusqu'à ce qu'ils sentent leurs oreilles se déboucher.

Au bout de quelques minutes, Power s'accroupit et sort un jeu de cartes de son bleu de travail. Ils cherchent tous des pièces dans leurs poches et ils se mettent à jouer au poker, cependant que leur corps est soumis à une pression de plus de deux kilos au centimètre carré. Walker gagne la première partie, et Power donne au jeune Noir une tape sur l'épaule.

« Dis donc, noiraud, tu t'es vu ? Le roi de pique ! »

Mais Walker ne le prend pas mal. Il sait qu'ici, sous le fleuve, on est en démocratie. Dans l'obscurité, tout le monde a le sang de la même couleur – rital, nègre, polaque ou rouquin irlandais, c'est du pareil au même – alors il se contente de rire, empoche ce qu'il vient de gagner, et fait une deuxième donne.

En sortant du sas, sans quitter leur couvre-chef, les ouvriers pénètrent dans l'atmosphère sous pression de la galerie. Ils sont plus d'une centaine à patauger dans la boue. Pompeurs d'eau et soudeurs, boiseurs et maçons, grutiers et électriciens, tous, à la chaleur, ôtent leur casquette et leur pardessus. Certains ont des tatouages, d'autres le ventre ballonné ; quelques-uns sont très maigres, la plupart sont musclés. Presque tous sont d'anciens mineurs des mines du Colorado, de Pennsylvanie, du New Jersey, de Pologne, d'Allemagne, d'Angleterre – comme en témoignent les poumons encrassés dont ils ont hérité. S'ils pouvaient descendre tout au fond de leur gorge, ils pourraient extraire le mal de leurs poumons. Le goudron et la crasse se détacheraient sous leurs doigts. Ils pourraient montrer un bout de tissu noir comme de la suie et dire : Voilà ce que j'ai récolté dans les galeries.

Il y a eu beaucoup de morts dans le tunnel, mais c'est une loi que ces hommes-là acceptent : Tant qu'on vit, on vit, et puis plus rien.

La lumière crue des ampoules électriques vacille, et les hommes évoluent sous un éclairage ondoyant, projetant sur les parois des ombres en forme de violon. Ces ombres se mêlent, se dérobent, se fondent les unes dans les autres, s'allongent, puis diminuent. Au milieu de la galerie passe une voie ferrée étroite, qui, tout à l'heure, va servir à transporter du matériel et la boue déblayée. Les hommes marchent le long des rails et ils lâchent le convoi à des endroits divers. On jette les gamelles au sol, des chapelets sortent des poches. On ôte sa chemise dans l'ardeur momentanée du travail qui commence. Ici, un poing se ferme et fait ressortir la musculature d'un bras. Là, des épaules se redressent et révèlent un torse massif. Un peu plus loin, c'est le bruit sourd d'un poing qui s'enfonce dans la paume d'une main.

Mais les quatre hommes du front de taille – Walker, O'Leary, Vannucci et Power – ne s'arrêtent pas pour parler. Il leur faut encore arpenter toute la longueur du tunnel sous les anneaux de fonte, passer à côté de toutes ces machines, de ces étaux, ces boulons, ces écrous gigantesques, ces tas de sacs de ciment Portland. Walker marche en tête, en équilibre sur un des rails métalliques, tandis que les autres font bien attention de poser les pieds sur les traverses de bois. Leur pelle bat contre leurs jambes. Walker a son nom gravé sur le manche de la sienne, celle d'O'Leary a une langue de métal recourbée, celle de Power la poignée enveloppée de tissu, et celle de Vannucci, qui a été légèrement fendue, est tenue par un fourreau métallique. Ils vont toujours plus avant, s'enfonçant au cœur des ténèbres.

« Fait plus chaud que dans la cuisine d'une pute aujourd'hui, dit Power.

— Oui, pas vrai ?

— T'as déjà été dans la cuisine d'une pute ?

— Juste pour le petit déjeuner, dit Walker. Gruau de maïs et œufs mollets.

— Ben dis donc, jeune homme ! Écoute-moi ça !

— Et un peu de lard frit croustillant.

— Oh, oh, pas mal, dis donc !

— Du lard pris sur la croupe. Avec un petit peu de couenne.

— Tu m'en diras tant ! »

Au fond de la galerie, ils arrivent devant le bouclier Greathead, leur protection ultime, une pièce métallique géante enfoncée dans le lit du fleuve par des vérins hydrauliques. En cas d'accident, le bouclier retient la boue, comme un piston dans un cylindre. Mais eux quatre doivent aller encore plus loin. Chacun prend son souffle avant de se baisser pour franchir la porte ménagée dans le bouclier. Ils ont l'impression d'entrer dans une chambre minuscule tout au bout du monde : sept mètres carrés à peine, où tout est ténèbres, moiteur et danger. À cet endroit, le lit du fleuve est retenu par de longues palplanches et d'énormes vérins. Un toit d'acier avance au-dessus de leur tête pour les protéger des chutes de pierres et des coulées de boue. Juste à hauteur des yeux est accrochée une baladeuse qui éclaire des monticules de terre et des flaques d'une eau immonde. La lumière de l'ampoule palpite, à cause des sautes de tension. Les pieds dans l'eau, Nathan Walker et Con O'Leary tendent la main et touchent les madriers pour se porter chance.

« Touche du bois, mon pote.

— C'est ce que je fais, dit O'Leary.

— Nom de Dieu, ça chauffe même sur les planches. »

À la fin de la journée, la boue retenue par les palplanches aura disparu, acheminée au-dehors par l'étroite voie ferrée, et chargée dans des bennes que des chevaux poussifs tireront jusqu'à une décharge de Brooklyn. Et le bouclier Greathead sera poussé plus loin. En silence, les hommes font intérieurement le pari d'avancer plus vite qu'ils ne l'ont jamais fait dans le lit du fleuve, peut-être même, avec de la chance, de progresser de plus de trois mètres. Ils installent une plate-forme pour s'y tenir debout. Walker dévisse un vérin et Vannucci enlève deux palplanches pour ménager une ouverture par laquelle ils vont pouvoir pelleter. Power et O'Leary reculent et s'apprêtent à charger la boue. Au cours de la journée, les quatre hommes permuteront les tâches, pelletant et chargeant à tour de rôle, chacun pourfendant le terrain de sa pelle, enfonçant le fer tranchant au plus profond.

Plus tard, dans le sas de traitement, tout grelottant, Nathan Walker dira à ses amis : « Ah, si tous ces gars-là causaient américain, il y aurait pas eu de malheur, il serait rien arrivé, rien du tout. »

Des quatre, c'est lui le meilleur, bien qu'il n'ait que dix-neuf ans. L'abattage est un travail de brute, mais Walker est toujours le premier à se mettre à la tâche, et le dernier à s'arrêter.

Grand et athlétique, il répercute dans tous les muscles de son bras un simple geste avec sa pelle. Il s'immerge dans la sueur. Les autres lui envient son aisance, la façon dont son outil semble faire corps avec son torse, la maîtrise tranquille du mouvement quand il creuse, la lame levée décrivant des ellipses successives : un, deux, trois, un coup, et retour. Il se tient sur la plate-forme les pieds bien écartés, avec son bleu de travail déchiré aux genoux, et sur la tête, de guingois, son chapeau rouge, un cordon cousu après le bord, pour pouvoir l'attacher sous le menton. Toutes les dix secondes, le limon suintant se détache entre les palplanches à la hauteur de ses hanches. En creusant, il exhume des coquillages, qu'il frotte dans ses mains afin de les nettoyer. Il voudrait bien trouver un bout d'os, une pointe de flèche, un morceau de bois pétrifié, mais il n'en trouve jamais. Parfois, il croit voir des plantes pousser là, au fond, du jasmin jaune, des magnolias et des buissons d'airelle. Lui reviennent alors à l'esprit, par vagues, les bords de l'Okefenokee, le marais dont les eaux brunes et boueuses donnent sa source à la Swannee, la rivière de son pays.

Walker travaille au creusement du tunnel depuis deux ans. Il est venu de Géorgie par le train, les oreilles transpercées par la stridence aiguë du sifflet à vapeur.

Le bouclier d'acier arrive jusqu'au-dessus de sa tête, mais, très souvent, il est obligé d'aller plus loin, où il n'y a plus de protection. Aucun des quatre hommes ne porte de casque, et à ce point extrême ils sont seuls face au limon du fleuve.

Walker ôte sa chemise et travaille torse nu.

Il n'a que la boue du fleuve pour se rafraîchir la peau, et, de temps à autre, il s'en enduit le corps, l'étale sur son torse brun et sur ses côtes. La sensation est agréable ; bientôt il est souillé de la tête aux pieds.

Il sait que ses compagnons et lui risquent à tout moment d'être engloutis sous une avalanche de boue et d'eau. Ils risquent de mourir noyés, avec l'East River qui leur descend dans la gorge, et des poissons étranges et toutes sortes de cailloux dans le ventre. L'eau pourrait les plaquer contre le bouclier pendant que l'alerte est donnée par le tam-tam effréné des outils contre l'acier, et qu'à l'arrière les autres se précipitent en lieu sûr. Ou encore une fuite d'air pourrait les aspirer contre la paroi, les précipiter à travers l'espace.

leur fracasser la colonne vertébrale contre une palplanche. Une pelle pourrait glisser et fendre le crâne de l'un d'entre eux. Le feu pourrait prendre à l'intérieur du tunnel. Il y a aussi la maladie des caissons – ce mal redouté – qui pourrait soudain les cribler de bulles d'azote aux genoux, aux épaules ou au cerveau. Walker a vu des hommes s'effondrer dans le tunnel en se tenant les articulations, le corps subitement lacéré de douleur ; c'est la maladie de ceux qui travaillent sous air comprimé, on ne peut rien y faire ; on transporte les victimes dans le sas, où on leur décompresse le corps aussi progressivement que possible.

Mais rien de tout cela n'effraie Walker – il est bien vivant, et dans la pénombre jaunâtre, il met toute son ardeur à continuer de creuser sous le fleuve.

Les « gadouilleux » ont un vocabulaire particulier – vérins hydrauliques, vérins de tranchée, copeaux, chemisage, anneaux coniques, bouclier –, mais, au bout d'un moment, il ne reste plus guère que le silence. Dans l'air sous pression, on économise les mots. Un « nom de Dieu ! » fait perler la sueur au front. Régime de silence et de coups de pelle que seul rompt très occasionnellement le gospel de Walker :

> « *Seigneur, j'ai pas vu un coucher de soleil*
> *Depuis que j'suis descendu là.*
> *Non, j'ai rien vu qui ressemble à un coucher de*
> *[soleil*
> *Depuis que j'suis descendu là.* »

Power et Vannucci règlent leurs coups de pelle sur cette cadence.

Un tube aspire l'eau à leurs pieds. Ils appellent ça leur cabinet d'aisances, et il leur arrive de pisser dedans pour chasser l'odeur. Rien de pire que l'odeur de vieille pisse à la chaleur. Ils se retiennent les tripes pour ne pas avoir à chier sur place et, d'ailleurs, on a du mal à chier quand la pression est le double de la normale ; ils gardent tout dans les boyaux pour plus tard, lorsqu'ils seront sous l'eau chaude des douches communes. Quelquefois, ça sort sans prévenir, et, dans la buée chaude, ils se mettent à hurler : « Qui c'est qu'a envoyé ces fayots ? »

Deux heures de travail, et le tunnel s'est allongé d'un mètre. La boue dégagée a rempli les nombreux wagonnets qui font la navette très régulièrement.

Vannucci observe Walker et prend modèle sur lui. L'Italien est grand et filiforme, il a les bras striés de veines bleues. C'est pourquoi les autres l'ont surnommé Rhubarbe. Il a d'abord travaillé sur le chantier comme dynamiteur, frayant la voie par l'ouverture du tunnel avec ses fils et ses explosifs, mais le dynamitage a été vite terminé, et il n'est plus resté que de la boue. La boue, ça ne se fait pas sauter à la dynamite, quelque envie qu'on en ait. Mais Rhubarbe garde tout de même un détonateur enveloppé dans sa poche en guise de talisman. Il dispose de bien peu de mots anglais pour parler avec les autres, alors c'est par son travail qu'il s'exprime et qu'il a gagné leur estime. Il soulève une nouvelle pelletée de boue tandis que Walker grogne à côté de lui.

Un, deux, trois, un coup de pelle, et retour.

Quant à Con O'Leary, il s'essouffle, mais il s'accroche à sa tâche. À sa gauche, Sean Power lèche sa paume ensanglantée, car il vient de se couper sur une arête vive du bouclier.

Ils font reculer le fleuve, ils sont heureux.

Bientôt, l'équipe de montage viendra poser un nouvel anneau d'acier – les pièces seront mises en place grâce à un petit chevalement, un palan puissant les fera pivoter, puis elles seront boulonnées – et le tunnel progressera en direction de Manhattan. Les chefs de poste seront aux anges ; ils se frotteront les mains en pensant au jour où les trains rouleront sous l'East River.

Et puis, à huit heures dix-sept, alors que Nathan Walker tourne le dos à la paroi, Rhubarbe Vannucci fait sa première tentative de phrase complète en anglais. Il en est à la moitié de son mouvement avec sa pelle, une épaule levée, l'autre baissée. Sans que Walker le voie, un trou minuscule vient d'apparaître dans la paroi, point fragile dans le lit du fleuve. L'air sous pression s'y engouffre en sifflant. Vannucci attrape un sac de foin pour combler la brèche, mais tout autour la terre part en tourbillon, l'air s'échappe, et l'orifice s'élargit. Au début, il est gros comme le poing, puis comme un cœur et comme une tête. L'Italien, impuissant, voit le jeune Noir projeté en arrière. Walker ne tient pas au sol. Il glisse vers le trou qui s'agrandit, il est aspiré à l'intérieur, sa pelle d'abord, puis ses deux bras tendus, suivis de la tête, jusqu'aux épaules, et là, son corps est arrêté et fait bouchon. Le haut du torse est prisonnier du limon tandis que les jambes sont toujours dans le tunnel. Walker se trouve face à la caillasse et au sable du fleuve. L'air qui s'échappe lui pousse les pieds. Il a les jambes aspirées dans un tourbillon de limon. Vannucci s'approche de la fuite et saisit Walker par les chevilles pour essayer de le tirer vers le bas. Pendant ce temps-là, les deux autres s'avancent, et ils entendent les paroles de l'Italien se répercuter autour d'eux :

« Air fout l'camp ! Merde ! »

Avant l'accident, presque tous les après-midi, les quatre hommes passent sous les douches communes, où l'eau jaillit de tuyaux noirs par jets irréguliers au-dessus de leur tête, et il se forme des flaques de boue à leurs pieds. Quand ils sortent dans l'air froid du

21

dehors, de la vapeur s'échappe de l'intérieur de leur pardessus. Arrivés dans leur troquet, du côté de Montague Street, la vue de leurs visages tout propres les fait rire. Pour la première fois de la journée, ils voient le menton fendu de Con O'Leary, les cicatrices autour des yeux de Nathan Walker, les bosses grossières sur le nez de Sean Power, et la peau lisse et brune de Rhubarbe Vannucci.

C'est un bistrot très sombre, rien que du bois, pas de miroirs.

Ils ramassent de la sciure par terre et en roulent quelques miettes dans leurs cigarettes. Ils s'asseyent dans un bon coin, se passent une allumette. Des nuages de fumée bleue s'élèvent au-dessus de leur tête. Brickbat Jones, le patron, leur apporte un plateau de huit bières – un tel poids que ses mains en tremblent. Son avant-bras tout maigre est avalé par l'élastique qui retient sa manche.

« Quoi de neuf, les gars ?

— Pas grand-chose. Et toi ?

— Toujours pareil, toujours pareil. Vous avez l'air d'avoir soif, les gars.

— J'ai la bouche sèche comme de l'amadou », s'écrie Power.

Brickbat est le seul cafetier du quartier qui accepte de servir des Noirs. Une fois, Walker lui a évité de se faire fendre le crâne à coups de marteau. Il a saisi l'arme au vol et n'en a plus jamais reparlé ensuite, se contentant de jeter le marteau dans une poubelle en rentrant chez lui. À partir de ce jour-là, Walker a eu sa bière pour un sou de moins par semaine et on a glissé du tabac dans la poche de son pardessus.

« Alors les gars, où en est le tunnel ?

— À la moitié.

— Faut avoir du cran, dit Brickbat.

— Faut surtout être idiot, dit O'Leary.

— Ou faut avoir le gosier sec ! » hurle Power en levant son verre.

Ils boivent bruyamment, à grandes gorgées, n'importe comment, comme s'ils étaient à des années-lumière de leur rythme de travail. Au début, il leur vient des propos durs et bourrus : les dix sous de moins dans la paie de la semaine dernière, le maçon qui triche aux cartes dans le sas, les restes déchiquetés des soldats anglais dont on a parlé à la radio, les troupes américaines qui vont peut-être rallier le combat en Europe. Mais bientôt la boisson leur adoucit la langue et le gosier. Ils se détendent et s'esclaffent. On rappelle de vieilles histoires, et les mélodions sortent des poches. On crachouille de la musique un peu partout dans la salle. Il y a tout un mélange de langues. Les hommes disputent des parties de bras de fer. Quelquefois une bagarre explose. Ou bien un homme pisse au comptoir et se fait jeter dehors. Ou alors une putain passe devant la vitrine, les lèvres rouges et l'allure théâtrale, relevant l'ourlet de sa robe en faisant du chiqué. Des sifflements admiratifs retentissent ; les hommes dévorent la femme des yeux à son passage, leur cœur se gonfle de désir impuissant. Une pendule sonne tous les quarts d'heure.

Rhubarbe Vannucci est le premier à s'en aller, après deux bières et quatre coups à la pendule, relevant le col de son pardessus autour de son cou avant même d'avoir avalé la dernière gorgée.

« *Ciao, amici.*

— À t'à l'heure, Ruby.

— Hé, Rhubarbe !

— *Si ?*

— Un p'tit conseil.

— Moi comprends pas.

— Oublie pas la crème anglaise. »

23

C'est la blague habituelle de Power – de la rhubarbe à la crème anglaise – mais il n'a jamais donné l'explication au Sicilien.

Ça fait glousser les autres, et ils redemandent une tournée. Les verres vides s'empilent autour d'eux. La fumée tournoie dans l'air, et les coquillages servant de cendriers se remplissent.

Con O'Leary est le suivant à quitter les lieux. Il descend les rues pavées en direction des quais, prend un ferry pour Manhattan, reste debout à côté du passeur dans la cabine, puis il débarque par la passerelle et suit les méandres des rues qui s'assombrissent. Physiquement, il pourrait être son propre père, perclus de rhumatismes, l'impression d'avoir soixante-dix ans, alors qu'il n'en a que trente-quatre. Son ventre ballotte quand il marche. Les talons ferrés de ses godillots font jaillir des étincelles. Bientôt les cités du Lower East Side se dressent devant lui. En tournant à un coin de rue, il voit Maura, sa femme, penchée à une fenêtre, qui agite la main sous son parasol de cheveux roux électriques. Il répond à son geste et elle se précipite à la cuisine, où elle remplit deux tasses de thé.

Le troisième à s'en aller est Walker, avec un signe de tête à Brickbat Jones en partant. À la sortie, il se fourre dans la bouche un peu de tabac à chiquer qu'il recrache en marchant dans les rues. Une fois rentré à son hôtel pour gens de couleur, il accroche ses chaussures au bouton de la porte pour ne pas faire de taches sur le tapis. La chambre est minuscule. Il y traîne une odeur de vieilles chemises, de vieilles chaussettes, et de tristesse. Walker s'allonge sur son couvre-lit orangé, les bras repliés derrière la tête, et il sombre peu à peu dans le sommeil, en rêvant de la Géorgie et du temps où il allait en bateau dans les marais.

Power est toujours le dernier à partir : il sort en chancelant quand on ne sert plus à boire, et il s'en va par les rues mouillées en tirant des coups de chapeau à la lune. Il a des soleils levants à tous les doigts, de grosses taches de nicotine ovales, et parfois il titube dans une telle hébétude d'ivrogne que des soleils levants commencent aussi à apparaître dans le ciel.

Le cri déchire toute la longueur du tunnel, passant des terrassiers aux monteurs, puis aux maçons et aux pompeurs d'eau, et il parvient enfin à l'arrière, au responsable de la machine à air comprimé : Fuite d'air ! Baissez la pression ! Diminuez ! *Abbassa la pressione !* *Obnizyč cišnienie ! La pression ! Hé ! La pressione !* Diminuez la pression !

Mais le passage d'une langue à une autre déforme le message, le fausse et, au lieu de baisser, l'aiguille remonte sur le cadran de la machine.

La bouche pleine d'un million d'années de limon du fleuve, et sa pelle au-dessus de la tête en une position ascensionnelle, Nathan Walker est coincé dans les ténèbres, les jambes retenues par Rhubarbe Vannucci. Du sable, de la boue, des cailloux dans les yeux, les oreilles, la bouche. Une vase liquide lui remplit la gorge. Il s'arrache le visage en essayant de se débattre. Un caillou lui a lacéré la base du cou. La boue s'imprègne de son sang. Walker est pareil à un bouchon dans le plafond de la galerie. L'air qui s'échappe se faufile autour de lui pendant des secondes qui n'en finissent pas, et puis, en se tortillant tout doucement comme un asticot, il fait pivoter sa pelle au-dessus de sa tête pour former une poche d'air, et le limon cède vaguement.

Vannucci essaie de nouveau de le tirer vers le bas.

Lâche-moi les jambes ! pense Walker en se débattant dans la boue. Lâche-moi les jambes, bon Dieu !

25

Il remue encore un peu sa pelle, et l'air entre tout autour de lui. Il pousse à peine la tête de côté dans la boue, et, l'espace d'un instant, il voit le fantôme de sa défunte mère, en robe bleue, à la gare d'Atlanta, une fleur de tournesol jaune sur le sein, qui lui fait au revoir au moment où le train siffle.

Il tourne encore sa pelle : brusquement l'air s'engouffre, et le voilà lâché comme un noyau de cerise que l'on crache. Sans perdre conscience, il s'élève à travers le lit du fleuve. Pour trouver quoi ? Des navires hollandais qui ont sombré il y a des siècles ? Des carcasses d'animaux ? Des pointes de flèches ? Des scalps sur lesquels les cheveux poussent encore ? Des hommes avec des blocs de béton attachés aux pieds ? Les morts des vaisseaux négriers blanchis jusqu'à l'os ? Durant tout ce temps, un coussin d'air protège Walker du poids énorme du tuf, du sable et de la vase. Il est semblable à un embryon à l'abri dans son sac pendant qu'il est projeté à deux mètres, à quatre mètres à travers le lit du fleuve, la poche d'air frayant la voie dans le limon, le préservant de tout danger.

Sa pelle n'est plus dans ses mains, mais elle le suit comme un acolyte, de même que Vannucci, de même que Power, qui a l'air de serrer amoureusement un sac de foin contre sa poitrine, tandis que Vannucci émet un rugissement, et qu'ils ont tous l'impression que leurs poumons vont éclater.

Et puis il y a de l'eau – ils remontent à la surface du fleuve – et peut-être des poissons effarés qui ouvrent des yeux ronds. De cette ascension, Walker ne retiendra que du noir absolu, un noir aqueux, sans aucune sensation de froid tout d'abord, et puis un bouillonnement féroce dans les oreilles, des coups de pilon sur le crâne, les yeux qui gonflent derrière les paupières, le corps brusquement trempé jusqu'aux os, le choc de l'eau, le besoin farouche de respirer, la poitrine qui se soulève, la panique d'être au milieu d'un fleuve noir, la conviction qu'ils vont être noyés, qu'ils vont tous être noyés – les brochets, les truites, le limon et la caillasse vont élire domicile dans leur ventre boursouflé, des péniches vont sonder les eaux à la recherche de leurs cadavres, des coquillages vont se coller sur leurs yeux.

Et puis les trois hommes font irruption à la surface de l'East River, leur tête passe de justesse entre les glaces flottantes ; ils sont éjectés dans l'air, n'ayant sur eux que leur bleu de travail et leurs godillots. À présent, ils ont la poitrine qui se contracte et se dilate désespérément, ils rejettent de l'eau et de la boue par la bouche, ils prennent de grandes goulées d'oxygène, leur cerveau bat à tout rompre ; des outils les ont suivis du fond du tunnel, des planches tournoient, un vérin hydraulique fait la roue, un sac de foin, un pardessus, un chapeau, une chemise, objets volants les plus inattendus : c'est le matin, il fait jour, et ils sont là, portés par un énorme geyser brun, eux, leur crasse boueuse, et leur matériel souterrain. Il y a des ferry-boats sur l'eau. Des mouettes curieuses dans les airs. Des dockers qui les montrent du doigt, ébahis. Les trois mineurs font des sauts périlleux dans l'air au-dessus du fleuve. L'eau les maintient un moment en suspens entre Brooklyn et Manhattan, un moment qui ne quittera jamais leur mémoire – ils sont sortis des entrailles de la terre tels des dieux.

Première chose qui vient à l'esprit de Walker quand les secours arrivent et qu'on le hisse sur un bateau, à demi nu, le visage ruisselant de sang : J'suis tellement gelé, vingt dieux, qu'on pourrait me passer dessus en patins à glace.

Maura O'Leary écarte une seule mèche de cheveux sur sa joue. Son visage est maigre et chétif.

Le long de l'East River, tout est calme. Elle aperçoit quelques chalands, des péniches et des débris de flottaison, tandis que le soleil matinal allume des roues de feu dans le courant. Un peu d'animation parmi les hommes au travail sur les quais. Des mules et des chariots au bord du fleuve, en retrait de la rive. Et, à la surface de l'eau, rien que le petit gargouillis régulier, les quelques bulles d'air minuscules qui s'échappent du tunnel, là, au fond. Du pont du ferry, dans le froid glacial, Maura regarde, une écharpe de laine autour de la tête. Depuis l'aube, elle fait la navette d'une rive à l'autre – c'est son rituel quotidien. Il en est ainsi chaque matin depuis qu'elle s'est aperçue qu'elle était enceinte. Son mari lui accorde cette excentricité. En plus, le passeur est irlandais ; il la laisse voyager gratuitement. Elle se dit qu'elle va débarquer à présent, et prendre un tram pour rentrer. Garnir le berceau, l'enfant doit naître dans un mois. Elle va peut-être préparer de la soupe aux pommes de terre pour Con. Se reposer un peu. Faire un brin de causette avec ses voisines de palier.

Au moment où elle s'apprête à quitter le pont, le fleuve rugit et entre en éruption. Une colonne d'eau énorme se dresse devant les deux rives, Manhattan d'un côté et Brooklyn de l'autre.

Au sommet du geyser, Maura ne voit d'abord que des sacs de sable et des planches. Elle recule, chancelante, en se tenant le ventre. Ses pieds glissent sur le pont mouillé, elle se rattrape au bastingage en hurlant. L'eau continue à jaillir et à projeter les débris du tunnel à vingt-cinq pieds au-dessus de l'East River. Sur les quais, les débardeurs lèvent les yeux, le capitaine du ferry lâche son gouvernail, les ouvriers des docks restent pétrifiés devant ce spectacle. Des sacs de sable franchissent la crête du geyser et voltigent de toutes parts. Une planche sort en tourbillonnant de la gerbe boueuse et retombe dans le fleuve en faisant plusieurs tours. Maura voit alors un sac qui se contorsionne dans le flot bouillonnant et un membre bizarre, flottant, qui émerge. Elle comprend qu'il s'agit d'un bras, et qu'une pelle s'en échappe en tournoyant. Un homme vient d'être éjecté du tunnel ! Puis deux, puis trois ! Soulevés à une douzaine de mètres du fond ! Elle voit Nathan Walker, son corps puissant et son chapeau rouge, resté sur sa tête comme une marque distinctive, attaché sous le menton par un cordon. Mais on distingue mal les deux autres corps qui s'élèvent au-dessus de l'eau en une étrange ascension.

Le nom de son époux – « Con ! » – lui sort de la bouche en s'étirant à la façon d'un élastique.

Les trois hommes rebondissent toujours au sommet du jet d'eau, mais la pression commence à se régulariser, et, presque en douceur, le geyser les dépose au niveau du fleuve. Walker s'écrase dans l'eau, la tête évitant de justesse un bloc de glace. Il plonge puis refait surface et, un instant plus tard, il se met à nager vers un lieu sûr ; ses bras décrivent de grands moulinets dans l'eau et soulèvent une traînée d'écume blanche.

Vannucci et Power se cramponnent à des palplanches qui flottent. L'un d'eux a du sang qui lui jaillit du crâne, et l'autre la tête pendante, comme s'il avait le cou rompu.

Déjà, un chaland parti de Brooklyn est en route dans leur direction. Le ferry-boat lance des coups de sirène brefs et perçants. À l'entrée du tunnel retentissent des coups de sifflet stridents, et une longue file d'ouvriers se déroule à la lumière. Le geyser retombe, désormais réduit à un simple gargouillement.

« Con ! hurle-t-elle. Con ! »

Le lendemain matin, on peut lire dans les journaux que Nathan Walker a atteint le chaland à la nage et qu'il a été hissé à bord, le visage couvert de sang. Vannucci et Power sont restés accrochés à leurs planches flottantes jusqu'à l'arrivée des secours. Les trois hommes ont été transportés dans le sas à air afin que leur corps décompresse lentement. Walker est resté assis en silence. Rhubarbe Vannucci a voulu retourner au travail aussitôt, mais il perdait du sang et on l'a renvoyé chez lui au bout d'une heure. On a ramené Sean Power dans le sas les deux bras cassés, une jambe abîmée et le front ouvert d'une entaille profonde. On lui a mis des tubes dans les oreilles pour aspirer la boue. Le chef de poste lui a donné du whisky, et on aurait cru qu'il vomissait une plage entière de sable et de petits cailloux.

Au milieu de toute une colonne imprimée – à côté d'une interprétation artistique de l'éruption –, on lit que Con O'Leary, 34 ans, originaire de Roscommon, Irlande, est porté disparu et est présumé mort.

Des voisines entrent chez Maura, dans son logement du troisième étage. Elles se déploient en couronne dans la salle à manger, silencieuses, en robe noire. Sur une petite table, il y a des fleurs envoyées par Walker, Vannucci et Power.

On découpe un daguerréotype de Con O'Leary pour préparer un faire-part collectif. Maura prend un couteau de cuisine et ôte sa propre image de cette photo de mariage. Quand O'Leary reste seul dans le creux de sa main, il fixe son regard sur elle. Elle approche la photo et pose les lèvres sur son époux. Il a le visage dur et taciturne. C'est en taciturne que le mineur a presque toujours vécu, grattant la boue de ses chaussures au couteau quand il rentrait chez lui, et puis ces longs silences pendant les repas quand elle le chargeait d'une corvée, ses haussements d'épaules, cette façon touchante de lever ses grosses mains, paumes en l'air, et de lui demander : « Mais enfin, à quoi bon ? » Une de ses vieilles chemises blanches sèche encore à la fenêtre. Maura avait frotté la crasse autour du col. Un catéchisme est ouvert sur la table, et, à côté, sont éparpillées les fiches de base-ball de Con : pour devenir un vrai Américain, O'Leary avait décidé de s'enticher de ce sport et de le suivre scrupuleusement. Il connaissait tous les scores, tous les stades, tous les entraîneurs, les batteurs, les lanceurs, les attrapeurs et les gardiens de base.

Le piano éviscéré est devant la cheminée, les touches blanches et noires étalées par terre. Un rescapé trouvé dans une décharge qu'il avait traîné dans les rues de Manhattan à l'aide d'une corde, saccageant les pieds sculptés en le tirant sur les pavés. Il avait fallu quatre hommes pour aider à le monter dans l'escalier, tout cela pour qu'O'Leary s'aperçoive qu'il s'agissait d'une imitation de Steinway qui n'avait de valeur que celle du bois dont il était fait. Il avait limé les touches ; elles collaient les unes aux autres, ce qui faussait les notes. Le soir, ils se mettaient à chanter des airs que Maura pourrait jouer.

Elle place le daguerréotype sur le piano, et elle tourne la tête en entendant frapper à la porte.

Un homme épais, en costume, cravate et chapeau melon, se brosse les épaules pour faire tomber la neige en entrant dans la pièce. Il prie les voisines de sortir.

Les femmes attendent que Maura leur fasse signe, puis elles partent l'une après l'autre, en jetant derrière elles des regards méfiants. Elles restent dans l'escalier et tendent l'oreille. Avec son large postérieur, l'homme s'assied dans l'unique fauteuil. Il remonte le bas de son pantalon et Maura voit ses chaussures bien cirées, tandis qu'une flaque se forme autour de ses pieds.

« William Randall, dit-il.

— Je sais qui vous êtes.

— Tous mes regrets.

— Vous voulez une tasse de thé ? » Elle parle comme si elle avait des nœuds dans la gorge.

« Non, madame.

— La bouilloire est sur le feu.

— Non merci, madame. »

Suit un long silence quand il pense enfin à ôter son chapeau.

« Après l'éruption, dit Randall, le tunnel a été inondé. Les autres ont eu de la chance d'avoir la vie sauve. Il a fallu placer une grande toile au fond du fleuve. Et déposer une couche d'argile dessus. À partir d'une péniche. Pour que le tunnel retrouve son étanchéité. Nous n'avons pas pu faire autrement. Bien entendu, nous vous indemniserons. Eh bien ? Nous vous donnerons assez pour vous et pour l'enfant. »

Il montre du doigt le ventre renflé de Maura, et elle y pose ses mains croisées.

« On n'a pas eu le temps de chercher le corps de Con, dit-il. On pense qu'il est resté bloqué dans une deuxième éruption. C'est tout ce qu'on peut dire. Cent dollars, cela suffira-t-il ? »

Randall toussote et taquine les pointes de sa moustache fauve.

« Il est possible que le corps émerge… auquel cas nous paierons aussi pour l'enterrement. Nous paierons l'enterrement de toute façon. Vous avez prévu des obsèques ? Eh bien, madame ? Madame O'Leary ? Je crois de mon devoir de veiller sur mes ouvriers.

— Ah oui ?

— Je l'ai toujours fait.

— Vous pouvez partir, maintenant, s'il vous plaît.

— Il y a toujours un espoir.

— Je vois que vous avez confiance, mais vous pouvez partir. »

Sa pomme d'Adam monte et descend. Il s'éponge le front avec un mouchoir. Des gouttes de sueur reparaissent aussitôt.

« Je vous ai dit de partir.

— Comment ?

— Partez.

— Comme vous voudrez, madame. »

Maura O'Leary regarde les manches de la chemise de Con claquer à la fenêtre, saluer la neige. Elle passe le doigt sur le bord d'une tasse vide, se maudit d'avoir proposé du thé à Randall. Elle ne prononce pas une parole de plus, elle se contente d'aller jusqu'à la porte, et la lui ouvre posément. Elle reste en arrière de l'encadrement. Les voisines reculent pour le laisser passer et elles le regardent descendre pesamment, avec son bourrelet de graisse qui tremblote sur la nuque. Les femmes rentrent chez Maura l'une derrière l'autre, et une demi-douzaine d'accents se fondent en un. Au-dehors, le bruit d'une automobile étouffe le claquement sourd des sabots d'un cheval. Des enfants jouent au base-ball avec des battes de hurling. À la fenêtre, Maura les regarde s'écarter sur le passage de la voiture de Randall, et elle voit des petits garçons tendre la main pour toucher la carrosserie lustrée. Elle tire le rideau et tourne le dos à la scène.

Les voisines se tiennent mains jointes et tête baissée, trop polies pour s'enquérir de ce qui s'est passé. Maura reste debout auprès d'elles – personne ne veut du fauteuil – et elle écarte une longue mèche de cheveux qui lui cache un œil. Elle apprend à ses voisines que son mari s'est déjà transformé en fossile et certaines se demandent ce que cela veut dire, mais, peu importe, elles acquiescent d'un signe de tête et gardent le mot en suspens au bord des lèvres : un fossile.

Ce mot, Nathan Walker se le répète en sortant de sa brève visite chez Maura, où il a laissé une enveloppe pleine d'argent sur la table de la cuisine, après avoir fait une collecte parmi les ouvriers du tunnel.

Il s'en va par les rues hivernales étincelantes en direction du ferry, et il s'essuie les yeux avec la manche de son pardessus en repensant à un certain soir, après le travail, l'hiver dernier. Alors qu'il sortait des douches avant les autres, il a été attaqué par quatre soudeurs ivres. Ils étaient armés de manches de pioche. Les coups se sont mis à pleuvoir sur son crâne, et il est tombé. Un des soudeurs s'est penché pour lui glisser à l'oreille le mot « nègre », comme s'il venait de l'inventer. « Alors, le nègre ! » Walker a levé les yeux et il lui a cassé les dents en frappant avec sa paume ouverte. Les coups ont recommencé à pleuvoir, les manches en bois glissant sur son visage ensanglanté. À ce moment-là quelqu'un a crié, avec un accent irlandais – « Nom de Dieu ! » – et il a reconnu la voix. Con O'Leary, qui sortait de la douche, était là debout sans rien d'autre sur lui que son pantalon et ses chaussures. Il paraissait gigantesque et tout flasque au soleil. Il s'est mis à décocher des coups de poing. Deux des soudeurs sont tombés, et puis des sirènes de police ont retenti au loin. Les agresseurs ont fui en titubant et se sont dispersés dans les rues sombres. O'Leary s'est agenouillé par terre pour tenir la tête de Walker contre sa poitrine blanche en lui disant : « Ça va aller, fiston. »

Une tache rouge s'est formée sous le sein de l'Irlandais. Il a ramassé le chapeau de Walker sur le sol. Il était plein de sang.

« On dirait un bol de soupe à la tomate », a dit O'Leary.

Les deux hommes ont essayé d'en rire. Avec son accent, O'Leary avait prononcé le mot tomate comme s'il poussait un soupir en plein milieu. Après cela, des semaines durant, chaque fois que Walker voyait son copain, il l'entendait encore prononcer ce mot.

À présent, en descendant les rues du Lower East Side, Walker essuie ses larmes et mesure le poids d'un autre mot sur sa langue, le mot fossile.

3

La première neige

Il est un moment au réveil où il se dit qu'il pourrait bien ne plus jamais se réveiller. Pour s'assurer qu'il est toujours vivant, Treefrog se tâte le foie, et il repense à la grue trouvée gelée hier dans l'Hudson.

Une douleur violente lui transperce l'abdomen. Il se retourne dans son sac de couchage, baisse la fermeture Éclair, ouvre sa chemise, et passe doucement ses doigts sur la marque creusée dans sa poitrine par les dents de métal. Il pince les deux bords de la peau et il regarde la rougeur apparaître. Il fait un froid ! Un sacré froid, c'est encore pire que là-haut, à la surface. Tendant le bras au-dessus de sa table de chevet, il allume une bougie de sabbat, place ses deux mains au-dessus de la flamme et laisse la chaleur se glisser en lui. Ses paumes sont tout près de la flamme. Pendant un instant, à la lueur de la bougie, ses mains semblent détachées de son corps, qui reste dans l'ombre. Plus ses paumes se rapprochent de la bougie, plus la flamme monte le long de ses doigts. Il ne les retire que lorsque la chaleur est trop intense, savourant sa douleur, les deux mains levées dans l'air glacé.

Il entend des rats cavaler dans la caverne derrière lui. « Ah, putain, dit-il, putain ! » Il jette une boîte de conserve vide par-dessus son épaule. Elle s'écrase avec un bruit de ferraille contre la paroi, et les rats se tiennent tranquilles un moment ; puis ils recommencent à gratter. Il serait temps de poser des pièges.

S'asseyant dans son sac de couchage, il se met les mains entre les cuisses pour les réchauffer, se penche en avant et jette un coup d'œil par-dessus le muret de son logis perché.

Il voit la première neige tomber par le sommet de la voûte, filtrant à travers une grille métallique. À une douzaine de mètres de hauteur, la grille retient la neige un instant, puis la laisse passer. Les flocons tourbillonnent dans les rayons de lumière, une lumière bleue d'hiver. Ils tournoient et atterrissent près de la voie ferrée, formant des plaques qui grossissent et vont se perdre dans l'obscurité. Treefrog a vu ce phénomène si souvent qu'il a appris à ne pas s'en étonner, pourtant il reste là à regarder un long moment, puis il dit tout haut, sans s'adresser à personne : « De la neige souterraine. »

Chacune de ses journées commence comme toutes les autres. Le rituel matinal. Il se lève et s'habille dans ce froid atroce, il allume une bougie, il ferme les yeux. Il se dirige à l'aveuglette vers le fond de son nid. Ce nid qui comprend deux pièces en tout : l'une où l'on entreposait du matériel, et l'autre une sorte de caverne dans le roc.

Treefrog tâte l'obscurité, la renifle, fait corps avec elle.

Dans la caverne, il s'accroupit et se déplace les yeux fermés. Le suif de la bougie lui coule sur les mains. La caverne est sombre et humide. Des coins et des recoins dans les replis de la roche grise. Un petit replat le long de la paroi. Des cavités cachées assez grandes pour y enfoncer le poing. Il pose la bougie sur le replat et attrape une feuille de papier quadrillé et un crayon bien taillé. Il fait le tour, en passant une main sur la paroi pour sentir les anfractuosités et le froid. Chaque fois qu'il s'aperçoit d'un changement dans le paysage, il ouvre les yeux et le note sur son papier quadrillé. Il retourne tâter le même endroit avec son autre main, caresse le roc, laisse le froid s'insinuer à l'intérieur de ses gants de cuir. Il respire lourdement et se représente les nuages que forme son haleine devant ses yeux – des figures étranges, aux mouvements bizarres. Tandis que ses mains errent le long de la paroi, il se penche instinctivement, il tourne et vire et arrive à sa bibliothèque, casée tout au fond de la caverne. Ses deux paumes se posent sur une étagère en bois branlante, et il reste là, comme en prière.

Il change son crayon de main.

Sur l'étagère sont rangées ses revues de construction mécanique, enfermées dans des sacs en plastique spéciaux, étiquetées avec des autocollants. Il fait courir ses doigts dessus et s'arrête à sa revue préférée – la construction des tunnels –, puis il passe à sa collection de cartes, qui vont jusqu'au bout du monde, et au-delà.

Il sort en baissant la tête, il retourne dans sa grande pièce ; même les yeux fermés, il reconnaît les ombres qui apparaissent à la lueur vacillante de la bougie. Ses chaussures glissent de la carpette à la terre battue et reviennent sur la carpette. Il place toujours le pied exactement où il faut, et il fait toujours un nombre pair de pas. Il identifie le moindre creux dans la boue, le moindre relief, à leur contact avec ses pieds. C'est là qu'il met presque tout son matériel, de vieux cageots, des journaux, un canapé qu'il a trouvé tout gonflé sous la pluie, des boîtes de fer, des casseroles, des couteaux, des aiguilles, trois douzaines d'enjoliveurs, et des livres qu'il fourre dans des sacs étanches pour les préserver de l'humidité. Du petit bois est empilé autour du foyer. Il s'arrête au Goulag – une cavité dans le mur, profonde d'une trentaine de centimètres. Sous le Goulag, il y a une caisse qui sert de couchette à Castor, sa chatte. En suivant la paroi avec la main, Treefrog passe sous une corde à linge, faite de cravates attachées les unes aux autres, il longe le lit et s'applique à ne pas buter dans les bouteilles géantes pleines de pisse qui sont alignées au pied du matelas.

Ces bouteilles, il les videra plus tard, il les emportera là-haut à la surface pour graver son nom en jaune dans la neige, où seuls les corbeaux sauront le lire.

Au bord de son nid, il lève un bras et touche une poutrelle d'acier, pivote de tout son corps et tend l'autre main. Il fait une marque au crayon sur le bord supérieur du papier quadrillé. Il cherche à tâtons un vieux compteur de vitesse cassé qui est accroché à la poutrelle d'acier de son nid – l'aiguille bloquée sur trente-six, son âge – et il se dit : Doucement, te casse pas la figure.

Il ouvre les yeux, regarde le papier quadrillé, avec ses rangées de points et ses lignes gribouillées. Il esquisse un relevé d'état-major des endroits où il a marché. C'est là son rituel le plus important. Il ne peut pas commencer sa journée autrement. Il grossit de dix fois les caractéristiques du terrain par rapport à l'échelle de la carte, de sorte que, sur le papier, le nid paraît accidenté de vallées, de montagnes et de plaines immenses. Les moindres encoches dans la paroi deviennent de vastes dépressions. Plus tard, il reportera tout cela sur une carte plus grande à laquelle il travaille depuis quatre ans, une carte du lieu où il vit, dessinée à la main, compliquée, mystérieuse, avec des hauteurs, des fleuves, des lacs tout en méandres, des ruisseaux qui serpentent, des ombres : la cartographie des ténèbres.

Les doigts tremblant de froid, Treefrog range la carte de ce matin dans le tiroir de sa table de chevet et il avance jusqu'à la passerelle, paupières closes. L'étroitesse de la poutrelle requiert un équilibre parfait – au-dessous de lui, c'est un plongeon de sept mètres, jusqu'au fond du tunnel. Il s'élance sur la seconde poutrelle, quatre mètres plus bas, s'accroupit, saute, et atterrit sans bruit sur le gravier, genoux fléchis, le cœur battant à tout rompre. Ses yeux s'ouvrent sur l'obscurité.

Il vit à distance des autres occupants, l'équivalent de trois pâtés de maisons. Parfois, quand il promène son regard vers le fond du tunnel, il aperçoit une surface liquide, et il croit voir quelqu'un pagayer avec détermination ; ou bien c'est sa fille, qui vient vers lui à la nage, les bras grands ouverts ; ou sa femme qui avance dans les ténèbres, mince, les yeux noirs, prête à pardonner. Mais alors l'obscurité se fait moins dense, et les visions disparaissent.

Assis dans le flot de lumière bleue qui vient du haut – à côté de *L'Horloge molle* de Salvador Dalí peinte sur le mur –, Treefrog laisse les flocons se poser autour de lui. Il sort de sa poche une aiguille hypodermique, qu'il tient à hauteur des yeux pour voir la graduation indiquée. Il remplit d'air le quart de la seringue, puis mouille une aiguille de taille seize avec sa langue. Il fait un froid glacial, sa langue en gèlerait presque sur le métal. Il laisse une bulle de salive à la pointe de l'aiguille, fouille dans son autre poche et en sort une balle rose. Il enfonce l'aiguille dans la balle et pousse le piston de plastique. On dirait qu'il pique dans de la peau. La balle se gonfle d'air et Treefrog caresse sa rondeur nouvelle. Parfait. Il prend un stylo noir et marque l'endroit où l'aiguille a pénétré la balle ; il va chercher dans les profondeurs de son pardessus une autre seringue, déjà remplie de colle. La seringue est enveloppée dans une chaussette qui la maintient au chaud. Il la tapote des deux mains.

Il pique la seconde aiguille dans la balle rose à l'endroit de la marque, et sifflote doucement tandis que la colle s'imprègne dans le caoutchouc. Cela va prendre une demi-heure, l'air et la colle vont permettre à la balle de mieux rebondir. Un peu plus loin, à l'intérieur du tunnel, il entend un grognement : il se retourne, mais il ne voit personne.

« Hé-ho ! » dit-il, apostrophant l'obscurité. « Hé-ho ! »

Sortant une autre balle de sa poche, il retourne près de la voie ferrée, face à *L'Horloge molle*. C'est une peinture murale que Papa Love a faite il y a des années, bien avant que Treefrog n'arrive dans le tunnel. Grise et noire, haute de trois mètres, dessinée juste au-dessous de la grille pour accrocher la lumière, l'horloge ressemble à une femme cambrée au niveau de la taille. À côté, le mur est balafré d'une traînée zigzagante de graffiti rouges. En été, des jeunes sont descendus en bande avec des bombes de peinture. Treefrog les a regardés du haut de son nid. Ils avaient mis leurs casquettes de base-ball devant derrière. Ils sont restés tous ensemble, ils avaient peur. Quand ils ont eu fini d'asperger les murs, ils ont laissé les bombes vides sur le bord. Pourtant, ils n'ont pas touché aux peintures murales de Papa Love. Ils ont même frappé à la porte de sa cabane, mais le vieillard ne leur a pas ouvert : il n'a jamais ouvert à personne, et il en sera toujours ainsi.

Dans le cyclorama de neige, Treefrog lance la balle contre le mur : ses cheveux noirs et sa longue barbe voltigent autour de lui. Il frappe la balle d'abord avec la main droite, puis avec la gauche – ce jeu a ses règles : il doit garder le corps d'aplomb, maintenir l'équilibre, toujours respecter la symétrie. S'il tape deux fois de la main gauche, il faut qu'il tape deux fois avec la droite. Quand il envoie la balle avec le creux de la paume droite, il doit faire la même chose avec la gauche. Il se concentre sur la balle rose qui rebondit sur la peinture murale. Il est aux anges quand il touche le cœur de *L'Horloge molle*, l'endroit où l'aiguille en zigzag approche de quatre heures.

La balle va toucher le mur et revient à toute vitesse.

Treefrog se réchauffe, il a l'esprit entièrement occupé à maintenir sa balle en l'air, à frapper par-dessous, par-dessus, à hauteur du torse, de la cuisse, au-dessus de la tête – tout en sobriété, précision et contrôle, dans le tunnel, dans le rayon de lumière, dans la neige.

Il garde un rythme parfait, et sent la chaleur couler dans son corps, sans restriction, généreusement. Une goutte de sueur lui parcourt l'aisselle. Il renvoie la balle trop fort à un endroit où le mur est fissuré, si bien qu'elle lui échappe, voltige dans son dos et va atterrir sur les rails de l'autre voie. Au loin, il entend un train, le 69 pour Montréal, bolide de lumière et de métal. Le fracas s'amplifie, et il peut dire adieu à sa balle ; déjà le train est sur elle, alors il ne se retourne même pas pour regarder ; elle sera sans doute emportée par le tirant d'air, sous un wagon, bien plus loin dans le tunnel, à moins qu'elle ne soit complètement broyée. Le bruit décroît tandis que le train file vers Harlem, puis en direction du Canada. Treefrog se frappe le creux de la main avec le poing.

« Vouais. »

Plongeant son regard dans les rayons de lumière qui descendent par les grilles, il voit Elijah sortir de l'ombre de l'autre côté des voies, avec une couverture par-dessus son sweat-shirt à capuche.

« Donne-moi un briquet.

— Et mon cul, c'est du poulet ? répond Treefrog.

— Allez, vieux, donne-moi un briquet.

— Pour quoi faire ?

— Donne-moi un briquet, je me caille.

— T'es encore en panne de chauffage ?

— J'suis pas en panne du tout. J'ai envie de fumer une clope, putain. »

Elijah dégage son visage de la capuche, découvrant une longue coupure rouge sur une pommette.

« Qu'est-ce qui t'est arrivé ? demande Treefrog.

— Rien.

— T'as pris un coup de couteau ?

— Qu'est-ce que ça peut te foutre, connard ?

— J'te demandais ça comme ça, dit Treefrog en haussant les épaules.

— Pose pas de questions. Il s'est rien passé. D'accord ? Rien. Donne-moi un briquet. »

Treefrog prend la deuxième balle dans sa poche, il la lance de biais en la coupant et la fait rebondir obliquement sur le mur. En tendant le bras pour taper dedans, il demande avec un petit rire : « Qu'est-ce que tu me donnes ?

— Une clope.

— Trois, réplique Treefrog, et il renvoie doucement la balle contre le mur, de l'autre main.

— Deux.

— Quatre.

— Bon, d'accord, trois, nom de Dieu !

— C'est ce qui s'appelle du troc », dit Treefrog.

Elijah lâche la couverture, il plonge dans la poche de son sweat-shirt et il en tire un paquet de cigarettes mentholées. Il donne un petit coup sur le paquet et trois cigarettes apparaissent.

Treefrog laisse filer la balle sur le gravier avec des rebonds bizarres du côté du portrait mural de Martin Luther King, haut de deux mètres. Il sort six briquets en plastique de sa poche, et les dispose sur ses paumes en disant : « Choisis ton poison, vieux. »

D'un seul mouvement rapide, le briquet orange est arraché de la main de Treefrog et les trois cigarettes disparaissent du paquet d'Elijah, qui, déjà, repart en direction de sa petite loge dans la partie sud du tunnel.

Treefrog met la cigarette à sa bouche et allume son briquet d'un coup sec. Il sent un petit paquet de neige lui tomber sur la joue, et il dit tout haut, une deuxième fois, pour la symétrie, pour l'équilibre : « De la neige souterraine. »

L'hiver où il est arrivé, là, en bas, il faisait tellement froid que son harmonica lui a gelé aux lèvres. Il était assis sur la passerelle et il n'avait pas réchauffé son Hohner. L'instrument est resté collé à sa bouche et, quand il a tiré dessus, la peau est partie avec.

Après quoi, là-haut, on l'a surpris à voler de la pommade rosat dans une pharmacie de Broadway. Il s'est fourré le petit tube plat sous la langue pour le dissimuler, mais un employé l'a vu, s'est planté devant lui et l'a repoussé. Treefrog a essayé de passer sur le côté, l'employé l'a attrapé par ses cheveux longs et l'a envoyé valser contre un présentoir de médicaments anti-rhume, dans un grand fracas de flacons de pilules. Treefrog s'est relevé et lui a cassé le nez d'un simple coup de poing ; un policier en civil est arrivé derrière lui et lui a mis son flingue sur la tempe en disant : « Bouge pas, fils de pute. »

Le revolver était tout froid contre sa tête. Treefrog s'est demandé quel effet ça pouvait faire à un type qui est en train de mourir de sentir la balle ricocher dans son crâne, et il a prié le flic de déplacer un peu son flingue. Mais le flic lui a ordonné de s'agenouiller et de lever les mains.

En se mettant à genoux, Treefrog a craché le tube de pommade rosat. Un petit groupe de curieux s'était formé. Le vendeur a ramassé le tube avec un mouchoir en papier. Pendant tout ce temps, Treefrog avait gardé l'harmonica au chaud sous son aisselle.

Quand les flics en uniforme sont arrivés, il n'a pas été capable de se souvenir de son vrai nom, alors ils lui ont planté leurs matraques dans les côtes, violemment, ils l'ont fouillé pour voir s'il était armé, et ils lui ont passé les menottes. L'harmonica a glissé le long de sa manche et il est tombé par terre. Ils l'ont piétiné, leurs chaussures noires ont écrasé le Hohner. Il était presque complètement fichu : le métal cabossé rentrait dans les tuyaux, on aurait dit une malheureuse lèvre argentée. Ils continuaient à lui demander son nom, et, les bras tendus au-dessus de la tête, il leur criait : « Treefrog, Treefrog, Treefrog, Treefrog ! » Plus tard, quand il a récupéré son Hohner – après deux nuits au poste –, l'instrument était encore imprégné de l'odeur de son aisselle. Comme il n'avait pas envie de lécher son propre corps, il est resté une semaine sans en jouer.

Il s'est donné chaud à jouer à la balle : il retire son pardessus et le lâche sur le gravier, puis il étire les bras comme un crucifié. Il lève les yeux vers la grille et récolte les flocons de neige dans le creux de ses mains sales, où ils fondent. Il se frotte les doigts pour en chasser la poussière du tunnel, il joint les mains, se lave le visage avec la neige fondue et en laisse couler un peu sur sa langue. Puis il se décrasse la nuque et il sent une petite goutte froide s'insinuer dans le col de ses chemises et mouiller le dos de son sous-vêtement en thermolactyl. Voilà des semaines qu'il ne s'est pas lavé. Il se frotte la pomme d'Adam avec l'eau froide et il ouvre ses chemises une à une. D'un geste tranquille, il retire son maillot de corps moulant, qu'il jette sur son tas de vêtements au bord de la voie. Il a la poitrine balafrée de coups de couteau, de brûlures et de cicatrices.

Autant de mutilations.

Trombones chauffés au rouge, ciseaux émoussés, pinces, cigarettes, allumettes, lames – tous ces objets ont laissé leur marque sur son corps, la plus visible d'entre elles sur le ventre, du côté droit. Un jour, Treefrog a attaqué un homme au couteau, et la lame a glissé entre les côtes. On aurait dit qu'il crevait un ballon, la lame est entrée et ressortie, l'homme a poussé un soupir lent, triste, mais il n'en est pas mort – le type avait volé une cigarette à Treefrog –, c'était il y a bien longtemps, à la sale époque, la pire de sa vie, l'époque où il pensait qu'il devait se frapper lui-même en retour, de l'autre côté. En ville, dans l'autobus, il s'est planté son couteau d'un demi-centimètre dans le corps, pour rétablir l'équilibre. Il lui a fallu enfoncer la pointe à deux mains. Il a senti une tiédeur étrange sur tout son ventre, et le sang s'est répandu partout à l'arrière de l'autobus. Le chauffeur a demandé du secours par radio, mais Treefrog est descendu en chancelant ; il a continué à pied sur Broadway et il est allé se perdre dans les néons de Times Square. Plus tard, une fois revenu dans le tunnel, l'angoisse l'a saisi : devait-il faire un pendant à sa blessure ? Devait-il se donner un coup de couteau du côté gauche ? Finalement, non. Il s'est contenté d'appuyer à cet endroit avec son pouce et de rêver que le métal entrait dans sa chair.

Il se frotte le haut du torse avec cette eau, qui est pourtant très froide, très, très froide ! Sa peau le picote et se contracte, ses mamelons se redressent. Il passe de la neige sur ses avant-bras veineux, sous ses aisselles, il songe un instant à descendre jusqu'à l'entre-jambes, mais il décide que non.

Il attrape ses vêtements, traverse les voies. En largeur comme en hauteur, le tunnel a la taille d'un hangar d'avion.

Il saute et s'accroche à une prise qu'il a taillée au burin dans le pilier, il place le pied entre le pilier et le mur, se hisse des deux mains, et le voilà sur la première passerelle. D'un mouvement agile, il atteint la seconde, fait attention de bien mettre un pied devant l'autre, allume un de ses briquets tout en marchant, d'abord de la main droite, puis de la main gauche, faisant surgir une vilaine flamme trop haute. Il y voit à peine, car ses cheveux lui tombent devant les yeux.

Il arrive au bord de son nid – douze pas, toujours douze – et bascule à l'intérieur.

À l'entrée, il y a la carcasse d'un feu de signalisation tout cabossé, récupéré par Faraday. Treefrog l'a fixé au mur avec un crochet et du fil de fer, mais il n'y a plus le rouge, orangé, vert, car il ne veut pas l'électricité, pas question ; il préfère que son nid soit dans le noir ; ça lui plaît comme ça.

Il salue le feu de signalisation d'un signe de tête, et il se dirige vers son lit.

Le matelas fait un creux au milieu, où il a laissé l'empreinte de son corps. Il s'assied, il écoute le bruit du monde au-dessus de lui : les voitures sur la voie express du West Side, les jappements aigus des gamins sur les toboggans dans le parc, les grognements sourds de Manhattan. Il sort quelques vêtements supplémentaires du sac de couchage où il les avait mis au chaud pendant la nuit – trois paires de chaussettes, un deuxième pardessus, une autre paire de gants, un autre T-shirt, qu'il fourre dans sa poche pour s'en faire une écharpe. Il quitte encore une fois son nid humide pour redescendre dans la boue gelée au fond du tunnel. Il aime bien marcher en équilibre sur les rails. Au bout de cinq minutes, il passe devant les petites loges en béton de Dean, d'Elijah, de Papa Love et de Faraday, mais il n'y a pas un bruit. Il traverse les rayons de lumière, s'approche de l'escalier, monte et se glisse par l'espace béant dans la grille de fer.

Au-dehors, dans le monde, la neige est si blanche qu'elle lui fait mal aux yeux. Il cherche ses lunettes de soleil dans ses poches.

La grue n'est pas là quand il arrive près du fleuve. La glace s'est insinuée plus avant dans l'Hudson, et l'endroit où il a lancé les briques s'est refermé comme une plaie ; au bord, il ne reste désormais que quelques morceaux de bois et un bidon d'huile de voiture gelés. Il y a des chalands dans le chenal, où l'eau coule encore parmi quelques blocs de glace épars. Plus au sud, des péniches sont attachées aux quais ; des glaçons pendent des cordes comme des tessons de verre.

Le long du fleuve, la neige souffle en tourbillons violents.

Treefrog s'enveloppe le visage dans son T-shirt de réserve pour se protéger du blizzard. Il traverse le parc, il longe la courbe de la voie express, où les voitures sont rares et roulent doucement, il monte sur le remblai du tunnel. Il évite quelques boules lancées par des adolescents, et il compte ses pas en avançant péniblement dans une couche de neige de quinze centimètres. Sur l'aire de jeu à la hauteur de la 97e Rue, il étale un sac en plastique bleu sur une table de pique-nique accrochée au grillage par une chaîne, et il s'assied, loin des balançoires.

Il y a là quelques enfants ravis de marcher dans la neige. Il n'approche pas davantage, de crainte de leur faire peur. À eux ou à leurs mères. Si on le voyait de près, on pourrait le reconnaître, même si, autrefois, il avait les cheveux courts, coupés très ras, et il ne portait pas la barbe.

De sa table, il voit l'aire de jeux, en contrebas : deux dinosaures en fibre de verre sur lesquels les enfants peuvent s'asseoir, un toboggan argenté en spirale, deux autres plus petits, des cages à poules, un pont mobile, un pneu-balançoire, et six balançoires parfaitement alignées – trois pour les petits, et trois pour les plus grands.

Le froid glacial le mord, et le vent fait geler la morve sur sa barbe.

Mais, quand il ôte ses lunettes de soleil et les met sur son front, il voit sa fille. C'est l'été, il y a très longtemps, elle a onze ans, elle porte une robe ocre, elle a les cheveux tressés, les arbres sont verts, la lumière est blonde, l'aire de jeux bourdonne, la terre est vivante – c'était le bon temps –, elle se balance joyeusement dans les airs, un bras tendu, les pieds ramassés sous la balançoire, avec ses tennis blanches, ses socquettes bleues et le bord de sa robe à la hauteur des genoux. Il est debout derrière elle, il saisit la balançoire, il pousse la fillette plus haut ; c'est alors que, ses mains se déplaçant légèrement, il sent dans son corps un creux énorme et familier, et il s'arrache à la vision qui l'a fait tressaillir.

La faim lui tiraille l'estomac et va se loger dans son foie. Il faut qu'il trouve des boîtes ou des bouteilles vides pour se faire un peu d'argent. Il se lève et souffle dans le sac en plastique bleu vide. Aujourd'hui, les boîtes vont être lourdes à cause de toute la neige fondue à l'intérieur. Il devrait peut-être manger un sandwich. Ou s'acheter du poulet au restaurant chinois de Broadway. Peut-être encore une bouteille de gin, s'il a assez d'argent. Il a entendu dire que là-bas au nord, dans le Maine, les endroits où on vous reprend les boîtes vides s'appellent des centres de rachat.

À la lisière de l'aire de jeux, à travers un rideau de neige, Treefrog fait un signe de la main à sa fille, il replace ses lunettes sur son nez, il chasse le givre qui saupoudre sa barbe, et, en grelottant, il s'en va par la 97ᵉ Rue en direction de Broadway, où il n'est plus qu'un homme solitaire qui plonge dans les poubelles de Manhattan.

4

1916-1932

Chaque matin, les jours de semaine, quand il descend sous l'East River pour reprendre son travail dans le tunnel, Nathan Walker s'isole un instant et dit quelques mots à celui qui est enfermé là-haut dans son cercueil de limon. Ses compagnons le laissent seul. Il tape contre le plafond d'acier avec sa pelle, qui résonne d'un grand bruit métallique.

« Hé, Con, dit-il. Hé, mon pote. »

Il poursuit son chemin jusqu'au fond du tunnel, la boue éclaboussant tout l'arrière de sa salopette déchirée. À l'avant du bouclier Greathead, on a recommencé à creuser. Vannucci est déjà fermement à l'œuvre avec deux nouveaux terrassiers. Sean Power, estropié lors de l'accident, ne peut plus travailler. Walker franchit le passage ménagé dans le bouclier et porte la main à son chapeau pour saluer les nouveaux. Ils lui rendent son salut. En deux semaines, ces gadouilleux ont déjà noué entre eux les liens d'entente nécessaires. Au début, Walker creuse en silence, mais, au bout d'un moment, pris par le rythme de son travail, il laisse échapper de ses lèvres son gospel habituel : « *Seigneur, j'ai pas vu un coucher de soleil depuis que*

53

j'suis descendu là ; non, je n'ai rien vu qui ressemble à un coucher de soleil depuis que j'suis descendu là. »

Eleanor O'Leary naît chez elle dix-neuf jours après l'accident, le jour du trente-quatrième anniversaire de Maura. C'est Carmela Vannucci qui fait office de sage-femme. Elle met l'enfant au monde en douceur et chuchote des prières en italien. Le bébé a une tornade de cheveux roux sur la tête.

Maura repose sur son lit – ses draps, rêches au toucher, ont été faits dans des sacs de farine blanchis, qui ont gardé une vague odeur de blé – et elle pense à son époux et à sa montre de gousset, se demandant si, dans le limon du fleuve, la montre marche toujours. Le soir, elle s'endort sur ses souvenirs et, quand elle se réveille, l'odeur de blé est plus forte encore. Parfois, dans son demi-sommeil, elle se croit de retour dans les champs ocre de Roscommon, un vol de cygnes traverse le ciel comme des confettis, mais lorsqu'elle se redresse pour regarder par la fenêtre, ce sont les becs de gaz de Manhattan qui la dévisagent.

Quand elle se sent assez vaillante pour recevoir des visites, elle enfile une robe noire par-dessus sa chemise de nuit, elle se cale dans son lit, et ne parle à personne de ces rêves où elle voit la montre de son mari – la montre est toujours sur lui, elle fait tic-tac entre ses côtes, il a les os maintenus par des bretelles, et la trotteuse mesure le temps de décomposition de la chair.

Au bout d'un mois, Maura trouve du travail dans une fabrique de pinceaux assez proche de l'East River. Le contremaître lui permet d'amener le bébé avec elle. Elle dégage un rond dans la poussière sur la vitre de l'atelier pour regarder au-dehors et voir Con ressusciter et se propulser à la surface du fleuve. Il surgira, sa pelle à la main, et poussera des cris en voyant le soleil.

Les clous de ses chaussures lanceront des éclairs. Il fera des sauts périlleux dans les airs, puis retombera dans le fleuve, sur le geyser, et s'accrochera un moment à une planche flottante. Puis il gagnera la rive à la nage avec un grand sourire aux lèvres, elle ira à sa rencontre sur les quais, elle le prendra dans ses bras, le couvrira de baisers. Il caressera la joue de l'enfant qu'il ne connaît pas encore et s'écriera : « Par Dieu, Maura, qu'elle est belle ! »

Maura se représente tout cela à longueur de journée, en garnissant des brosses de pinceaux. Elle en attrape des durillons aux doigts. Quand elle a fini son temps de travail, elle reprend la voiture d'enfant, qu'il lui faut soulever pour descendre les marches, ce qui finit par lui donner du muscle dans les bras. Le faire-part est toujours dans sa poche ; elle a en permanence le visage de Con sur la hanche. Quand elle arrive chez elle, elle le pose sur le piano et joue quelques notes. Elle regarde autour d'elle et attend que les mains de son mari se posent sur ses épaules.

Nathan Walker vient la voir le dimanche dans l'après-midi, sachant bien qu'à cause de la couleur de sa peau une visite plus tardive susciterait des murmures. Il retire ses chaussures sur les premières marches afin d'étouffer le bruit de ses pas dans l'escalier, il grimpe silencieusement les quatre étages, se débarrasse de sa chique dans un pot de fleurs, et frappe à la porte.

Maura jette un coup d'œil au bout du couloir pour s'assurer que personne ne l'a vu. Elle le fait entrer en le tenant par le coude. Il garde les yeux baissés.

« Vous vous nourrissez bien, Nathan ?

— Oui, oui.

— Vous êtes sûr ? Ce n'est pas la graisse qui vous étouffe.

— Je me nourris comme il faut, m'dame.

— Pourtant, je vous trouve un peu maigre.

— Je manque de rien, vous pouvez me croire.

— J'ai là des pommes de terre.

— Non merci, m'dame, je viens de manger.

— Vraiment, je vous en prie.

— Bon, eh bien, m'dame, si c'est pour les jeter… »

Gênée d'avoir préparé un tel festin, Maura baisse les yeux elle aussi. Après les pommes de terre, la viande, le thé et les petits gâteaux, elle laisse Walker prendre le bébé dans ses bras de géant. C'est pour Maura un spectacle insolite que celui du jeune homme et de l'enfant – Walker est tellement grand que le bébé paraît minuscule. Et quelle différence de peau ! Cela l'inquiète ; elle garde un œil sur Walker. Elle a entendu dire toutes sortes de choses sur ceux de sa race, et pourtant, elle voit en lui tant de douceur ! Parfois, il endort Eleanor en la berçant sur ses genoux et, quand il lui donne à manger à la cuiller, il imite un zeppelin traversant le ciel. En partant, Walker laisse toujours une pièce de un dollar sur la cheminée, et Maura O'Leary range cet argent dans une boîte à gâteaux marquée ELEANOR.

Walker sort de l'immeuble rapidement, furtivement.

Plus tard, au cinéma, il est obligé de se mettre au fond de la salle et, pendant le film, *Le Roman comique de Charlot et Lolotte*, les têtes lui cachent les moulinets de la canne de Charlot. L'égalité de l'ombre n'existe que dans les tunnels. Le premier syndicat intégré d'Amérique a été celui des travailleurs sous air comprimé. C'est seulement sous terre, il le sait bien, que la couleur est abolie, que les hommes deviennent des hommes.

Il ne peut pas changer de peau, comme un serpent, pas même dans l'obscurité d'une salle de cinéma.

Quand il avait dix ans, dans les marais de Géorgie, il a laissé un serpent d'eau pendant cinq heures sur un ponton de bois branlant. D'après ce qu'il avait entendu dire, l'animal aurait dû se déshydrater au soleil. Au début, le serpent s'est débattu farouchement, essayant de s'échapper et de retourner à l'eau, mais, chaque fois, Walker le ramenait par la tête et par la queue. Se souvenant d'un vieux dicton, il savait que ce n'était pas un serpent venimeux : rouge et jaune ôte la vie, rouge et noir est gentil. Il ne voulait pas le tuer, il voulait seulement le laisser mourir à la chaleur, mais la bête continuait à lutter. Finalement, le soleil a baissé dans le ciel de l'Okefenokee. De dépit, Walker a mis le pied sur le corps du serpent et il y a enfoncé son couteau. Les boyaux étaient tièdes, et il les a poussés dans l'eau. Il a rapporté la peau chez lui pour l'accrocher au mur. La maison était presque tout entière en bois, sauf les murs de sa chambre, en parpaing. Il a fait beaucoup de bruit en plantant les clous. Quand la peau du serpent a été tendue au-dessus de son lit, sa mère est entrée et lui a demandé d'où il la tenait. Il lui a raconté ce qu'il avait fait et elle l'a fouetté pour le punir de son impudence.

Toutes les créatures, lui a-t-elle dit, méritaient le même traitement, aucune n'avait plus de droits que les autres, elles étaient toutes semblables. Elles n'avaient rien en venant au monde, et elles en repartaient avec moins encore. C'est seulement en croyant en Dieu et en la bonté humaine qu'elles trouveraient un peu de bonheur.

« Si tu recommences, a-t-elle dit, je te battrai comme plâtre. »

Ce dimanche-là, après le culte, le pasteur a demandé à l'enfant de se racheter. Alors, il est allé chercher un autre serpent, qu'il a gardé dans une caisse, il l'a bien soigné, il lui a donné des souris à manger, et il a été stupéfait de le voir muer tous les étés en laissant dans sa caisse des enveloppes de peau transparente ; un peu comme ces hommes qu'il voit muer maintenant, dix ans plus tard, dans les rues de New York, abandonner leurs vêtements civils pour prendre l'uniforme militaire, et partir en Europe se battre à la Grande Guerre – d'ailleurs, certains ont, comme lui, travaillé dans les tunnels –, l'uniforme apprêté et bien repassé, le chapeau de l'armée mal ajusté sur le crâne. Il a entendu dire que sur le front de France, par des couchers de soleil sanglants, ces ouvriers du sous-sol font merveille dans les gourbis – il n'y a pas plus vif et plus rapide qu'eux, plus acharné à creuser toujours plus loin et plus profond.

Un dimanche après-midi, à la fin de sa visite, Walker dit à Maura : « Vous savez, m'dame, votre mari, il avait un tour à lui qu'il nous faisait des fois. On était dans le tunnel, il était là au travail avec nous autres. Et voyez, il avait une balle de revolver qu'il avait trouvée quelque part, dans la rue peut-être bien. Je sais pas. Enfin, bref, on était tout à l'avant, et Con avait pas de chemise sur lui ni rien. On est presque jamais en chemise, là en bas, voyez. Et alors il se mettait à crier : "Regardez ça, les copains !" Il avait une drôle de façon de parler, pareil que vous. Tomate, patate, des mots comme ça, il disait ça avec un drôle d'accent. Enfin, bref, il se pliait en deux, le brave gars, et il s'enfonçait la balle dans l'estomac. Et puis, ni vu ni connu, il la gardait sur le ventre toute la journée, et il la faisait jamais tomber, pas une fois ! Et ça l'empêchait pas de travailler et de manier la pelle ! Et nous, on riait jusqu'à plus soif.

» Alors, j'vous comprends, m'dame, parce que, nous aussi, il nous manque, il éclairait notre vie à nous aussi ; c'est vrai, le brave, il éclairait vraiment notre vie. »

Le matin de l'inauguration, en 1917, son chapeau rouge sur la tête, Walker va son chemin dans Brooklyn, sur les pavés de Montague Street. Il sourit en voyant que presque tous les autres ouvriers du tunnel sont en tenue de travail eux aussi, avec des chemises en loques, en salopette, leur couvre-chef préféré sur la tête.

Beaucoup d'entre eux ne se sont jamais rencontrés auparavant, ayant travaillé dans des équipes différentes. Ils sont accompagnés de leur femme et de leurs enfants, qui tiennent dans leurs mains des bougies non allumées. Ils descendent en famille les marches de la station de métro et se rendent tranquillement sur le quai. Ils se dirigent vers la tête d'une rame où se tient William Randall, le patron. Randall attend que les photographes saisissent son sourire à la lueur du magnésium. Il n'est encore jamais venu là en bas, et il dit aux journalistes et aux notables combien il est fier de son tunnel sous le fleuve. Surtout, il meurt d'impatience de couper le ruban rouge et de lancer la première rame. Tout en parlant, il se pomponne pour la photo. Il sent le savon à raser et l'huile capillaire – une odeur qui offusque les narines, une odeur jusqu'alors inconnue dans le tunnel.

Mais au lieu de plonger sous le voile noir de leur appareil pour saisir le sourire de Randall, les photographes se retournent pour voir les hommes, les femmes et les enfants qui s'approchent sur le quai.

Tandis que les familles s'avancent le long des wagons, le tunnel est plongé dans l'obscurité : les ouvriers ont décidé de couper le courant pendant une heure. Les allumettes s'enflamment et la lueur des bougies illumine le visage des hommes qui passent devant leur patron en un long défilé. Randall crie d'indignation et s'en prend à un groupe d'individus en complet-veston. Ceux-ci lèvent les mains d'un air implorant en disant : « On n'y peut rien, nous, monsieur. »

À l'arrière de la file, Walker sourit.

Un par un, les hommes et leurs familles plongent sous le ruban rouge à l'avant du train. Ils ne jettent même pas un regard à leur patron. Randall sort du wagon et essaie de les arrêter, mais ils glissent autour de lui comme de l'eau.

Ils lèvent les mains en demandant aux photographes de ne pas les suivre, de les laisser en paix. Ce moment leur appartient, ils ont envie de se retrouver entre eux.

Quelqu'un siffle, et aussitôt les ouvriers pénètrent dans le tunnel, leur bougie à la main.

« C'est toi qu'as construit tout ça, papa ?

— En partie, oui.

— Eh ben ! Ça fait quelle longueur ?

— Dans les sept cents mètres.

— Sept cents exactement ?

— À quelques centimètres près.

— Il fait tout noir.

— Pour sûr qu'il fait noir, c'est un tunnel, sapristi ! »

Walker observe deux garçons qui jouent à se renvoyer une balle de base-ball. La balle s'écrase sur leur gant avec un bruit sourd. Il sourit intérieurement en se disant que c'est sans doute la première fois dans l'histoire qu'on joue au base-ball sous l'eau. Il plonge entre les deux jeunes pour saisir la balle au vol. Les garçons l'applaudissent.

« Balle crachée[1] ! » s'écrie Walker en poursuivant son chemin à l'intérieur du tunnel.

Certaines femmes – dont Carmela Vannucci, forte et charpentée, les cheveux ramassés dans le cou – ont à la main des chapelets qu'elles égrènent entre leurs doigts. Elles s'adressent tout bas à sainte Barbara, la patronne des mineurs. Dans le geste de ces femmes il y a de la

---

1. Balle de base-ball sur laquelle le lanceur a craché avant de lancer. (N.d.T.)

tristesse – elles prient pour les victimes du tunnel – mais aussi le soulagement que leur mari ait échappé à la mort. Avec leurs longues jupes qui bruissent et leurs cheveux pris sous leurs chapeaux, elles s'accrochent au bras de leur époux pour marcher le long de la voie.

À la lueur des bougies, Walker retrouve Sean Power, qui boite et tient son neveu par la main. Power se retourne en posant la main sur la tête du garçon.

« Je te présente monsieur Walker. »

L'enfant tend une main crasseuse. « Bonjour, monsieur.

— Monsieur Walker était dans les parages le jour où Dieu a lâché un pet, dit Power.

— Hein ?

— Le jour où on a été aspirés hors du tunnel. »

L'enfant se met à glousser, mais il ne lâche pas pour autant la main de son oncle. Walker marche derrière eux. Il écoute les commentaires de son ancien compagnon de travail, qui désigne au passage certains endroits du tunnel.

« Ici, c'était la place du chef de poste à l'œil de verre, dit Power. Un jour, ses cheveux ont pris feu.

— Son œil a fondu ?

— Bien sûr que non. Et ici, c'est l'endroit où le soudeur a brûlé. Tomocweski. Parti en flammes comme une boule de feu. Ça sentait le bœuf rôti.

— C'est vrai ?

— Mais les médecins l'ont tout de même tiré de là.

— Lui aussi il avait un œil de verre ?

— Non.

— Pas de veine. »

Ils s'arrêtent pour regarder la chape de béton gris qui recouvre la voûte du tunnel. Power prend appui sur sa canne et sort de sa poche une flasque de bourbon. Il boit une gorgée et la passe à Walker.

« Dis, tonton, le fleuve est là au-dessus ?

— Juste au-dessus de nous, oui.

— Ouais ! Je peux aller pêcher ?

— Fais pas le malin, lui dit Power. Tu vois, là ? Eh bien, juste à cet endroit, un type du nom de Sarantino s'est cassé un doigt en serrant un boulon. Il s'est pris le doigt dans son outil, et il a bien failli le perdre, sacrebleu. Il venait de s'essuyer le front pour faire tomber la sueur. Il avait la main glissante. Tu peux pas t'imaginer la chaleur qu'il faisait, là, tous les jours.

— Mais maintenant, tonton, il fait froid.

— Oui, je sais, mais à ce moment-là, il faisait une chaleur d'enfer.

— Je peux mettre un sou sur les rails ?

— Pour quoi faire ?

— Pour que le train l'écrase en passant.

— Non.

— Pourquoi pas ?

— Quand le train passera, on sera plus là.

— Ah.

— On va faire silence à présent.

— Et pourquoi ?

— Quelqu'un va dire une prière.

— Une prière, oncle Sean ?

— Une prière, ouais, répond Power en montrant Walker du doigt.

— Le nègre ?

— C'est pas un nègre, petit, c'est un ouvrier du tunnel. » Power toussote. « Tais-toi maintenant, gamin, et écoute. »

Certains ouvriers et leur famille s'en vont prier par petits groupes de leur côté.

« Vas-y, Nathan, dit Power, sers-nous un peu tes saintes paroles. »

Walker joint les mains, demande à tous de s'incliner et, en guise de prière, d'observer un moment de silence pour les morts.

Rouvrant les mains, il pose un poing sur son cœur. Vannucci se fige. Power ferme les yeux. Les deux minutes de silence ne sont interrompues que lorsque le neveu de Power frotte ses semelles sur les rails, mais son oncle lui donne une tape sur le crâne, et l'enfant baisse la tête d'un air penaud.

Ensuite, ils gardent le silence comme des hommes qui se souviennent soudain d'une chose très importante qu'ils avaient oubliée, et qu'ils revivent tout d'un coup.

La prière se termine par un « Amen » retentissant, et Power se remet en route en sirotant doucement le contenu de sa flasque. Il boite davantage à présent, et cela lui fait chaud au cœur de voir que les femmes des autres le regardent avec sympathie.

Le lancer de balles reprend. Les enfants font circuler une bouteille de boisson à la salsepareille : un régal qu'ils savourent bruyamment dans la bouche avant d'avaler. Des femmes déposent des fleurs au bord des voies et on allume d'autres bougies à côté des bouquets. Au milieu du tunnel, les hommes se serrent la main, les soudeurs essaient de retrouver d'autres soudeurs, les pompeurs d'eau bavardent avec leurs collègues. Quant aux gadouilleux, ils ont fait connaissance le jour où la jonction s'est opérée entre les deux moitiés du tunnel. Ce jour-là, on a brisé des bouteilles de champagne sur le bouclier Greathead. Les hommes se passent des cigarettes – fini l'air comprimé, à présent, on peut fumer tant qu'on veut.

Le neveu de Power part en courant pour lancer la balle avec les autres.

Au bout d'un petit moment, les trois terrassiers se retrouvent entre eux. Walker se tient face à l'endroit précis où il a été plaqué contre le lit du fleuve avant d'être aspiré à l'air libre. Il tend la main comme pour saisir de l'air, en retenir une poignée, y goûter, l'empêcher de s'échapper, recréer cet instant. Vannucci est à côté de lui. Quelque part au-dessus d'eux, ils ne savent pas très bien où, se trouve le corps de Con O'Leary.

« Si seulement Con pouvait les voir lancer cette balle ! dit Power. Il serait rudement content, je suis sûr. Ça lui ferait sacrément plaisir.

— C'est sûr. »

Nouveau silence : tous lèvent les yeux, les mains dans les poches.

« Vous savez pourquoi les pirates avaient un anneau d'or à l'oreille ? demande Walker.

— Pourquoi ?

— Pour pouvoir acheter un bout de terrain au bon Dieu.

— C'est la plus belle connerie que j'aie jamais entendue, dit Power.

— Possible, mais c'est la vérité.

— J'espère que je mourrai pas noyé. Ou alors, faudrait que ce soit dans du bourbon. »

Walker fait quelques pas sur le côté, puis il leur crie : « Hé, vous deux, venez un peu par ici ! »

En approchant, ils le voient fouiller au fond de sa poche et en sortir un anneau d'or martelé. Il fait rouler l'objet un instant entre son pouce et son index, il le porte à la hauteur de son œil et scrute le tunnel au travers, puis il le lance le long de la voie. Tous les trois regardent l'anneau rouler et s'immobiliser dans les graviers.

« C'est Maura O'Leary qui m'a demandé de laisser ça ici, dit Walker.

— Comment ?

— Là, dans le tunnel. C'est sa volonté.

— Ben, ça alors ! dit Power. Elle t'a demandé de le jeter comme ça ?

— An-han.

— C'est son anneau à elle, non ?

— C'est la bague de Maura ? demande Rhubarbe, l'Italien, qui a acquis quelques rudiments de la langue depuis l'accident.

— Tout juste. C'est son alliance. Elle l'a enlevée de son doigt ce matin pour me la donner. Elle avait pas le courage de venir elle-même, elle m'a dit. Elle m'a demandé de faire ça à sa place. De laisser l'alliance ici, pour Con. Pour qu'il puisse acheter son bout de terrain au bon Dieu.

— Ben, ma parole, dit Power, cette femme-là, c'est quelqu'un.

— Pour sûr.

— Et la petite ? La petite comment déjà ?

— Eleanor, dit Walker. Elle pousse comme de la mauvaise herbe.

— Sans blague ?

— Elle saura bientôt marcher. »

Ils restent là, dans un silence complice, ils hochent la tête d'un air embarrassé, puis ils détournent les yeux.

« Seigneur Dieu, regardez ça, marmonne Walker.

— Quoi donc ?

— Regardez-moi ces bougies, dit-il tout bas.

— Quelles bougies ?

— Regardez toutes ces bougies qui volent. »

Au bout du tunnel, les jeunes ont ramassé leurs balles de base-ball et ils lancent en l'air des bougies allumées. L'une après l'autre, les flammes s'éteignent, puis renaissent, ranimées avec des allumettes, projetant des ombres jusqu'au bout des murs. Le neveu de Power tend le bras pour en attraper une. Walker regarde les lumières danser dans la pénombre. Leur miroitement éclaire les ouvriers et leurs familles. Peu à peu, les flammes s'éteignent. Randall est resté cloué sur place à l'entrée du tunnel, furibond. En passant, un ouvrier coupe le ruban rouge. Randall le renoue lui-même, les mains tremblantes. Quelques petites lumières jaunes clignotent encore. Une dernière bougie est lancée, et elle meurt. Walker s'attrape les cuisses à travers ses poches usées jusqu'à la corde, il toussote, et il dit tout bas à ses deux copains : « Ces bougies, je crois que c'est ce que j'ai vu de plus beau de toute ma vie, sapristi ! »

« On aurait dit des lucioles.
— Qu'est-ce que c'est une luciole ?
— T'en as jamais vu ?
— Non.
— Ben ça alors !
— Comment c'est ?
— Elles claquent, comme ça. *Clic clic.* »
Eleanor répète : « *Clic clic* ?
— Enfin, à peu près. Sauf qu'elles font pas de bruit. Elles brillent des petits coups. Surtout quand elles s'envolent dans l'herbe. Pas tellement quand elles se posent. Quand elles se posent, on les voit pas beaucoup briller. C'est comme ça. Et des fois, on arrive à en attraper une et si on la met sur un buisson d'épines, elle va briller pendant des heures.
— *Clic clic.*
— *Clic clicoucou.*
— Vous êtes bizarre, monsieur Walker.
— Merci quand même.
— *Clic clic.*
— *Clic clicoucou.* »

Il travaille dans les divers tunnels de Manhattan, tantôt comme terrassier, tantôt comme dynamiteur ; parfois il retrouve son dur labeur sous l'eau, parfois il charrie des blocs de pierre, des sacs de ciment ou des gravats – toujours au poste le plus dangereux, à l'avant du tunnel, sur le front de taille. Il travaille toutes les semaines que le bon Dieu fait, une année après l'autre, pour un salaire acceptable et une prime de risque de quelques dollars. Plus de résurrection spectaculaire, ça lui suffit comme ça – renaître à la vie une fois, c'est assez, il le sait. Son corps ne change pas : il a toujours ses gros bras, son torse costaud, et un chapelet de muscles. Après le travail, il aime bien rentrer chez lui par le métro. Il accroche toujours ses chaussures à la poignée de la porte. Il lave ses vêtements là où il peut. Il ne s'achète presque jamais de chemise neuve. Sa seule dépense somptuaire, ce sont ses chaussures de travail ; il les renouvelle chaque année. Allongé sur son lit, il écoute à la radio la musique qui se présente, se donnant rarement la peine de tourner le bouton à moins qu'il ne soit sûr d'entendre du jazz. En cette époque dévergondée, lui ne l'est pas, et ne cherche pas à l'être. Il n'essaie pas de trouver à boire quand l'alcool est interdit, mais il accepte volontiers un verre à l'occasion, surtout quand il retrouve Sean Power : whisky, grappa, cidre, bière de contrebande ou tord-boyaux.

Ni très heureux ni très malheureux, plutôt solitaire et plutôt seul, en homme qui passe beaucoup de temps avec lui-même ; il a tendance à rire tout fort sans raison apparente.

De temps à autre, dans le tunnel, il se laisse entraîner dans une bagarre qu'il n'a pas provoquée, et il se bat seulement s'il ne peut pas faire autrement. Mais il a le coup de poing puissant, et il y met de l'ardeur. Dans la rue, il arrive que les flics le fouillent, et il laisse faire, sachant bien qu'il est idiot de protester : s'il ouvre la bouche, on le passe à tabac. Il met de l'argent de côté dans une banque noire – les intérêts sont moindres, mais enfin son bien est placé chez les siens, et il le sent en sécurité. À son vingt-cinquième anniversaire, il dépense une fortune pour s'acheter, à Harlem, chez un trompettiste célèbre, un gramophone qu'il paie deux dollars de plus qu'ailleurs, mais peu importe. Et que ça tourne ! En avant la musique ! Deux ans après, il en achète un autre, encore plus beau, avec une aiguille spéciale. Il le rapporte chez lui, remonte soigneusement la manivelle. Une musique de jazz éclate autour de lui, et il se met à danser tout seul comme un fou dans son logement.

Les femmes vont et viennent, mais elles ne restent guère – elles ne supportent pas l'idée que Walker puisse mourir dans ses tunnels, et en plus il est timide, il parle peu, et, tout bel homme qu'il est, il ne veut jamais quitter son chapeau rouge ridicule ni sa salopette.

La seule chose qui change au cours des années, c'est le lieu qu'il habite : un hôtel à Brooklyn ; une mansarde en bas de Manhattan en bordure des vieux immeubles des Five Points, où les fientes d'oiseau obscurcissent sa lucarne ; un logement près d'un abattoir à Hell's Kitchen, où on l'accable de sarcasmes avec l'accent irlandais ; une maison de bois près de Henderson Street à Jersey City, avec des relents d'alcool de contrebande qui se dégagent de la baraque voisine ; retour à Manhattan, dans un immeuble pour gens de couleur avec le bar du Theresa Hotel au coin de la rue ; et puis, plus haut, à la 131e Rue, une chambre sans eau chaude. La seule et unique constante dans sa vie, c'est sa visite dominicale à Maura et Eleanor O'Leary, en bas de la ville. Il constate le passage du temps à la façon dont la poussière des tunnels s'installe dans ses poumons ; aux rides qui apparaissent autour des yeux de Maura O'Leary ; à la curiosité croissante d'Eleanor, qui se penche en avant et lui frôle le coude pendant qu'il lui raconte ses histoires.

« Alors voyez, dit-il, ils avaient déjà commencé à construire des tunnels en ville dans les années 1860. C'était un monsieur Alfred Ely Beach qu'avait pris ça en main. Un homme d'affaires. Comment qu'ils disent ? Un entrepreneur. Cravate autour du cou. Encore plus gras que Randall. M'sieur Beach s'est dit comme ça que la chose à faire, c'était peut-être bien de faire passer les trains sous terre plutôt qu'au-dessus. Finis, les trains aériens, tous sous la terre. Et personne en ville y avait jamais pensé avant. Un sacré malin, ce Beach – excusez, m'dame, mais c'est la vérité. »

Walker donne un coup de chapeau imaginaire, ce qui fait sourire les deux femmes.

« Alors il essaie d'obtenir un permis pour creuser un tunnel sous Broadway, là en bas, près de City Hall. Juste sous leur nez. Mais il arrive pas à avoir son permis, il a beau essayer de toutes les façons. Rien à faire, ils veulent pas lui donner. Ils font de l'argent avec le métro aérien, et ils veulent pas lâcher ça. Ça se passe dans les années 1860, comme j'vous ai dit. Ce Beach, ce bonhomme-là, est cinglé, qu'ils disent. Possible. Mais lui, il s'accroche. C'est le genre de type qui sait bien que si on prend pas de risques, ça vaut pas le coup. Alors il embauche des ouvriers, et les voilà qui se mettent à creuser en secret juste en dessous de chez Devlin, le magasin de vêtements, là, en bas, dans Murray Street. La nuit, ils sortent les gravats en cachette entre les rangées de vêtements. Ils emportent tout ça dans des charrettes pendant que tout le monde dort. Personne n'est au courant, à part les ouvriers. Il paraît qu'ils avaient surnommé le chef d'équipe Ténia, parce qu'un jour il avait troué la panse à un ouvrier qu'était allé raconter qu'ils construisaient un tunnel. »

Des tasses de thé fument sur la table de la cuisine pendant que Walker parle.

« Bref, ils ont décoré tout ça avec des fresques, et des carreaux de faïence, et toutes sortes de beaux tableaux, et ils ont réussi à faire le plus beau tunnel qu'on ait jamais vu. Un truc absolument superbe. Sans mentir. Et juste à l'entrée, dans la salle d'attente, ils ont mis une fontaine, une belle grande fontaine, avec l'eau qui arrivait dedans. On avait jamais rien vu de pareil. Et ce sacré bonhomme, Alfred Ely Beach, il a décrété qu'il fallait un piano à queue pour accueillir les gens. Un piano comme celui que vous avez là, faut croire. »

Il montre d'un signe de tête le piano de Con O'Leary.

« Et puis, il a lancé son premier train. Ça a dû être un grand jour ! Il avait engagé une dame, il paraît, en grande toilette et tout, pour venir jouer du piano, et, en arrivant, quand les gens ont vu la fontaine, quand ils ont entendu la musique, ils ont dû se dire qu'ils étaient montés droit au paradis.

» Enfin, bref, le train marchait à l'air comprimé, avec deux gros ventilateurs à chaque bout pour le pousser. Je sais pas exactement, mais je crois que le tunnel faisait à peu près quatre cents mètres. Ça a fonctionné pendant quelques années, mais ça rapportait pas d'argent, et Beach, il y laissait sa chemise, alors il a décidé de fermer son foutu machin. Il a tout rebouché avec de la brique. En dix-huit cent soixante-dix et quelques. Au bout d'un temps, personne s'est plus rappelé qu'il y avait eu un tunnel là en dessous. Même les types qui font les plans, ils ont oublié de le marquer. »

Walker a les yeux plongés dans sa tasse de thé, comme s'il réfléchissait.

« Et après ? dit Eleanor.

— Et c'est là qu'il se passe quelque chose d'extraordinaire. J'en reviens pas, quand j'y pense, mais c'est la vérité.

— Quoi donc ? Qu'est-ce qui se passe ? »

Walker prend le temps de boire une gorgée de thé et il ajoute un morceau de sucre dans sa tasse.

« Aussi vrai que j'suis assis là, aussi bizarre que ça paraisse. J'ai appris ça la semaine dernière seulement. Quelqu'un a donné sa parole que c'est vrai, et Rhubarbe aussi jure que oui. Ils se sont remis à creuser sous Broadway, voyez. Soixante ans après, vous entendez bien. Et tout le monde avait complètement oublié ce tunnel. Les voilà qui font tout sauter à la dynamite. Et ils recouvrent la chaussée avec des plaques d'acier pour que les pierres voltigent pas partout. Et puis ils mettent la dynamite en place, et ils se tirent tous, sauf celui qui allume la mèche. Ils ressortent dans la rue et ils attendent que ça explose. Ils se parlent presque pas. Tous crevés, sans doute. Et enfin la dynamite fait effet, et ça pète. *Boum !* »

Eleanor sursaute sur sa chaise.

Walker rit. « Alors ils descendent tous par les échelles pour retourner au travail. Ils se mettent un foulard sur la bouche à cause de la poussière. Et un des ingénieurs passe devant pour être sûr qu'il y a pas de danger, que les pierres vont pas leur tomber dessus. Ça a l'air d'aller, et ils se mettent tous à déblayer les gravats. À cinq. Ils dégagent les gros blocs et ils se préparent à étayer. Et tout d'un coup y en a un qui fait un bond et qui gueule : "Regardez ça !" Et il est là avec un carreau de faïence dans la main. Merde alors, qu'ils se disent tous, excusez, mais c'est ça qu'ils pensent. Bon Dieu de merde, d'où ça sort ? Et puis y en a un qui trouve encore un autre carreau, et après, un truc en forme de figure qu'a l'air de venir d'un immeuble, comment vous appelez ça ?

— Une gargouille, dit Maura.

— Ouais, une gargouille, le type ramasse un bout de gargouille, et ils se mettent tous à gueuler : "Merde

71

alors !" Excusez, m'dame, mais c'est comme ça qu'ils parlent. »

Eleanor, qui a quatorze ans, se penche en avant, les coudes sur la table, et se tient le visage entre les mains.

« Après ça, les ouvriers se remettent à déblayer les pierres et, tout d'un coup, ils trouvent plus que du vide. Rien, plus rien ! Alors ils rampent par le trou et ils arrivent à un endroit où ils peuvent se relever et se tenir debout. Ces types-là, ils sont habitués à se plier en deux et à se redresser à longueur de journée, et là, ils peuvent se tenir debout ! Y a des faïences et des tableaux tout autour d'eux, et une voie ferrée à leurs pieds ! Alors ils continuent à avancer tous les cinq et ils en croient pas leurs yeux. Ils avancent encore, et qu'est-ce qu'ils voient ? La fontaine – bien sûr, y a plus d'eau qui en sort, mais elle est toujours là, et derrière, le piano à queue. Sans blague. Le piano ! Couvert de poussière. De quoi avoir une crise cardiaque. Et y a un des ouvriers qui soulève le couvercle du piano et qui se met à jouer, et les autres viennent autour de lui et tiennent leur lanterne au-dessus du clavier. Ils connaissent pas une seule note de musique, et je sais pas ce qu'ils peuvent bien chanter, mais ça fait rien. Ils restent là dans l'ancien tunnel, jusqu'au moment où l'inspecteur descend et les trouve en train de gueuler, de rire et de chanter au-dessus du vieux piano. »

Les deux femmes restent médusées devant leur tasse de thé refroidi, et un sourire point au coin des lèvres d'Eleanor.

« Un piano sous terre ? dit-elle. Dieu du ciel !

— Eleanor ! s'écrie Maura. Je t'ai déjà dit de ne pas parler comme ça.

— Comme quoi ?

— De ne pas dire "Dieu du ciel".

— Pardon, maman. »

Ils se taisent, et puis Walker ajoute : « C'est tout de même quelque chose, non ?

— C'est sûr, dit Maura en hochant la tête.

— Un piano sous terre.

— De quoi vous faire rêver.

— C'est sûr.

— Dieu tout-puissant », répète la jeune fille.

Et ils se mettent à rire tous les trois.

Eleanor lui écrit un petit mot : « *Rendez-vous sous le panneau pour les cigarettes Wills à six heures.* »

Elle arrive en avance, dans une robe de mousseline jaune que sa mère portait autrefois. Les hommes reluquent sa longue chevelure rousse au passage. Évitant leurs regards, elle guette la venue de Walker. Quand il est enfin là, elle lui prend la main, mais il la lâche bien vite et recule de deux pas derrière elle, timide et nerveux, gardant le silence. Il marche dans son ombre. Les rues sont grises de brouillard. Les voitures rejettent leurs gaz d'échappement dans la grisaille. À l'entrée du tunnel, un chef d'équipe au visage tout grêlé lui dit de ne pas descendre dans le noir avec un nègre.

« On sait jamais de quoi ces gens-là sont capables, mam'selle. »

Walker recule, mains dans les poches.

Le chef d'équipe la fait descendre et la conduit dans le tunnel pour lui montrer le piano couvert de poussière. Elle soulève le couvercle, joue quelques notes, et il se penche au-dessus d'elle en approchant la lanterne de son visage. Sournoisement, l'homme pose la main sur les reins de la jeune fille, l'attrape par les hanches et la serre.

« Arrêtez ! dit-elle en le repoussant.

— Ah, allez, juste un petit baiser.

— Laissez-moi tranquille ! »

Elle recule et ressort du tunnel en courant, mais Walker est parti, et elle le cherche désespérément dans tout Battery Park. Elle le retrouve finalement, tout timide, comme un chien battu, derrière le panneau publicitaire.

« C'est vrai, lui dit-elle.

— Bien sûr que c'est vrai.

— J'en étais sûre.

— Alors pourquoi t'as l'air si étonnée ? »

Elle frotte ses pieds par terre. « Ce type a essayé de me toucher.

— Il t'a fait du mal ?

— Non, mais tu devrais lui dire deux mots.

— Quoi ?

— Il devrait pas se permettre des choses comme ça. Ça se fait pas. Tu devrais lui dire.

— Tu veux rire !

— Mais non, je ris pas.

— Je suis idiot, petite, mais pas à ce point-là.

— Pourquoi ?

— Enfin, voyons.

— Quoi donc ?

— T'as vu la couleur de ma peau ?

— Ah », dit-elle.

Walker se détourne quand elle s'appuie sur lui pour essayer de l'embrasser sur la joue, et il marmonne, gêné : « Faut pas faire ça. Ça se fait pas. »

Pourtant, un jour, il a vu un poids moyen bien connu sortir du Theresa Hotel avec une actrice française. Elle était en jupe courte et hauts talons, elle sentait le parfum, et elle tenait élégamment une cigarette longue et mince au bout des doigts. À la porte de l'hôtel, elle a effleuré des lèvres la joue du boxeur noir. Ils se sont dirigés vers une voiture qui attendait. Après leur départ, dans la rue, des gamines se sont mises à tenir leur glace à l'eau exactement comme elle tenait sa cigarette, et son parfum est resté accroché dans l'air telle une marque indélébile.

« Non, ça se fait pas », dit Walker.

Mais malgré tout, pendant des années, il l'emmène au bord de l'East River. Quand les gens le regardent, il baisse la tête. Il sait ce qu'ils pensent. Parfois, même ceux de sa race le dévisagent. Il marche loin derrière elle pour faire croire qu'ils ne sont pas ensemble, et il l'ignore même complètement si les gens les observent avec trop d'insistance.

« Raconte-moi encore une fois ce qui est arrivé à mon père, lui demande-t-elle quand ils sont au bord de l'eau.

— Eh bien, dit-il, c'était tôt le matin. On est tous descendus et on s'est mis au travail, comme d'habitude. On creusait, comme d'habitude.

— An-han.

— On suait et on pelletait, on pelletait et on suait.

— Et c'est à ce moment-là que ça s'est passé ?

— Ouais. Je tenais ma pelle en l'air comme ça. Et Con, il était quelque part derrière moi. Et Rhubarbe aussi. C'est lui qui a donné l'alerte. Première fois qu'il faisait une phrase en anglais. J'en ai presque eu les tympans crevés. "Merde ! Air fout l'camp. Merde !" »

Walker montre du doigt le milieu du fleuve.

« C'est là qu'on est ressortis, tu vois. »

5

Comme le temps passe lentement !

En face du nid, près de la grille métallique, un gros glaçon pend, immobile, comme un rayon de glace d'une trentaine de centimètres qui cherche sa voie vers le fond du tunnel. On dirait une stalactite, mais Treefrog sait bien que les stalactites sont des concrétions minérales, et non de la glace. Peu importe, c'est ainsi qu'il va l'appeler : une stalactite. Il s'interroge sur la longueur qu'elle pourrait atteindre. Trois mètres, peut-être, ou cinq, ou bien finira-t-elle par arriver jusqu'au sol ? Il fait un signe de tête au morceau de glace dentelé. « Bonjour, lui dit-il. Bonjour. » Le monde réserve encore parfois de ces merveilleuses petites surprises, il le sait.

Elle arrive le matin de la troisième chute de neige.

Un sac à main noir, c'est tout ce qu'elle a avec elle. Il est tout ébahi de pouvoir l'observer de son nid, en lieu sûr. Elle s'avance sous la passerelle, enveloppée dans un énorme manteau de fourrure déboutonné, ce qui lui donne l'air d'un animal que l'on vient d'éventrer, du cou au nombril. C'est un vieux manteau tout dépenaillé, mais qui conserve une certaine beauté. Sous son manteau, elle est en minijupe rouge et en talons hauts. Elle a les cheveux tressés avec des perles multicolores. Par endroits, ils sont hérissés comme des pointes obscènes – on croirait qu'ils n'ont pas été lavés depuis des années. Elle marche au milieu des voies et, quand elle arrive sous la grille en face du nid, elle passe dans le rayon de lumière bleue qui vient de la surface. Même de là-haut, il voit que son mascara a coulé sur son visage. Elle grelotte dans le froid glacial et tient son manteau serré contre elle.

Comme elle ressemble à Dancesca !

Elle s'approche du mur, près de *L'Horloge molle*, elle jette autour d'elle un regard furtif, puis elle s'accroupit et relève les pans de son manteau de fourrure en faisant attention de ne pas le salir.

Treefrog ne veut pas la regarder pisser, alors, sans bruit, il baisse la fermeture Éclair de son sac de couchage et glisse les pieds à terre, prenant garde à ne pas marcher sur des crottes de rat. Il enfile péniblement ses chaussures et, de ses doigts gourds, attache les lacets. Au pied du lit, Castor bouge et il se penche pour la caresser des deux mains. La chatte fait le gros dos et se pelotonne contre lui.

Il se dirige vite vers la passerelle à travers la pénombre de son nid et, avant de s'élancer pour la descente, il touche la carcasse de son feu de signalisation : Doucement, te casse pas la figure.

Les poutrelles sont glacées ; il sent le froid à travers ses gants pendant toute la descente jusqu'au sol, sept mètres en tout. Il atterrit sur le gravier presque sans bruit et il voit la femme se relever et rajuster sa jupe, une mare d'urine fumante à ses pieds. Elle jette un regard de son côté et renifle l'air, mais il recule dans l'ombre.

« Qui c'est ? » demande-t-elle.

Il s'enfonce un peu plus dans l'obscurité.

« Qui c'est, bordel ? C'est toi, Elijah ? »

Treefrog plonge le nez dans son pardessus pour qu'elle ne voie pas les petits nuages qu'il fait en respirant.

« Pas de ces petits jeux-là », dit-elle.

Il en est presque à entendre son propre cœur battre la chamade.

« Qui c'est ? répète-t-elle. Elijah ? »

Elle fouille dans son sac à main et, l'espace d'un instant, il se dit qu'elle a peut-être un revolver avec elle : elle va arroser le tunnel, et il pourrait bien se retrouver avec un trou dans la tête, ou dans le cœur, ou les deux, à moins qu'elle ne se braque le revolver sur la tempe, qui sait ? Mais non, elle sort seulement un paquet de cigarettes et penche la tête de côté pour en allumer une. Son manteau de fourrure s'ouvre, découvrant, par-dessous, une chemise moulante et ses seins qui pointent, au garde-à-vous dans le froid. Elle fait un pas et chaque sein tremblote un peu. Depuis combien de temps, se demande-t-il, n'a-t-on pas vu de femme, là, en bas, dans les tunnels ? Pendant qu'elle tire furieusement sur sa cigarette, il voit rouler le blanc de ses yeux. Il reste collé au mur, et quand elle commence à bouger il lui envoie un baiser.

Sortant du rayon de lumière bleue, elle marche un long moment dans le noir avant de resurgir dans la clarté puis de s'enfoncer dans une obscurité plus profonde encore, où il ne distingue plus que sa silhouette emmitouflée dans son manteau. Le tunnel est comme une église mystérieuse, qui laisse entrer la lumière aux points stratégiques et maintient le reste dans le noir. Au-dessus d'une des grilles, un chien aboie, et la femme s'arrête, lève les yeux, sort un petit miroir de sac et passe une main sur ses joues – elle pleure sans doute –, et Treefrog imagine son visage noirci par les coulures de mascara.

Il suit, subrepticement, derrière elle, du même côté de la voie.

Elle marche dans la terre battue. Ses hauts talons laissent des traces. Treefrog essuie son nez qui coule d'un revers de main, puis il lève la tête en entendant un bruit. Deux petits points lumineux apparaissent au loin : le train du Nord. Il jette un coup d'œil devant lui. La femme marche la tête baissée. Il sent son cœur bondir. Le bruit du train s'amplifie, et Treefrog a soudain la gorge sèche.

« Non, dit-il tout bas, non. »

Elle lève la tête et regarde fixement les yeux qui foncent sur elle. Elle se rapproche des rails. L'avertisseur retentit et des étincelles jaillissent sous les wagons. Le bruit est assourdissant. Il a le sentiment qu'elle va se jeter devant le train, le recevoir en pleine poitrine telle une balle de revolver énorme, et il crie « *Non !* », mais son cri est englouti par le rugissement de la locomotive. Il se cache les yeux pour ne pas voir, et, quand il ose regarder, la femme est là, au bord de la voie, elle lève la tête vers les portières, elle laisse l'Amtrak passer comme une flèche.

Il s'assied par terre, porte la main à son cœur, ferme les yeux et dit tout haut, sans s'adresser à personne : « Merci, merci. »

Elle se remet en marche dans ce froid épouvantable. Treefrog la suit prudemment à distance, jusqu'aux petites loges de la 95ᵉ Rue. Ces loges – des refuges en béton autrefois utilisés par les ouvriers des chemins de fer – forment toute une rangée.

Elle ne bronche même pas quand Faraday sort de sa cellule solitaire et la dévisage. Avec son costume noir dégoûtant, il la siffle au passage, mais elle l'ignore et balance son sac à main comme une arme.

« Salut poupée, dit Faraday.

— J'suis pas ta poupée.

— T'en as pourtant bien l'air.

— Va te faire foutre. »

Elle parle d'une voix aiguë, stridente et inégale : Treefrog est persuadé qu'elle sanglote.

« Oui, oui, viens, dit Faraday. Me faire foutre, j'attends que ça. »

Puis elle traverse le verger des ordures de Dean le Chiffonnier, devant la petite loge qu'il occupe. Un peu de clarté filtre derrière elle, et elle avance sur la pointe des pieds entre des tas d'excréments humains, des magazines déchirés, des bidons vides, des aiguilles hypodermiques au bout desquelles fleurissent encore des gouttes de sang, tels des coquelicots dans un pré – avec ses chaussures noires à talons hauts, elle avance comme un sombre échassier –, des bouteilles cassées, des crottes de rat, une voiture d'enfant et des postes de télévision brisés, des boîtes de conserve écrasées, des cartons mis au rebut, des bocaux en mille morceaux, des pelures d'orange, des tubes de crack, et un unique ours en peluche auquel il manque les deux yeux et qui a le ventre rongé par les rats. Elle continue son chemin parmi tous ces restes de désastre humain.

Dean sort de sa loge au moment où elle passe. Il porte sur lui un pince-nez rescapé qu'il se fourre devant les yeux pour la regarder s'en aller. Il se lèche les babines avec un sourire qui semble signifier qu'il pourrait bien un jour la ramasser elle aussi comme le reste.

Elle se prend le pied dans un vieux morceau de journal qui s'enroule autour de sa cheville, et elle traîne la page sur une vingtaine de mètres. Caché loin derrière, dans l'ombre, Treefrog pense aux gros titres qui s'impriment dans ses chevilles, emportés à jamais tout au bout des tunnels, mais elle donne un coup de pied dans le journal et continue en chancelant du côté de chez Elijah. Elle a déjà dû venir ici, se dit Treefrog, à voir la façon dont elle avance sans jamais regarder derrière elle.

Elle s'arrête devant la loge d'Elijah, où le sol est propre, sans ordures. Papa Love a planté un tout petit arbre dans la terre battue, et elle passe la main sur les branches, brunes et mortes. Elle reprend son souffle sous le rayon de lumière, et elle se met à crier : « Elijah ! Hé, Elijah ! »

Elle parcourt du regard toute la rangée des loges en béton.

« Elijah ! » crie-t-elle de nouveau.

Treefrog est sûr qu'elle pleure, et il veut s'approcher pour la toucher, mais au moment où il sort de l'ombre, Elijah émerge de chez lui. Il se frotte les yeux et la regarde, debout près de l'arbre, de l'autre côté de la voie. Treefrog recule dans l'ombre encore une fois.

Elijah traverse la voie et prend la femme dans ses bras. Elle s'effondre sur son épaule, en sanglots. Elle lui retire la capuche de son sweat-shirt pour caresser sa cicatrice au visage. Il porte la femme sur son épaule jusqu'à chez lui et donne un coup de pied dans la porte, qui s'ouvre en pivotant de travers sur un seul gond.

Treefrog s'assied et attend.

Au bout d'une heure, Elijah sort et pisse contre le mur comme un chien qui marque son territoire. De contentement, il brandit les deux bras vers la voûte du tunnel. Treefrog s'en retourne vers son nid solitaire. Il sort la photo de Dancesca et de sa fille, la lance et la relance en l'air en la rattrapant des deux mains jusqu'au moment où elle tombe par terre.

Des engelures. Les mains tellement gonflées par le froid et l'humidité qu'on croirait qu'elles vont crever les gants.

Plus tard, il apprendra qu'elle s'appelle Angela. Elle vivait dans un autre tunnel, en bas de Manhattan, entre la Deuxième Avenue et la station de métro Broadway-Lafayette, à une centaine de mètres du quai, où il passait une rame toutes les cinq minutes – pas de grille pour donner un peu de jour, que du bruit : un tunnel affreux, le plus affreux des tunnels, le pire de tout Manhattan.

Elle y est restée six mois, dormant sur un matelas tout boursouflé par la pluie. Elle avait des tubes écrasés dans les poches de son jean. Une nuit, elle s'est endormie sur son matelas dans une niche au bord de la voie, à deux mètres à peine du passage des rames. Elle n'entendait même plus le bruit, il lui était devenu aussi naturel que le rythme de sa respiration. Elle absorbait la poussière de métal en suspens dans l'air. Pendant qu'elle dormait, quatre hommes sont venus avec des chaînes de vélo par le côté Broadway-Lafayette. Ils l'ont réveillée à coups de pied et ils l'ont traînée par les cheveux. Elle ne les avait jamais vus. Elle s'est mise à hurler, et l'un d'eux lui a fourré une chaussette dans la bouche. Ils lui ont déchiré son T-shirt et ligoté les bras avec les chaînes, serrant tellement fort qu'elle en a gardé un bracelet de graisse autour des poignets. Ils l'ont forcée à se pencher et ils lui ont fait sa fête a tour de rôle, en lui glissant une foule d'obscénités dans l'oreille.

Quand elle a eu des haut-le-cœur, ils lui ont ôté son bâillon, et il est sorti un flot de vomi, mais ça ne les a pas arrêtés. Après cela, elle n'a plus rien dit. L'un d'eux lui a léché le lobe de l'oreille et lui a arraché sa boucle en or avec les dents. Il s'est penché sur elle avec le petit anneau d'or sur la langue. Elle n'a pas eu la force de lui cracher au visage.

À quatre pattes, elle a demandé grâce, les yeux fermés pour ne pas voir leurs visages. Quand ils sont enfin partis, ils lui ont jeté cinquante cents chacun en lui disant de s'acheter des bonbons – un Bounty –, et ils ont continué à rire tout le long du chemin.

Elle n'a pas pu marcher pendant deux jours. Le matelas était une puanteur. L'éléphant en peluche rose qui lui servait d'oreiller était tout strié de sang. Dans les wagons du métro, les voyageurs défilaient à toute allure, ombres derrière les vitres. Elle regardait passer ces ombres, en tortillant l'anneau qui lui restait à l'oreille.

C'est un type surnommé Jigsaw qui l'a trouvée. « Bordel de merde, Angie, a-t-il dit, les fils de pute qui t'ont fait ça, je les tuerai. »

Jigsaw s'est penché vers elle et l'a serrée très fort dans ses bras. Il puait, mais elle l'a tout de même laissé faire. Il avait les bras noueux. Et puis il est allé lui acheter du café chaud et un sandwich qu'elle n'a pas pu manger. Il était là devant elle, la langue pendante – c'est parce qu'il avait l'esprit en mille morceaux, comme un puzzle, qu'elle l'avait surnommé Jigsaw.

« Laisse-moi tranquille, Jiggy.

— Non.

— Je veux parler à personne.

— Tu vas crever si tu restes comme ça, ma p'tite.

— Chic alors.

— Arrête tes conneries.

— Je rigole pas. Ça serait bien. Je voudrais bien crever, ça serait un délice, comme les fraises.

— Tu perds la boule, ma vieille. »

Alors il l'a laissée. Il a disparu dans la pénombre jaunâtre – un éclairage électrique jalonnant le tunnel –

et elle est sortie à la surface, par une trappe de secours, sur le refuge en plein milieu de Houston Street, chancelant dans la neige, le corps recroquevillé et la tête qui implosait. Elle s'est assise en larmes dans un abri d'autobus, et puis un jeune avec un anneau dans le nez a eu pitié d'elle. Il l'a prise par l'épaule et il l'a emmenée à la police dans le Bowery. Il sentait la lotion après-rasage et l'odeur l'a surprise. Une odeur qui lui était étrangère – intense, douce et tenace.

Pour l'interrogatoire, un flic l'a fait entrer dans un petit bureau où la lumière était aveuglante. Il faisait chaud dans la pièce. Elle s'est assise, les mains toutes molles, et elle a demandé qu'on éteigne, cela lui faisait mal aux yeux. Un autre flic a dirigé la lampe vers le bas en tordant le pied flexible, mais elle a gardé un point lumineux jaune imprimé sur la rétine. Elle n'a pas pu rester sur la chaise plus de cinq minutes. Elle a voulu rédiger un rapport, mais les flics lui ont dit qu'elle l'avait bien cherché, que c'est ce qui arrive quand on est une pute ; c'est comme ça, tu l'as cherché, ma vieille, fallait pas porter une minijupe et une petite culotte transparente.

« J'suis pas une pute.

— Écoute, on est pas fous. T'as bien un air à vendre tes fesses.

— Les regardez pas.

— T'inquiète.

— Regardez pas mes jambes. J'suis pas une pute, je vous dis.

— An-han.

— Eh ben, non ! Je suis danseuse.

— Danseuse ?

— Ouais, ça vous plaît pas ?

— Danseuse ! Arrête ton char !

— Vous êtes des enfoirés, c'est tout.

— Danseuse ! »

Alors elle s'est mise à bégayer : « J'suis pas une pute. »

Quand elle a ouvert la porte de la salle d'attente, le jeune homme à l'anneau dans le nez avait disparu, mais son parfum était toujours là et elle s'en est rempli les poumons. Un des flics l'a accompagnée jusqu'à la sortie et lui a dit : « Moi, je te crois, ma petite. » Puis il lui a souri, il s'est excusé et il a promis qu'il allait descendre voir dans le tunnel et rédiger un rapport – qu'elle revienne le lendemain. Et il lui a donné vingt dollars de sa poche. Elle a baissé la tête, fourré l'argent dans son sac à main, et puis elle est partie, traversant Greenwich Village comme une hébétée, et tout d'un coup elle a pensé à son vieux copain Elijah qui vivait en haut de Manhattan, alors elle s'est engouffrée dans le métro à Astor Place, elle a changé à Grand Central, et une autre fois à Times Square, elle est sortie à la 72e Rue, et puis elle est descendue à pied dans Riverside Park, elle est passée par un trou dans la clôture grillagée à l'entrée du tunnel du chemin de fer, tout en cherchant au fond de ses poches des restes de crack, fourrageant du doigt dans ses petits tubes. Ensuite, elle a pris le tunnel et elle est arrivée avec ses chaussures noires à talons hauts. Si, à ce moment-là, Treefrog avait fait un graphique de ses battements de cœur, les traits auraient été si rapprochés que les lignes se seraient presque touchées en pointes extrêmement fines.

Treefrog remonte dans son nid et s'allonge avec Castor à côté de lui. L'hiver, dans le tunnel, tant d'heures se passent à dormir ! Pas le moindre bruit autour de lui. Il sort de sa table de nuit l'herbe qui lui reste et se roule un petit joint ; il le tient entre le pouce et l'index et tire à fond une longue bouffée.

Au-dessus de son lit, ses chaussettes pendent à la corde à linge, faite de cravates multicolores – des cravates bleues, rouges, cachemire, des cravates déchirées, des cravates fuchsia, et même une cravate de chez Gucci – reliées les unes aux autres par une série de nœuds parfaits. Ces cravates, qui festonnent le nid de part en part, seize en tout, il les a toutes récupérées dans des bennes à ordures. Par endroits, la corde est clouée à la voûte du tunnel pour ne pas fléchir trop bas. Treefrog retire ses chaussures et suspend ses chaussettes à la corde à linge. Elles sont tout imprégnées de sueur. Au bout d'une heure, elles commencent à geler, et il a l'impression que ce sont les pieds de quelqu'un d'autre qui se balancent en l'air.

« Ohé, ohé », dit-il.

Il va dans la caverne arrière avec sa bougie et il tend le bras vers l'étagère où il range ses cartes. Il a des centaines de petits relevés et une seule carte énorme sur une feuille de papier à dessin, soigneusement roulée et méticuleusement attachée avec un lacet de chaussure. Il étale un sac en plastique par terre pour ne pas salir le papier dans la boue. Il dénoue le lacet et déroule la carte. S'il y a une chose qu'il déteste, c'est d'avoir à utiliser la gomme, mais il y est bien obligé lorsqu'il constate des changements. Ici, la table de chevet forme un plateau. Son matelas, une butte en longueur. Des tertres circulaires représentent les aspérités du sol. Une caverne indique le Goulag. Tous les changements de niveau sont signalés par de petites marques. Délicatement, il efface un tracé et l'élargit à cause de la nouvelle lecture qu'il a faite de la paroi de la caverne ce matin, après la venue de la femme ; il s'est peut-être trompé, car ses mains tremblaient après l'avoir vue.

Il mord le bout de son gant pour se dégeler les doigts et faire circuler le sang ; il travaille pendant des heures et puis il s'endort. Quand un rat passe à petits pas sur son sexe, il se réveille, écœuré de s'apercevoir que sa chaussure a laissé une trace sur le bord de sa carte.

Sortant de la caverne, il se frotte les yeux pour se réveiller et s'assied sur son lit.

Dans un énorme sac en plastique, il conserve toutes ses feuilles mortes de l'automne.

Les feuilles brunes sont craquantes au toucher, mais tout de même un peu humides sur les bords quand elles commencent à pourrir. Treefrog les frotte entre ses mains gantées, il en écrase quelques-unes entre ses doigts et les répand régulièrement dans le foyer – des pierres disposées en cercle, autour d'un dôme de vieilles cendres. Il déchire un *New York Times* jauni en bandes minces, qu'il enroule autour des feuilles. Il tend une main du côté de la table de chevet, dont un pied est calé avec des livres, mais qui est un peu bancale, pour atteindre son tas de petit bois.

Il brise huit brindilles avec ses doigts, les dresse en tipi autour du papier journal et ajoute quelques morceaux de bois un peu plus gros.

Quand son feu a bien pris, il plonge une main dans le Goulag et en sort un peu de jambon enveloppé dans du papier d'aluminium. Il détache une tranche, la débite en menus morceaux et la donne à Castor – juste assez pour la contenter et pour qu'elle ait encore un peu faim. Il verse une petite quantité de lait dans une casserole et pose la casserole sur une grille au-dessus des flammes. Treefrog Prométhée, le voleur de feu ! Descends, ô bel aigle, dévore-moi le foie pour l'éternité !

Il tâte la casserole avec le pouce droit, puis avec le gauche, s'adosse à son matelas et attend.

Tandis que le lait commence à chauffer, il caresse Castor ; il lui retire de sous le ventre un petit paquet de boue qu'il se passe d'une main dans l'autre. La chatte garde la tête dressée vers la casserole, et quand les premières bulles se forment, il verse le lait dans un petit bol.

Castor lape délicatement, elle pointe le nez vers l'assiette de jambon et renifle à la ronde.

« À la bonne heure, dit-il, à la bonne heure. »

Il attrape sa bouteille de gin. Il boit un grand coup, puis il casse soigneusement deux œufs dans une poêle. Un long poil de sa barbe tombe dedans ; il le retire du jaune d'œuf intact avec un doigt de la main droite, puis il fait le même geste avec la main gauche. Il met une tranche de fromage à fondre sur les œufs. Il prend son petit déjeuner sur la passerelle, avec un enjoliveur de voiture pour assiette. Promenant son regard le long du tunnel, il se souvient de la façon dont la femme s'est soudain approchée des rails. Elle était si belle, avec son manteau de fourrure et sa minijupe rouge. Des jambes superbes, des jambes longues, comme dans les magazines. Elle lui rappelait terriblement Dancesca. Il sourit et laisse sa bouchée de pain ramollir sur sa langue.

Une église sur Park Avenue. Noël. Le chœur chantait. Ils sont entrés. Ils n'avaient jamais pénétré dans une église catholique auparavant, mais les chants leur ont plu, c'est ce qui les a attirés. Dancesca s'est recoiffée. Lui portait Lenora au creux de son bras. L'enfant avait six mois. C'était en 1976. Elle tenait encore tout juste entre sa main et son coude. Il s'est penché pour poser un baiser sur le front du bébé. À cette époque-là, ses cheveux étaient courts et il n'avait pas de barbe. Il a ouvert la fermeture Éclair de son anorak, et puis il a pris Dancesca par le poignet. Elle a acquiescé d'un signe de tête. Ils sont allés s'asseoir au fond. Les chants étaient beaux et grandioses. Le prêtre buvait du vin dans un calice. Le chœur chantait toujours. Autour d'eux, les bancs ont commencé à se vider. Les gens se dirigeaient vers l'autel. Dancesca et lui se sont regardés, inquiets tout d'un coup, ne sachant pas quoi faire au milieu de cette cérémonie. Ils ont suivi la file qui montait à l'autel, en imitant les gens autour d'eux. Treefrog a présenté sa langue, et le prêtre y a déposé l'hostie délicatement. Le prêtre a touché le front de Lenora en souriant. En revenant à sa place par le bas-côté, il a senti le pain ramollir et lui coller au palais. Il a essayé de le détacher avec l'index. Il en est resté une miette sur son doigt et il l'a fourrée dans la bouche de la petite. Une vieille femme avec un foulard sur la tête l'a dévisagé, effarée. Il s'est soudain senti rougir. Il avait fait quelque chose de mal, mais quoi ? Il n'en savait rien. Après cela, il a gardé la tête baissée, en berçant l'enfant contre lui. À la fin de la messe, ils sont sortis de l'église la tête basse, tout gênés, mais, quand ils ont été à bonne distance, plus haut dans l'avenue, Dancesca a éclaté de rire, et le bruit de son rire a fusé tout autour de lui. Devant une rangée de parcmètres, il a passé le bébé à Dancesca. Il est monté debout sur un parcmètre, en équilibre sur un pied – c'était son truc. Il se sentait merveilleusement bien, ridicule et vivant. Il avait encore le goût de l'hostie dans la bouche. Ils sont rentrés chez eux, ils ont tourné la clé dans la serrure, ils se sont enlacés devant le radiateur et ils se sont embrassés, avec l'enfant endormie en sandwich entre eux deux.

Quand midi menace, Treefrog quitte son lit et fait passer sa boîte à café rouge d'une de ses mains glacées dans l'autre. Il ne reste plus d'eau dans la boîte jaune, alors il redescend en bas sur les graviers et s'en va d'un pas tranquille le long de la voie, entre les deux rails.

Plus loin dans le tunnel, il passe devant les petites loges. Des graffiti tissent leur toile sur les portes. ELIJAH EST ROI. MARINS EN MER. ICI VÉCUT GLAUCOS, '87. ALLEZ VOUS FAIRE FOUTRE. Sur la porte de Faraday, au-dessous du siège de W.-C. qui y est accroché, on peut lire : J'AI JUSTE ENVIE DE M'ASSEOIR SUR MON CUL ET DE PÉTER EN MÉDITANT SUR DANTE.

Treefrog s'arrête et envoie un baiser vers la porte d'Elijah, où la femme doit encore être en train de dormir.

Sous la 94e Rue, il y a un énorme espace cuisine avec, au centre, un gril sur un feu de camp. LES OISEAUX MOQUEURS NE CHANTENT PAS. LLCOOLJ. TROGLODYTES. JE PENSE DONC JE MARCHE. ON N'EST PAS LA MILICE. NY = POURRITURE. Un pardessus sèche, accroché à un long câble d'acier. Tout est dans la pénombre, trouée çà et là de rais de lumière qui tombent des grilles. Ces rayons bleus, blancs et gris éclairent les graffiti, et les peintures murales de Papa Love. Elles se déploient sur les murs du tunnel à peu près tous les cent mètres ; on voit courir les rats sous le nez de Martin Luther King, de John Kennedy, de Myriam Makeba, de Mona Lisa, qui a un pénis dans la bouche, de Huey Newton, crucifié entre deux voleurs blancs, Nixon et Johnson. Il y a un bison gravé dans la pierre avec, sur le côté, l'inscription BŒUF AMÉRICAIN. LABEL DU MINISTÈRE DE L'AGRICULTURE. Quelqu'un lui a dessiné d'énormes mamelles roses.

Sous les peintures, le sol est jonché de boîtes de conserve, de bouteilles et d'aiguilles.

Remontant le col de son pardessus sur son cou, Treefrog avance d'une centaine de mètres et passe devant les loges et les petites baraques. Il sait quelle heure il est d'après l'angle du rayon de lumière, et aussi d'après les trains.

Il arrive au pied de l'escalier métallique et grimpe jusqu'à la grille, quatorze marches, toujours quatorze. Le Caddie de Dean y est attaché avec du fil de fer – quatre petits ours en peluche sont ficelés au filet du chariot, ainsi qu'un drapeau américain couvert de boue. Il y a quatre cannettes de Pepsi toutes bosselées au fond, mais Treefrog décide de ne pas y toucher – ça ne vaut pas le coup de s'attirer des ennuis pour vingt cents.

À travers la dentelle de fer de la grille, il examine la berge recouverte d'une couche de neige de trente centimètres. Pas un bruit. Les voitures sont rares, même sur la boucle de la voie express. Il y a souvent des collisions à cet endroit, et il aime bien faucher les enjoliveurs avant que les dépanneuses ne viennent retirer les épaves.

Il s'accroupit sur les marches, pousse sa boîte à café vide entre les barreaux de la grille, et ramasse un peu de neige, qu'il tasse avec ses poings gantés – d'abord le droit, puis le gauche.

Sous la couche de neige fraîche, il trouve de la glace dure. Il devrait jeter de l'eau sur sa passerelle : elle se prendrait en glace, et alors il pourrait être certain de ne pas avoir de visites dans son nid : les intrus glisseraient, dégringoleraient et se casseraient le cou, et il serait tranquille à jamais.

Il enfonce la boîte pleine de neige dans sa poche de pardessus, refait le même parcours en sens inverse, grimpe sur la passerelle – il sait que jamais il ne tombera, même en marchant sur la pointe des pieds – et, de retour dans son nid, il rallume du feu. N'ayant presque plus de bois ni de feuilles mortes, il utilise surtout du papier journal.

Les flammes montent aussitôt.

Il verse la neige dans une casserole noircie et va choisir un sachet d'infusion dans le Goulag, à un mètre au-dessus de son lit. C'est lui qui a creusé ce garde-manger dans le mur, profond de trente centimètres, pendant sa deuxième année dans le tunnel. Il a mis des semaines à tailler la pierre et à la rendre parfaitement lisse et plate. Il a installé un petit plateau en inox au milieu, pour éviter que les aliments soient souillés par les débris de pierre, et il a accroché un foulard rouge sur le devant en guise de porte. Il a planté des clous dans le mur et il les a limés en pointes acérées, méticuleusement, afin que les rats s'arrachent les pattes si l'envie les prenait de sauter jusque-là pour voler la mangeaille. Comme il n'a jamais vu un rat s'y risquer, il s'en sert désormais pour accrocher ses chaussettes.

Il laisse la casserole sur le feu, se remet dans son sac de couchage en écoutant le vent siffler par le sud, et il attend que la neige grise de Manhattan se mette à bouillir. Que le temps passe lentement, se dit-il, si tant est qu'il passe !

Ce soir-là, sur Broadway, pendant une brève accalmie, alors qu'il marche avec son sac plein de canettes vides, il aperçoit la femme devant Symphony Space.

Le bras tendu, elle tient une pile d'une vingtaine de gobelets en carton. Celui du dessus a l'air de s'incliner en un mouvement de supplication. Il rit de la voir ainsi et il l'écoute dire aux passants : « Donnez-moi une petite pièce, et j'irai danser à votre mariage ! »

Même quand personne ne lui donne un sou, malgré son corps qui se voûte, son bras qui fatigue, ses pieds qui s'affaissent, son regard qui se ternit et les coins de sa bouche qui se creusent de deux sillons désolés, elle continue à sourire en disant : « Donnez-moi une petite pièce, et j'irai danser à votre mariage ! »

Il écoute à la porte pour s'assurer qu'Elijah n'est pas là. Facile : la radio n'est pas branchée, or Elijah a toujours besoin de bruit autour de lui, même pour dormir.

Treefrog avance un orteil, s'arrête, frappe à la porte, et entend la femme gémir.

« Hé-ho. »

Un long silence. Un froissement de couvertures. Il donne des petits coups de pied dans la porte et tapote sur le bois encore une fois. Nouveau gémissement, mais il l'entend se retourner dans le lit.

« Foutez le camp !

— C'est moi.

— Qui ?

— Treefrog.

— Qui ça ?

— Moi, c'est tout.

— Dégage.

— Dis donc, où il est Elijah ? Quand est-ce qu'il revient ?

— Me touche pas.

— Je vais pas te toucher. T'as pas une clope ?

— Non.

— On est mercredi ou jeudi ?

— Tire-toi.

— On est vendredi, non ? »

Il entre ; elle est couchée sur un matelas dans le noir complet. Il ne distingue même pas sa silhouette. Le courant doit être coupé. Il allume le briquet d'une main, puis de l'autre, et le tient du côté où il devine le lit. Elle met le bras sur ses yeux et lui dit : « Fous le camp ! »

Il voit bien qu'elle a pleuré, la lèvre supérieure collée aux dents, les poings serrés, les yeux rouges.

Entre ses cinq épaisseurs de couvertures, elle a l'air d'un sandwich piteux.

Il fourre le briquet dans sa poche, s'assied dans le noir sur un fauteuil en osier près du lit, pose les pieds sur un poste de télévision brisé, l'écran troué par un coup de poing, et il l'écoute farfouiller sous les couvertures. Le fauteuil a deux pieds plus courts que les autres, de sorte que Treefrog se balance en diagonale.

« Comment tu t'appelles ?

— Me fais pas de mal.

— Je vais pas te faire de mal. Comment tu t'appelles ?

— Angie, dit-elle après un long silence.

— Y a une chanson comme ça.

— Si Elijah trouve quelqu'un ici, il va me tuer.

— Je voulais juste dire un petit bonjour.

— C'est fait, à présent. Alors va-t'en.

— Tu me rappelles quelqu'un.

— Va-t'en, je te dis.

— Je veux juste une clope.

— J'ai un couteau. Si t'approches, je te tue.

— Je t'ai vue ce matin, dit-il. Et je t'ai vue là-haut sur Broadway aussi. Avec les gobelets. C'est chouette. Une belle grande pile de gobelets. Encore jamais vu ça.

— Tire-toi !

— Tu ressembles à une de mes amies. Je t'ai prise pour elle. Dis donc, pourquoi tu pleures ?

— Je pleure pas. La ferme et tire-toi.

— Qu'est-ce qui se passe avec le jus ?

— Le quoi ?

— Qu'est-ce qu'est arrivé à l'électrac ?

— Si tu pars pas d'ici, Elijah va te faire la peau. Il a dit de laisser entrer personne.

— Va falloir demander à Faraday de réparer ça.

— C'est ce sale connard de Blanc en complet-veston ?

95

— Ouais, il branche tout le monde. Il prend le jus aux poteaux électriques là-haut. Il fait descendre un câble. Il va même dans les autres tunnels. Il arrive à pirater le jus du troisième rail. Des fois, il réduit le courant avec des transformateurs. C'est un génie en électricité.

— Lui aussi, Elijah va lui faire la peau. Il m'a sifflée quand il m'a vue. Comment c'est déjà ton nom ?

— Treefrog.

— Foutu nom ! Jamais de ma vie j'ai entendu un truc aussi dingue.

— Je joue de l'harmonica.

— Ça explique rien.

— Ils m'appellent tous comme ça. C'est pas moi qui m'appelle comme ça. Ça me plaît pas. »

Il l'entend remonter les couvertures jusqu'à son cou. « Putain ! dit-elle, ce froid. » Un grattement à l'arrière, et elle se dresse aussitôt sur son séant. « Qu'est-ce que c'est ?

— Un rat.

— Je peux pas les voir.

— Il te faudrait un chat.

— Elijah aime pas les chats.

— Tu veux d'autres couvertures ?

— Ouais.

— J'en ai deux trois en rab. Là-bas, chez moi. Donne-moi d'abord une clope. Une clope contre une couverture, c'est ce qui s'appelle du troc.

— J'en ai pas.

— Je t'ai vue fumer ce matin.

— Tu me donneras une couverture, juré ?

— Ouais. »

Il sent une cigarette lui atterrir sur les genoux : il cherche un briquet dans son pardessus, l'allume d'un coup sec, aspire la fumée jusqu'au fond de ses poumons, et continue à se balancer en diagonale dans l'obscurité.

« Merci, poupée.

— M'appelle pas comme ça.

— Merci, Angela.

— Angie.

— J'aime mieux Angela.

— T'es con. Ah putain ! qu'il fait froid. Tu trouves pas ? T'as pas froid ? Moi je suis gelée. »

Il se lève de son fauteuil. « Tu bouges pas d'ici, d'accord ? Je vais te chercher une couvrante. »

À la porte, il regarde diminuer le jour qui descend de la grille. « Il neige, dit-il au bout d'un moment.

— Ça, je sais, bon Dieu.

— J'aime bien quand il neige. Quand ça descend par les grilles. T'as vu ça ?

— Ma parole, t'es dingue. La neige, c'est froid, voilà ce que c'est. C'est froid, c'est tout. Froid. C'est l'enfer. Un putain de froid d'enfer.

— Un paradis d'enfer.

— Qu'est-ce que tu racontes, enfoiré ?

— Rien. »

Il marche en battant des bras pour parer au vent qui arrive en hurlant par le côté sud de là ligne. Dans son nid, il va chercher ses couvertures de réserve dans de gros sacs en plastique bleu, à côté de ses livres et de ses cartes.

Angela, pense-t-il, en retournant lui porter une couverture dans son abri. Joli nom. Six lettres. Belle symétrie. Angela.

Il la voit à la sortie du tunnel, un soir, tellement camée qu'elle a les yeux qui roulent dans leurs orbites. Elle le tire par la manche et elle lui murmure qu'autrefois elle dansait dans une boîte à Dayton, Ohio.

« Un petit rade de merde, en dehors de la ville, dit-elle. Je me faisais un maquillage super. Y avait deux pistes, avec une fille sur chaque. Un soir, j'étais sur scène, et voilà que je vois arriver mon père, tu te rends compte. Il s'installe à une table au fond de la salle. Sacré pater ! Il se commande une bière et il se met à faire chier la serveuse parce que pour cinq dollars il avait droit qu'à un gobelet en plastique. Il est là à me regarder danser. Et moi, je suis prise de trouille, Treefy. J'ai cru qu'il allait monter sur la scène pour me taper dessus comme d'habitude. Je pouvais presque plus danser tellement j'avais la trouille. Et tous ces bons-hommes à une table qui gueulaient et sifflaient. Et alors, je lève les yeux, et voilà que mon pater, il a tourné sa chaise et il regarde l'autre fille sur l'autre piste. En se léchant les babines. Alors j'ai décidé que j'allais me mettre à danser mieux que jamais. Tous les yeux étaient braqués sur moi, je te jure, sauf les siens. Lui, il fait que boire et lorgner l'autre fille, et moi, il me jette même pas un regard. Et quand je sors sur le parking, il est là qui m'attend, complètement saoul. Hé, gamine, qu'il me dit – j'ai vingt-deux ans et il m'appelle encore gamine –, et il me demande le nom de l'autre fille. Cindy, je lui réponds. Merci, qu'il me dit. Et puis il s'en va dans sa vieille Plymouth grise, il se penche par la portière et il me lance : "Cette Cindy, ça c'est une fille qui sait danser." Voilà ce qu'il me dit. "Cette Cindy, ça c'est une danseuse." »

Cette nuit-là, il rêve qu'elle est dans son foie. Un mur d'un brun rougeâtre se dresse devant elle. Con O'Leary, Rhubarbe Vannucci, Sean Power et Nathan

Walker lui ont expliqué comment s'y prendre pour creuser.

Elle a appris à se tenir pieds écartés, l'un derrière l'autre, à utiliser au mieux sa force. Elle cogne dans la paroi du foie, elle extirpe le mal à la pelle, à pleins seaux, maniant si bien l'outil qu'il ne sent absolument rien. Elle racle toutes les saloperies, et, quand un endroit est propre, elle se penche pour l'embrasser, et il en a des frissons dans tout le corps. La crasse tombe à ses pieds ; elle la déblaie par seaux entiers, et quand l'organe est complètement nettoyé, que les seaux sont vides et qu'il est guéri, ils dansent tous les deux autour de son foie en un tourbillon extasié, les yeux fermés ; ils tournent et tournent et tournent encore, les perles colorées sautillent dans les cheveux d'Angela ; et puis il y a un bruit de succion et ils sont propulsés vers le haut de son corps ; ils sortent par sa bouche, et elle est là debout devant lui, souriante : plus la moindre trace de bile, même sous ses ongles ; elle tend la main pour le caresser, s'attarde sur sa poitrine en jouant avec ses poils, puis ses doigts descendent plus bas, jusqu'à la braguette, qu'elle ouvre avec une extraordinaire délicatesse ; son foie est parfaitement indolore. Un très beau rêve. De temps à autre, dans le tunnel, il arrive qu'on fasse un rêve parfait.

6

1932-1945

Rhubarbe Vannucci et Sean Power installent une cage à pigeons sur le toit de l'immeuble de Vannucci dans le Lower East Side – une cage en bois avec deux ouvertures coulissantes et le dessus en grillage. Il y a eu des vols, récemment, alors Vannucci a plongé ses pigeons dans des bacs de teinture éclatante qu'il s'est procuré dans une fabrique de vêtements. Il les a trempés entièrement, sauf la tête. Même le dessous des ailes a absorbé la couleur. Ils s'ébattent dans le ciel avec leur plumage d'un orangé violent. Ainsi, n'importe qui dans le quartier peut immédiatement reconnaître un pigeon Vannucci. On dirait des pelures d'orange fendant les cieux de Manhattan.

Sean Power, lui, décide de peindre les siens en bleu vif. Les plumes qu'ils perdent font un fabuleux collage sur la terrasse du toit.

Un matin de juillet, les deux hommes organisent une course de pigeons, et chacun parie deux dollars que son pigeon va gagner.

Nathan Walker et Eleanor O'Leary veulent bien se charger d'emporter les volatiles sur le pont de Brooklyn et de les lâcher de l'autre côté du fleuve. Les deux jeunes gens avancent en zigzaguant sur leurs bicyclettes. Les cheveux d'Eleanor coulent derrière elle comme un torrent. Walker a installé les deux cages en équilibre sur le porte-bagages. Ils pédalent en un tandem insolite. Leur randonnée tient de la valse. Chaque fois qu'elle le peut, Eleanor roule sur les bandes d'ombre de la route, sans que ses pneus débordent. Et Walker joue à éviter cette ombre-là. Il regarde Eleanor lâcher son guidon des deux mains, bras écartés : elle vacille un petit peu mais réussit à maintenir le vélo à l'intérieur des longs rubans sombres.

Quand ils arrivent à l'autre bout du pont, Eleanor appuie sa bicyclette contre celle de Walker. Ils étalent une couverture par terre pour manger leur pique-nique avant de libérer les pigeons : une bouteille de Coca-Cola, une barre de chocolat, et du cheddar avec du pain.

Eleanor touche le bras de Walker pour lui montrer les oiseaux dans leur cage – l'un bleu, l'autre orangé – et tous deux se mettent à rire.

Au milieu de leur pique-nique, un passant crache au visage de Walker et crie à Eleanor : « Femme à nègres ! »

Elle lui fait un pied de nez, et Walker s'essuie avec un mouchoir. Du haut du pont, il jette le mouchoir dans l'eau. Ils le regardent tomber en spirale. Walker ne dit rien ; ils remballent le reste de leur pique-nique, sortent deux pots de peinture du panier, et, un peu plus tard, ils lâchent les pigeons.

Ils retraversent le pont en pédalant à toute allure et en regardant les deux oiseaux rivaliser d'efforts pour arriver premier.

Walker est loin devant, avec les cages vides toujours en équilibre sur le porte-bagages. « Attends-moi ! » lui crie Eleanor. Les pigeons disparaissent dans le ciel.

À leur retour chez Vannucci, les cyclistes trouvent les deux parieurs en fureur. Chacun a dans les mains un pigeon qui vient d'être peint mi-bleu, mi-orangé.

Ils se disputent pour savoir quel pigeon est à qui et qui doit deux dollars à l'autre. Sur le toit de l'immeuble, Walker et Eleanor se tordent de rire.

Les deux hommes les regardent bizarrement, puis ils remettent les oiseaux multicolores dans leurs cages.

« Purée ! dit Power.

— Purée ? C'est quoi ? demande Vannucci.

— C'est... »

Mais Power se met à glousser lui aussi.

« La purée, dit-il avec un clin d'œil à Walker, la purée c'est des patates écrasées. »

Eleanor place une photo de son père et de sa mère sur sa table de chevet. La photo a été prise lors d'une fête foraine à Brooklyn, en été, dans les premières années du siècle : au fond, une grande roue à l'arrêt se détache sur le ciel comme un bracelet de pacotille. On voit la trace d'une moustache naissante au-dessus de la lèvre de Con O'Leary. La robe de Maura est boutonnée jusqu'en haut du cou, mais le troisième et le quatrième bouton se sont défaits à son insu, révélant la naissance des seins. Les deux époux sont devant une mailloche. La cloche de la machine est tout en haut – à l'endroit où est écrit FORCE EXTRAORDINAIRE –, et Eleanor est sûre que c'est son père qui vient d'actionner le maillet. Il sourit, il se tient fièrement le ventre en avant, il gonfle les joues. C'est l'image de lui qu'elle aime avoir à l'esprit quand elle prend le métro le matin pour se rendre à la chemiserie de Brooklyn Heights où elle travaille. Pendant ses allers-retours sous le fleuve, elle salue au passage le corps endormi de son père. Elle se le représente non pas dans les affres, retenu prisonnier au cours de son étrange ascension, mais plutôt debout, droit et fier, dans le limon du fleuve, à côté d'une de ces machines de foire, figé comme dans un tableau, un grand sourire aux lèvres.

Familiers, mais tremblants, ils se retrouvent dans l'obscurité. Un soir, sur un banc public, elle demande à Walker de la peigner. Il passe derrière le banc. La chevelure de la jeune fille est lourde et libre. Quand il a fini, elle se retourne et s'agenouille sur les lattes du banc en se penchant vers lui. Il sent encore dans ses mains le poids de ses cheveux. Elle prononce son nom tout haut : Nathan. Il la regarde, et il lui semble qu'au son de sa voix l'herbe s'incline autour d'eux.

Dix-huit ans après l'accident sous le fleuve, Nathan Walker émerge d'un tunnel pour trains de marchandises dans le West Side de Manhattan.

Les nuages qui passent projettent des ombres, et les rues sont tapissées de soleil. Walker marche d'un pas élastique, bien qu'il ait manié la pelle toute la journée. Dans le tunnel du chemin de fer, le travail est plus facile que sous l'eau, mais tout aussi dangereux : des hommes y laissent leur vie quand des paquets de dynamite explosent entre leurs mains, leurs corps sont déchiquetés, leurs pouces volent si haut qu'on croirait qu'ils font du stop pour aller au ciel. À trente-sept ans, Walker a un peu changé : son corps est légèrement déjeté à la taille, et au-dessus de l'œil gauche il a une nouvelle cicatrice récoltée lors d'une émeute pendant la Crise – un policier lui avait donné un grand coup de matraque sur la tête. Un soir, à la sortie d'un petit restaurant, il avait plongé dans un océan de visages noirs. Les manifestants portaient des pancartes. Ils protestaient à grands cris contre les licenciements et les bas salaires. Walker s'était joint à eux en silence, stoïquement. On lui avait diminué son salaire à lui aussi – dans les tunnels, des foules d'hommes aux abois ne demandaient qu'à travailler –, et si lui-même n'était pas congédié, c'était uniquement parce que Sean Power était à la tête du syndicat. Il s'était laissé entraîner dans le flot. Des cris avaient retenti plus loin dans la rue, et c'est alors que la matraque l'avait frappé par-derrière. Elle avait d'abord atterri sur la partie sensible de son crâne, avait dévié sur son front et s'était écrasée sur l'œil. Il avait à peine aperçu le flic avant de s'écrouler, puis il y avait eu des sabots de chevaux tout autour de lui. Le souffle coupé, il avait traversé la rue à plat ventre pour se réfugier devant une boutique de cigares, le sang ruisselant de ses lèvres. À l'hôpital, il avait dû attendre cinq heures qu'on veuille bien le recoudre, après quoi le médecin avait arraché la croûte d'un geste brutal, et la suture avait été faite tout de travers, ce qui lui avait laissé un tortillon de chair sur le sourcil.

Il remonte sans se presser le long de Riverside Drive, passant devant les remblais et les bicoques, puis il tourne à droite vers une boutique pleine de smokings.

Une sonnette tinte quand il ouvre la porte et un Noir de petite taille, aux cheveux couleur de granit, sort de derrière un rideau, un crayon sur l'oreille. Il avise la boue qui recouvre les chaussures de Walker, jette un coup d'œil moqueur à sa salopette crasseuse et à son chapeau rouge attaché sous le menton, et se dirige aussitôt vers les smokings de location les plus ordinaires, mais Walker l'entraîne du côté des plus chers. À la maigre lumière d'une ampoule jaune, il essaie un veston noir à col de velours chatoyant. Le vêtement n'a pas servi depuis si longtemps qu'il reste une boule de naphtaline dans une poche, mais c'est le seul qui soit à sa taille, car il y a un bal à Harlem le soir même, et les clients ont défilé dans la boutique toute la journée. Il sort de sa poche de quoi louer le smoking et s'acheter une chemise neuve.

Chez lui, il fait sa toilette au lavabo et essaie la chemise blanche à petits plis. Les boutons lui paraissent minuscules et insolites. L'arthrite s'attaque déjà à ses mains. Il peut prédire la pluie rien qu'aux douleurs qu'il sent au bout des doigts. Au lieu de boutonner son col de chemise, il cache le haut qui bâille avec son nœud de cravate.

Il ne peut pas s'empêcher de rire doucement en voyant la chemise se chiffonner sous son menton, et la blancheur excessive du tissu. « T'es sacrément beau, Nathan Walker ! » dit-il à son miroir poussiéreux, et il fait des bonds tout autour de la pièce, de ravissement et d'impatience, il se met à danser autour d'un vieux tuyau de poêle, ses genoux renâclent à la violence soudaine de cet exercice, une croix en argent sautille à son cou.

Cette croix, il l'a achetée pour deux dollars en bas de chez lui à une diseuse de bonne aventure qui porte toujours une longue robe rouge et deux plumes dans les cheveux. Elle prédit l'avenir en lisant dans le tabac au fond d'un crachoir. Les hommes, et aussi les femmes, se penchent au-dessus du bol de métal pour cracher ; les hommes lâchent de gros glaviots, et les femmes bavotent d'un air gêné. Elle examine les brins de tabac et prescrit des remèdes pour prévenir le désespoir. Dans la vie, personne n'échappe au désespoir, dit-elle, et par conséquent tout le monde a besoin d'un remède – c'est au moins une chose dans la vie qui ne coûte que deux dollars à guérir, une bonne affaire garantie.

Cette croix, a-t-elle dit à Walker, modérera les transports de son cœur dans ses moments d'impatience.

Il doit la porter à même la peau toute la journée, quoi qu'il arrive.

Walker est à côté du piano qu'il a reçu en cadeau. Un ruban blanc a été noué autour, alors il n'ouvre pas l'instrument. Il tâte la douceur du ruban, puis il passe les doigts sur le couvercle, approche un tabouret et s'assied, en caleçon et en chemise, sa croix en argent autour du cou, et il fait semblant de jouer, pianotant dans le vide, inventant des rags, s'en donnant une telle suée qu'il finit par quitter sa chemise. Il attend qu'un air lui vienne aux lèvres, et puis il chante de plus en plus fort, jusqu'au moment où il entend quelqu'un taper du pied au-dessus de lui et hurler : « Tu vas la fermer, là en bas ! »

Le lendemain, Eleanor et lui se font mettre à la porte de quatre restaurants, et on refuse de les laisser entrer dans un cinéma malgré leur tenue convenable. Dans les rues, les gens murmurent à leur sujet. Les voitures ralentissent et on leur lance des sarcasmes. Chez lui, dans son logement de la 131e Rue, Walker doit se baisser pour passer sous la porte. Eleanor plonge la main dans sa poche de veston quand il la prend dans ses bras pour franchir le seuil.

Elle a une taille mince de jeune fille, d'adolescente, et il lui dit tout bas qu'il pourrait en porter dix comme elle. « Ne t'avise surtout pas de faire ça, réplique-t-elle ; des comme moi, tu n'en auras jamais d'autre que moi. »

Elle sort la boule de naphtaline de la poche du veston et hoche la tête, amusée, bourrant Walker de coups de poing dans la poitrine pour le taquiner. Quand elle va aux toilettes communes, sa longue robe de mariée en taffetas blanc froufroute tout le long du couloir. Elle jette la boule de naphtaline dans la cuvette.

« Prépare-toi, j'arrive, lui crie-t-elle dans le couloir, tandis que l'eau gargouille.

— Je suis prêt, mon p'tit loup. »

Revenue dans la chambre, elle ferme la porte au loquet. Elle a changé de visage en se démaquillant. À tout juste dix-sept ans, elle paraît plus jeune encore. Walker a ôté le veston, il se tient debout à côté du piano et il lui fait signe de venir jouer. Elle secoue la tête, non, non, et elle l'entraîne sur le lit, où ils commencent à répéter pour de nombreuses nuits de rêve.

« Prêt ? Allons donc ! » Sa main disparaît sous la chemise de Walker, se glisse dans son dos, et elle le serre très fort contre elle.

Ils s'ébattent sur les couvertures – tableau en deux couleurs, noir et blanc, blanc et noir – puis ils s'endorment le front mouillé de sueur. Ils sont allongés face à face, étroitement enlacés, hanche menue et rose d'un côté, hanche brune et musclée de l'autre. Eleanor se réveille et embrasse Nathan sur sa cicatrice au-dessus de l'œil. Au mur, le coucou sonne huit heures du soir. Elle a le désir sur la langue, comme une haleine matinale, et elle le réveille avec un joyeux coup dans l'estomac.

« Je t'aime.

— Moi aussi, répond-il dans un grognement.

— Ne te rendors pas. »

Il ouvre les yeux. « T'as déjà vu une grue danser ?

— Non.

— D'abord sur un pied, et puis sur l'autre.

— Montre-moi.

— Les grues des dunes, dit-il. C'est comme ça qu'elles font. En Géorgie, on en voyait tout le temps. »

Il se lève et se met à danser sur le matelas, et elle éclate de rire.

Un peu plus tard, on frappe bruyamment à la porte. En caleçon, Walker, selon son habitude, baisse la tête sur le seuil. Il se gratte le ventre pendant que ses yeux se dessillent.

Vannucci, Power et la diseuse de bonne aventure sont là, avec un large sourire, quatre bouteilles de champagne dans les mains. La diseuse de bonne aventure entre d'un air dégagé, avec ses manches papillon qui pendent et ses talons en lamé or qui claquent sur le plancher. Power la suit en boitant, et tire déjà sur un bouchon de champagne avec ses dents.

Vannucci passe son crâne un peu dégarni dans l'embrasure de la porte et, gêné, il recule.

Mais la diseuse de bonne aventure, elle, s'assied sur le lit à côté d'Eleanor et soulève les couvertures pour découvrir les blancs orteils de la jeune femme. Eleanor pique un fard et retire son pied. La bonne femme le lui reprend en gloussant.

Appuyé au piano, Walker peine à enfiler un pantalon, un pied en l'air, tandis que Power essaie de lui faire perdre l'équilibre et d'arroser de champagne ses sous-vêtements.

Seul Vannucci attend à la porte que les jeunes mariés soient complètement habillés, et puis la fête commence, et c'est lui, l'Italien rubicond, qui remonte furieusement la manivelle du gramophone. Il se tient au-dessus de l'appareil tandis que l'aiguille se promène sur les sillons. Il s'en échappe de beaux sons isolés. Le rythme le fait sourire, il claque des doigts, il vide un premier verre. Power porte une bouteille vide à ses lèvres et fait semblant de jouer de la trompette. La diseuse de bonne aventure relève sa robe très haut, découvrant ses jarretières rouges et ses bas à coutures. Elle lance la jambe en l'air en chantant avec la musique, et les chansons descendent peu à peu de sa gorge pour venir se trémousser sur ses hanches.

« Quelle classe, dites donc !

— Merci du compliment, mon chou. Tu marches au laudanum, faut croire ?

— Pourquoi ça ?

— Soit ça, soit t'as trop bu.

— Non, non.

— Alors pourquoi tu danses pas ?

— Devine.

— Il est rond comme une queue de pelle.

— J'suis pas rond du tout. »

Un silence s'abat soudain quand Maura O'Leary paraît à la porte. Toujours en vêtements de deuil, les cheveux coiffés en chignon, de la dentelle autour du cou, elle prévient qu'elle ne fait que passer. Elle pousse un soupir et parcourt la pièce des yeux : elle voit le piano couvert de bouteilles, un cigare allumé posé au bord, la fumée qui monte en volutes.

« Mon Dieu, mon Dieu, dit-elle.

— Quoi donc, m'dame ?

— Faut plus me dire madame. C'est plus la peine.

— Bon.

— Appelez-moi Maura. C'est plus simple.

— Bon, bon.

— Jamais je n'aurais cru que je verrais un jour comme celui-ci, jamais je n'aurais pensé ça, soupire-t-elle.

— Moi non plus.

— Ce qui ne veut pas dire que c'est une très bonne chose. »

À l'autre bout de la pièce, Sean Power rote et déclare : « Y a rien de mal dans tout ça.

— Je vous ai rien demandé, réplique Maura.

— Vous m'avez pas non plus demandé de me taire.

— Ce que je veux dire, c'est qu'il y a des endroits où c'est contre la loi.

— Mais pas à New York », dit Power.

Maura porte la main à sa gorge et tripote la dentelle un long moment.

« Dans certains endroits, on va en prison. Dans d'autres, on vous tue.

« — Contre la loi, ça veut pas dire que c'est pas bien.

— Ça, c'est vrai, dit Maura.

— Alors on est d'accord ? dit Power.

— On sera peut-être d'accord pour ne pas être d'accord.

— Je savais bien qu'on finirait par s'entendre sur quelque chose, marmonne Power.

— Tais-toi ! Sean, intervient Walker. Laisse la dame dire ce qu'elle a à dire. »

Le silence s'installe dans la pièce. Power boit une gorgée de champagne au goulot et passe la bouteille à Vannucci, qui s'abstient. La diseuse de bonne aventure va à la fenêtre et regarde dehors.

Eleanor finit par dire : « Mais on s'aime, maman.

— Ça ne suffit pas toujours.

— Nous, ça nous suffit.

— Vous êtes jeunes.

— Pour Walker, on peut pas dire qu'il est de la première jeunesse ! » dit Power.

Maura regarde encore une fois autour d'elle et déclare : « Je sais pas ce que Con penserait de tout ça, mais il faudra sans doute que j'attende d'être au ciel pour l'apprendre. Je suis pas sûre que ça le réjouirait. Je suis pas sûre que ça me réjouisse. Ni moi ni personne.

— Moi, ça me réjouit », clame Power.

Walker décoche un regard à son ami et change de position. « On veut pas vous faire de la peine, m'dame.

— N'oubliez pas, dit-elle, que ça sera dur, même quand tout ira bien.

— On le sait. Merci, m'dame. Maura.

— Bon. J'ai dit ce que j'avais à dire.

— Merci.

— Maintenant je voudrais bien boire un petit quelque chose, s'il vous plaît.

— Excusez, je vous ai pas proposé », dit Walker.

111

Maura trempe ses lèvres dans un verre de champagne.

« Bonne chance à vous deux, c'est sans doute ce qu'il faut dire. » Elle pose le verre et se prépare à partir, mais, arrivée à la porte, elle ajoute en baissant la tête : « Peut-être que vous serez heureux ensemble. Peut-être que ça ira. »

« Tu crois qu'elle est sincère ? demande Walker une fois la porte refermée.

— Bien sûr, répond Eleanor. Elle nous a fait cadeau du piano, non ?

— C'est vraiment une femme bien. Une femme formidable.

— Bon allez, maintenant, on danse, dit Power en faisant des moulinets avec sa canne.

— T'es le boiteux le plus danseur que j'aie jamais vu ! s'écrie la diseuse de bonne aventure en revenant de la fenêtre et en se tordant la bouche.

— Et comment donc. »

Et Power se met à brailler : « Allez les enfants, faites bouger vos fesses ! »

On boit à la santé et au bonheur des jeunes mariés qui, au rythme de la trompette imaginaire de Sean Power, se lancent à corps perdu dans une danse de fous sur le piano, jusque tard dans la nuit. Debout sur un pied, bras tendus, Walker fait un clin d'œil à Eleanor.

Une série de briques leur arrive par la fenêtre de la chambre, laissant des éclats de verre sur le plancher, et ils n'ont plus qu'à coller une feuille de plastique qui claque au vent. Une de ces briques est enveloppée dans un papier qui dit : INTERDIT AUX PINGOUINS. Sur un autre, on peut lire : ARLEQUINS DEHORS. Sur un troisième, simplement : NON.

Walker paie les dégâts et loue un autre logement, au-dessus, hors de portée des pierres et des cailloux lancés de la rue. Il sait qu'ailleurs, ce serait bien pire ; dans d'autres parties de la ville, ils seraient déjà morts. Il a l'impression de s'être exilé dans les airs, mais cet exil est une sécurité pour Eleanor.

Le mariage lui a apporté tout ce qu'il unit : modération et amertume, amour et indifférence, fécondité et dénuement, la pérennité dans tout ce qu'elle a de plus définitif. Alors, sans plus s'occuper des lanceurs de pierres, il monte toutes leurs affaires, y compris le piano, dans leur nouveau logement.

La pièce est plus grande, les interstices entre les lames du plancher se voient davantage à la lumière, la tapisserie jaune se décolle des murs, il y a des taches d'eau sale autour de l'évier de la cuisine. Ils ont toujours des toilettes communes avec les autres locataires. Chaque fois qu'ils y vont, le plancher grince dans le couloir.

Eleanor jette sa brosse à dents à la poubelle un matin où elle l'a oubliée sur le lavabo. Elle a vu des légions de cafards grouiller en cet endroit.

Leur voisin est cornettiste, et les notes graves de son instrument retentissent à tout moment de la nuit. Il joue de façon anarchique, se réveille aux heures les plus bizarres. Et le matin, quand ils passent devant chez lui, il les siffle derrière sa porte. Sales pingouins, putain de pingouins, dit-il. Chez elle, Eleanor a mis au point une démarche particulière, qu'elle a nommée le Pas traînant de l'Antarctique, et qui la fait bien rire : les pieds à plat et le derrière en l'air, les coudes serrés à la taille, et les mains qui battent sur le côté. Mais la nuit, elle se recroqueville dans son lit en pleurant à l'idée que des morceaux de verre puissent atterrir sur leur lit et déchirer leur chair nue. Alors Walker lui raconte des histoires pour l'aider à s'endormir, des choses qu'il invente ou dont il se souvient, et des choses qu'il invente à travers ses souvenirs.

« J'étais encore qu'un p'tit bonhomme, tu vois, et je voulais me fabriquer un portefeuille en alligator. Plein de copains à l'école en avaient. Je dis ça à ma mère. Elle avait un fusil de chasse, alors je demande si je peux l'emprunter. J'allais tuer un alligator et après je pourrais me faire mon portefeuille, que je lui explique. "Nathan, qu'elle me dit, tu vas pas tuer un alligator, c'est pas bien, je te l'ai déjà dit ; faut pas faire de mal aux bêtes."

» Mais m'man, que j'lui dis, un alligator ou une vache, c'est pareil. Alors ma mère, elle me regarde avec son air, et elle sourit. "Pareil !" qu'elle me dit.

» Avec sa bonne grosse voix. Elle avait une bonne grosse voix, jusqu'au bout elle l'a gardée. "Pareil qu'une vache !" qu'elle me dit.

» Bon. Le lendemain elle m'embarque dans le canoë, et c'est moi qui pagaie. On va dans les parages d'un endroit qu'on appelle l'Île aux Vaches. On reste là un long moment dans le marais, elle et moi, et il y a des yeux d'alligators partout. Y en a un là dans la boue qu'a l'air tranquille. Et puis y a un héron qui vient voler au ras de l'eau, et qui se pose à côté. L'alligator se redresse, il donne un grand coup de queue et le héron est mort. Avalé d'un coup. Alors ma m'man, elle me regarde : "Alors, petit, qu'elle me dit, t'as déjà vu une vache faire ça ?" »

Le dimanche matin, ils vont ensemble assister à un service baptiste dans un sous-sol près de Saint Nicholas

Square. Tant qu'il n'y a pas de bruit, ils marchent en se tenant par la main. Mais dès qu'ils entendent une voiture arriver derrière eux, ou une fenêtre s'ouvrir, ou des voix à un coin de rue, ils se lâchent la main et se séparent comme deux rivières. Eleanor aime bien arriver un peu en retard pour se laisser porter par le grand flot de gospels qui l'accueille quand elle ouvre la porte. Là, elle se sent à l'aise. La voix du pasteur s'élève et retombe, tel un paysage mouvementé de voyelles et de consonnes. Parfois, il brandit les mains au plafond, et, à la sortie, il embrasse toutes les femmes sur la joue, même Eleanor.

Un matin, à la fin du printemps, on la baptise dans une cuve d'eau froide à côté de l'escalier du sous-sol. Les choristes, en tunique blanche bordée d'or, l'entourent en chantant. Le pasteur relève ses manches. Un concert d'alléluias s'élève au moment où il la plonge dans l'eau. Gênée de voir la robe blanche lui coller à la peau – ainsi mouillée, on voit sa gaine –, elle croise les bras sur la poitrine, mais le pasteur lui dit tout bas : « Tu as l'air d'un ange, écarte-moi ces ailes. » Elle se redresse en riant. Le chœur se remet à chanter ; après cela, tous les fidèles se jettent sur la salade de pommes de terre et les sandwichs.

Ils rentrent chez eux en pleine chaleur et, quand elle tourne la clé dans la serrure, sa robe est presque sèche.

À l'église catholique qu'elle fréquentait en bas de Manhattan, de sombres menaces s'élevaient dans les rangs des Blancs, et pourtant elle ne venait jamais accompagnée de Walker. Le prêtre s'empourprait et fulminait, un doigt pointé vers elle, le regard accusateur ; il n'était plus que hargne et vindicte. Il lui a interdit d'assister aux offices le jour où elle a insinué que Jésus avait sûrement la peau moins claire que dans toutes les représentations faites de Lui sur la croix.

Elle s'assied sur les marches de l'escalier de secours, à l'abri des regards. Elle baisse une bretelle de sa robe et lève la tête face au soleil dans l'espoir vain de rivaliser avec son mari quant à la couleur de sa peau. Le patron d'une boutique de la 125e Rue vient de lui refuser d'essayer un chapeau. Il a fait une moue dégoûtée. Il avait entendu parler d'elle : quand on vit avec un nègre, lui a-t-il dit, on le devient soi-même. Il ne voulait pas de cheveux de nègre dans ses chapeaux. C'était pas bon pour le commerce. Il a prononcé ces mots avec l'écume aux lèvres, et son regard s'est durci. « Je veux bien vous en vendre un, a-t-il dit, mais pas question de l'essayer. »

Eleanor a reposé le chapeau sur le comptoir sans un mot, et elle est montée s'asseoir dans l'escalier de secours.

À présent, le visage en plein soleil, elle baisse l'autre bretelle de sa robe. Dans la rue, des petits cireurs de chaussures assis sur une rangée de caisses font leur travail sous un soleil de plomb.

Walker n'a plus qu'à rire en voyant la peau brûlée de sa femme. « C'est pas ça qui va arranger ce que t'as dans le ventre », lui dit-il.

Il lui passe de la crème dans le dos et sur le cou.

« Je parie que c'est un garçon, dit-il.

— Qu'est-ce qui te fait croire ça ?

— La diseuse de bonne aventure ; c'est ce qu'elle m'a prédit. »

Eleanor s'esclaffe.

« Un garçon ; elle a vu ça dans le tabac.

— Et j'avais craché pour la peine, tu peux être sûre !

— Tu crois vraiment que c'est un garçon ?

— C'est tout pareil, pour moi, dit Walker. Ça pourrait être un kangourou que ça me serait bien égal.

— Il irait gambader dans tout Harlem.

— Gambader, et sauter, et danser.

— Tu as déjà eu cette impression, lui demande-t-elle pendant qu'il lui masse les épaules, que leurs yeux te déchirent quand tu passes dans la rue ? Tu sais, tu passes et c'est comme s'ils te découpaient en rondelles. Comme si leurs yeux étaient des lames de rasoir.

— Ça, c'est une découverte, p'tit loup.

— Pourtant, à ce qu'on dit, Dieu nous a tous créés à son image.

— Possible, mais, tout Dieu qu'il est, il faut bien qu'Il aille chier de temps en temps, et qu'Il se torche le cul comme tout le monde.

— Nathan ! C'est du blasphème.

— C'est pourtant la vérité, blasphème ou pas.

— Tu sais quoi ? dit-elle au bout d'un moment. Le type de la boutique a refusé de me laisser essayer un chapeau.

— Seigneur Dieu ! Et ça, c'est seulement le dessus de l'iceberg. Après, c'est pire. Ça devient un truc habituel. On finit par trouver ça normal. On finit par avoir l'impression que Dieu vous chie dessus à longueur de journée. Comme s'Il avait une chiasse terrible. Comme si Son cul arrêtait pas de dégouliner.

— Nathan !

— C'est la vérité vraie. Bill Broonzy, la chanson, tu connais ? »

Il se met à chanter : « *Seigneur, j'suis tellement au fond du trou, quand je lève les yeux, je vois que le fond.* »

Il s'arrête. « Nous, c'est ça : quand on lève les yeux, on voit que le fond. »

Elle tire un fil au bas de sa robe et l'enroule autour de son doigt pour l'arracher. « Je veux que mon enfant puisse s'acheter des chapeaux, dit-elle.

— Il pourra s'acheter autant de chapeaux qu'il voudra. Il pourra même m'emprunter le mien.

— Viens ici, lui dit-elle.

— Quoi ?

— Embrasse-moi. »

Walker se penche pour l'embrasser et, avec l'index, elle lui étale un peu de crème apaisante sur le nez. « Jamais un fils à moi ne mettra cette horreur, dit-elle tout bas. Une fille non plus.

— Je suis sûr que le bon Dieu en a un comme ça.

— Allons donc ! »

Deux mois plus tard, Clarence Walker naît à la maison, accueilli en ce monde par un chapelet de prières. Par égard pour sa mère, Eleanor cède au rituel catholique.

C'est Maura O'Leary qui accouche la jeune femme. Les cheveux gris se sont accumulés sur sa tête ces derniers temps. Elle a cinquante et un ans, et il ne lui reste plus que trois mois à vivre. Elle semble déjà cracher ses poumons, qui sont remplis de flegme. Elle a toujours sur elle une quantité de grands mouchoirs dans lesquels, toute gênée, elle recueille les glaires, repliant le tissu comme si elle fermait une lettre d'une importance capitale. Presque aveugle, elle porte des lunettes à verres épais, avec une monture aux rafistolages acrobatiques sur les côtés. Mais son mal lui donne de la force et une tolérance paisible – elle mourra dans un lit d'hôpital au milieu d'une quinte de toux, en criant aux infirmières de laisser son gendre venir à son chevet. Les infirmières refuseront, elles ne peuvent imaginer un Noir devant le lit de mort d'une femme blanche. Dans ses draps d'hôpital immaculés, folle de rage, elle mourra en les maudissant dans son dernier souffle.

Mais pour l'instant, elle passe un linge de toilette sur le front de sa fille et elle s'écrie : « C'est un bel enfant, tu sais, un beau petit garçon. »

Les origines de Clarence apparaissent chez lui en touches colorées : une peau cannelle claire et des touffes de cheveux roux qui se dressent sur son crâne.

Les deux femmes le tiennent dans leurs bras à tour de rôle en attendant que Nathan Walker entre dans la chambre. Walker pose alors son chapeau rouge sur la tête de l'enfant en faisant un clin d'œil à sa femme.

« Ah non, pas ça ! dit Eleanor en se redressant dans son lit.

— Quoi ?

— Retire-lui cette horreur ! »

Il lui enlève le chapeau en riant, enveloppe le bébé dans un chandail, et le voilà parti dans la rue en portant fièrement son fils dans ses bras – sur son passage, des vendeurs de pieds de porc au riz, des femmes qui mangent des racines de taro sur le pas de leur porte, des garçons qui jouent au base-ball avec un bâton dans des terrains vagues gris, des hommes en casquette qui s'ennuient, appuyés à des lampadaires. À un coin de rue, il fait un geste de la main à des messieurs bien habillés qui recrutent pour la guerre d'Éthiopie. Tout près de là, quatre joueurs de dominos lèvent la tête, et Walker leur sourit. Ils lui rendent son sourire. Il fait un petit salut, devant le perron d'une maison en grès brun, à une fillette qui chante sa nostalgie des champs de l'Alabama.

« T'arrête pas », lui dit-il.

Plus loin, une Cadillac jaune double une Packard très basse. Un homme se penche à la portière de la Packard pour le regarder passer. Il sent bien que les gens murmurent, mais il poursuit allègrement son chemin, grande silhouette menaçante dans la lumière, jusqu'à la boutique du coin, où il s'attarde un bon moment entre les rayons, achète deux bouquets de capucines pour ces dames. Il sort de son bleu de travail un billet de cinq dollars froissé. Ration Rollins, le patron, tire sur l'élastique qui retient sa manche de chemise et ne lève même pas les yeux. Il pose la monnaie sur le comptoir et se tourne de l'autre côté, soufflant dans ses cheveux gris en avançant la lèvre inférieure. Le dos tourné, il fait semblant de ranger des paquets de cigarettes qui sont déjà en ordre.

« Et un pain de glace, dit Walker, en jetant la monnaie sur le comptoir. Pour calmer vos vapeurs. »

Il se met les fleurs sous un bras et tient le bébé dans l'autre. Il sort de la boutique dans un grand éclat de rire, la tête renversée. « T'es sacrément beau, Clarence Walker », murmure-t-il à l'enfant.

Mais derrière les fenêtres la conspiration va bon train ; on l'accuse de porter quelque chose qui ne lui appartient pas vraiment : jamais vu un petit nègre rouquin comme celui-là.

Viennent deux autres bébés, en 36 et 37, deux filles, Deirdre et Maxine. Eleanor les installe dans une voiture d'enfant, et le petit garçon marche à côté d'elle en la tenant par la main. Ils vont au parc : des cygnes au plumage sale sur un petit lac brun ; un marchand de marrons ; un homme à nœud papillon célébrant la générosité et le savoir de Marcus Garvey ; une rangée d'écolières, stupéfaites, penchées au-dessus du landau ; d'autres mères, qui sourient à Eleanor et s'approchent pour passer la main dans la texture étrange des cheveux de ses enfants. Mais, quelquefois, elle est gênée. Ce sont surtout les Blancs – les flics et les commerçants – qui la dévisagent. Parfois elle trouve un coin à l'ombre, reste assise sous un arbre pendant des heures. Ou bien elle décide de ne sortir avec les enfants que dans la soirée, quand la nuit approche, un foulard sur la tête. C'est dans ces moments de solitude qu'elle est le plus à l'aise.

Quand la nuit tombe sur Harlem, elle ferme les rideaux et se couche au côté de Walker tandis que les enfants dorment. Elle laisse courir ses doigts sur son dos las.

Deux soirs par mois, la diseuse de bonne aventure garde les petits, et Eleanor va rejoindre Walker au Loews sur la Septième Avenue, un cinéma pour gens de couleur. Il arrive en avance – après avoir pointé à la sortie de son travail –, et Eleanor descend discrètement le retrouver dans la salle. Quand elle arrive au bon rang, elle pose le doigt sur les lèvres d'un vieux Noir, qui la regarde passer devant lui avec étonnement. Il lui touche la main en souriant : « Allez-y, m'dame. »

Elle lui rend son sourire et se fraie un chemin jusqu'à son époux.

L'obscurité les dérobe aux regards : bien que mariés, ils vivent une histoire d'amour illicite.

Ils se tiennent très raides à leur place, attendant que les lumières s'éteignent et que la musique commence pour étaler leur veste sur les fauteuils et se couler dans la douceur du velours rouge. Walker caresse l'annulaire de sa femme, lui prend la main, passe la langue sur ses doigts. Les titres défilent sur l'écran. On est en 1939, et Don Ameche se produit dans le film *Swanee River*. Voilà où il emmènera un jour son fils de quatre ans, chuchote Walker, dans le pays de sa propre enfance. Il y a des sensations qu'il veut lui faire connaître : traverser les marais en bateau, passer au ras de l'eau sous la mousse qui pend aux arbres, changer de cap pour éviter un alligator endormi, se trouver soudain, ébahi, devant des grues qui dansent. Walker parle de la Géorgie comme s'il avait avalé ses rivières et sa boue à pleines goulées. Eleanor le laisse exsuder son rêve. Elle sait que s'il emmenait l'enfant dans le Sud le père et le fils risqueraient de finir pendus à une branche comme de la mousse espagnole. Récemment, dans le Tennessee, ils ont lynché un homme en lui enfonçant des clous entre les os des poignets et des pieds, ils l'ont cloué à un arbre, comme Jésus, sauf que Jésus a eu l'honneur d'une éclipse de soleil, et qu'à Jérusalem il n'y avait sans doute pas de busards pour dévorer le cadavre.

« Tu devrais y aller », lui dit-elle sans y croire, simplement pour lui faire plaisir.

« Ma Géorgie », dit-il, comme s'il prononçait le nom de sa femme.

Eleanor retire son foulard, libérant ses cheveux ; elle sent le souffle et la langue de Walker sur son oreille, et elle ferme les yeux pour ne plus voir les images sur l'écran : *Howilovya, howilovya, my dear ol'Swanee.*

Ils s'enfoncent dans leur fauteuil et, à défaut de partir en chair et en os, ils font le voyage dans leur tête.

« On avait un canoë, tu sais. Et dans le marais, il y avait des grands cyprès comme t'en verras jamais à New York. Ils bouchaient presque toute la lumière. J'allais chercher de la mousse espagnole. Je partais en canoë. Il faisait bon. C'était calme, sombre. Des nénuphars, des souches d'arbres et tout. Des fois, j'avançais, et quand je tournais la pagaie, on aurait dit qu'une main sortait de l'eau pour faire dévier le bateau. Ça remuait à l'avant, et l'arrière bougeait pas. Et des fois, on aurait dit qu'on tournoyait au centre du monde. À donner des petits coups de côté et à résister au courant.

» Enfin, j'avais guère plus de dix ans. Je me tenais debout au milieu du bateau, pieds écartés, et j'attrapais la mousse dans les arbres. J'en mettais plein l'arrière du canoë. Et puis le bateau partait à la dérive, alors je m'agenouillais sur le caillebotis et je faisais tout un circuit avec le canoë. J'avais de bons bras pour mon âge. J'aurais pu rester sous le même cyprès toute la journée, j'aurais pu y prendre toute la mousse que je voulais, mais c'était un petit jeu qui me bottait. D'aller faire un tour et de revenir au même endroit pour me remettre à ramasser – revenir et recommencer. Le soir, en rentrant, je traînais toute la mousse dans des sacs. Et ta grand-mère, elle la faisait sécher au soleil pendant des semaines, elle l'accrochait en haut de la véranda. Après ça, elle prenait des vieilles chemises, elle taillait des taies d'oreillers dedans et elle les bourrait avec la mousse.

» La nuit, quand je dormais pas, je mettais le nez contre l'oreiller et je respirais le marais, et l'odeur me suivait dans mes rêves, Seigneur Dieu.

» Cet été-là, j'ai trouvé un crâne d'alligator qu'avait échoué entre deux branches abattues. Une fois mort, il avait dû être entraîné par le courant. De ce côté-là du marais, il y avait des tas d'arbres fracassés par la foudre, avec des muscadiers sauvages et des vautours perchés sur les branches, qui battaient des ailes pour se débarrasser des poux et des insectes. Mais t'inquiète pas, ça faisait pas peur du tout. Le bateau se balançait sur l'eau. Le soleil baissait. J'ai refait un tour et j'suis revenu, je me suis penché par-dessus bord, j'ai soulevé ce crâne et j'l'ai piqué deux trois fois pour voir si y avait pas des vipères d'eau qui dormaient dedans. Et puis j'l'ai attrapé, j'l'ai jeté à l'arrière du bateau et, quand il a atterri là, on aurait dit qu'il faisait la grimace. Alors j'ai pagayé à toute vitesse. Les moustiques étaient sortis et ils commençaient à attaquer. J'ai allumé une branche qu'avait plein de résine au bout, et j'ai retraversé le marais en tenant la branche. Ah, Seigneur, si t'avais vu comme c'était beau ! Mais quand je suis arrivé à la maison, ta grand-mère était furieuse ! Elle était là à m'attendre sur la véranda avec une badine à la main. J'ai essayé de passer à côté d'elle en vitesse, mais elle a réussi à m'attraper par le dos de ma chemise, elle m'a obligé à me baisser et elle m'a donné une bonne raclée.

À table, elle m'a dit de pas sourire comme ça : quand on vient de prendre une raclée, on se tient comme quelqu'un qui vient de prendre une raclée. Mais tu comprends, pendant que j'étais dans mon bateau, j'avais bourré de la mousse au fond de ma culotte. Alors j'avais rien senti.

» Ce soir-là, elle est venue dans ma chambre. Le crâne d'alligator était sur mon lit. Elle l'a regardé et elle a fait son grand sourire. Et après elle a sorti un paquet de mousse de sous son tablier.

» "T'as oublié ça dans les cabinets", qu'elle m'a dit.

» Et elle m'a laissé là à me gratter la tête devant ce gros tas de mousse. Elle était comme ça ta grand-mère, c'était quelqu'un.

» Ton grand-père, je l'ai guère connu – il est parti au ciel quand j'étais encore tout petit –, mais il paraît qu'il savait hypnotiser un alligator sous l'eau. La bête était là au soleil. Et lui il nageait sous l'eau et il lui caressait le ventre, et l'alligator commençait à avoir sommeil, comme un petit garçon qui a très sommeil. Et des fois, ton grand-père il posait son chapeau sur la tête de l'alligator qui avait sommeil et tout le monde s'endormait ensemble, chut, chut, chut, tout le monde s'endormait comme un petit garçon qui a très sommeil. »

Walker grave les initiales de ses enfants sur sa pelle, qu'il emporte avec lui à Riverside Park. Il ne creuse plus, à présent, il fait seulement les derniers travaux de jointoiement dans le tunnel du chemin de fer – un tunnel haut et large prévu pour les trains de marchandises –, mais il garde sa pelle avec lui pour se rappeler que les miracles existent.

Eleanor a trouvé du travail l'après-midi dans une usine d'armement. Il lui arrive de rapporter une ou deux balles de fusil pour que Walker puisse faire le numéro qui lui plaît tant. Il en explique l'origine aux enfants, et l'histoire prend des proportions de plus en plus grandes. Mais quand il en arrive à la démonstration, il est trop maigre, les balles retombent toujours de son nombril, à la plus grande joie des petits.

De trois années plus vieux que le siècle, trop vieux pour être mobilisé, Walker récupère les pneus usés et la ferraille pour participer à l'effort de guerre. Il passe dans tout le quartier en criant : « Ferraille pour la victoire ! Pour la victoire ! » Il accroche à sa fenêtre un drapeau du 369e régiment fabriqué pour la circonstance, et il parle à son fils des premiers pilotes de couleur à survoler les têtes de pont dans la région d'Anzio. Malgré les rhumatismes qui le rongent, il fait de grands gestes avec ses mains en évoquant ces soldats de l'air et leurs fabuleux avions. Au retour du 369e, c'est la fête à Harlem, et les banderoles flottent crânement dans les rues. On sonne de la trompette. Les trottoirs sont blancs de serpentins, les acclamations fusent. Walker se penche par la fenêtre et voit son petit garçon danser parmi les pneus de récupération – à pas rapides, le mouvement à l'état pur. Il reste à la fenêtre presque toute la soirée, à regarder son fils, rempli d'amour et de fierté, en père envieux de la jeunesse.

7

On est tous passés par là

Il inviterait bien Angela à monter chez lui, seulement, il y a deux ans, pendant son deuxième été sous terre, il a voulu amener une fille dans son nid, et elle a été paralysée par le vertige. À califourchon sur la passerelle, elle s'est mise à pleurer. Des ruisseaux de larmes dans son maquillage. Il a dû passer les bras autour d'elle et la guider comme une mule rétive. Elle portait un jean noir et un débardeur rose déchiré sur le devant, découvrant une boucle d'oreille en argent qui lui sortait du nombril. À mi-chemin sur la poutrelle, elle s'est figée encore une fois, elle a regardé les voies au-dessous d'elle et s'est mise à hurler.

En la voyant ainsi, Treefrog a pensé aux bêtes sauvages prises dans des pièges ; il s'est demandé si elle allait se mordre le cœur et, déséquilibrée, s'enfuir en clopinant.

Au bout d'une heure à essayer de l'amadouer, il l'a aidée à descendre. Elle s'appuyait sur lui, toute tremblante. Un filet de sang est apparu sur ses dents à l'endroit où elle s'était mordu la lèvre supérieure.

Après, il n'a plus eu envie de la toucher ; il avait pourtant payé vingt-cinq dollars d'avance, et il attendait ça depuis des mois, il y avait mis tout l'argent qu'il gardait de côté. Il n'avait pas eu de femme depuis Dancesca, du temps où tout allait bien, les plus beaux jours de sa vie. Quand la fille a été partie, quand elle a quitté le tunnel pour retourner là-bas dans les rues, il a rampé, le nez sur la poutrelle, en reniflant l'odeur de cette femme – elle sentait bon.

La chaleur de la bibliothèque de la 42ᵉ Rue, l'escalier monumental, les lustres aux multiples ampoules, l'étrangeté de la lumière électrique, et le plaisir de chier dans la porcelaine des toilettes du premier, encore que le papier hygiénique soit ordinaire et pas très doux au toucher. Au lavabo, il laisse l'eau chaude lui nettoyer les mains et la figure. Il est heureux de marcher dans les couloirs, de passer devant des vitrines de livres et d'entrer dans les salles de lecture, fermant les yeux par moments, juste pour ne pas perdre l'habitude, sans jamais se cogner dans personne. Des livres partout, des livres fabuleux, même des revues de construction méca-nique, qu'il vole quelquefois, mais aujourd'hui il fait trop froid pour penser à acquérir quoi que ce soit.

Alors il va au deuxième étage, où il remplit un formulaire pour demander un livre sur la construction des tunnels – il connaît par cœur le nom de l'auteur et la référence. Il attend sur le banc que le numéro s'affiche sur l'écran au-dessus de sa tête.

« Merci, mon ami », dit-il au jeune homme qui lui remet le livre.

C'est au deuxième étage qu'il fait toujours le plus chaud. Il s'installe à une place au milieu de la gigan-tesque salle de lecture, il ouvre le livre, mais il ne lit pas ; il s'adosse à son fauteuil, se chauffe les mains sous la lampe et lève les yeux pour admirer le plafond et son univers fabuleux, les nuages aux teintes passées, les petits Amours, les fleurs, les plantes grimpantes, les rosaces, les feuilles d'acanthe. Il enlève son bonnet de laine bleu, laisse retomber ses cheveux, compte les panneaux, admire leur symétrie parfaite. Ce sont des hommes de premier ordre qui ont dû assembler ce plafond autrefois, en sculpter les détails compliqués en se servant de minuscules scalpels pour découper les corniches et ciseler le bois avec une patience tranquille et féroce, usant de toute leur habileté et de toute leur science pour donner vie à leur ouvrage. Il se dit qu'il aimerait faire la carte de ce plafond, le re-créer sur papier quadrillé.

La jeune Asiatique qui lui fait face à la table de travail, trop polie pour changer de place, se contente de lever les yeux quand il retire son pardessus. Il sait qu'il sent mauvais et il a envie de dire à cette fille : J'ai ma fierté, la Chinoise.

Il frotte ses pieds par terre, où la neige a fondu autour de ses chaussures, et il la regarde subrepticement en s'abritant derrière ses cheveux.

Dans la bibliothèque, Treefrog a vu des hommes exhiber leur sexe et se masturber sous la table – des hommes qui ne sont pas des sans-abri. D'abord ils tripotent leur braguette, puis ils sortent délicatement leur membre. Ils baissent les yeux comme s'ils allaient parler dans un micro, et leur regard change, se fixe sur leur livre quand ils commencent à se branler, avec une telle dextérité que le reste de leur corps bouge à peine. Une fois, il a vu un homme d'affaires se lécher du sperme sur la main et lui sourire quand leurs regards se sont croisés. Treefrog avait une paire de ciseaux. Il l'a prise en douceur entre ses doigts, l'a sortie de sa poche, et l'homme d'affaires a filé en vitesse.

Il garde les bras près du corps, il les serre aux aisselles pour retenir l'odeur et met ses mains entre ses genoux. La Chinoise est vraiment mignonne : un

129

corsage bleu boutonné jusqu'en haut, des lunettes en or, des yeux bruns, une bouche pulpeuse et rouge, et des lèvres sèches luisantes de vaseline. Il lève la tête et lui sourit, mais elle est plongée dans son livre, elle ajuste ses lunettes sur son nez. Elle s'est peut-être aperçue qu'il sentait mauvais quand il s'est penché en avant.

Il devrait peut-être aller faire un tour au foyer d'aide sociale du côté de Riverside Drive, et monter jusqu'aux toilettes. Se récurer à fond, voire raser sa longue barbe, et puis détruire son reflet dans la glace : Noir, Blanc, peau rouge, peau brune, Américain.

Ses lacets se desserrent, ses pieds désenflent dans ses chaussures, ses gants s'assouplissent autour de ses doigts, son bonnet se détend autour de son crâne.

Il descend l'escalier, sort par les portes à tambour, ouvrant son pardessus pour montrer à l'agent de la sécurité qu'il n'a pas de livres. Il sent dans sa poche le poids de sa clé à écrous.

La nuit est tombée. Dehors, sous le portique, il se recroqueville et compte son argent. Dix-huit dollars quarante-sept cents : il lâche un penny dans la neige pour faire un chiffre pair, un total de quarante-six. Il descend les marches et tend ses mains gantées pour saisir quelques flocons. La neige finira bien par s'arrêter un jour ; il pourra aller vendre une partie de ses livres sur Broadway et se faire quelques dollars, peut-être assez pour que Faraday lui fournisse encore un peu d'herbe, de quoi tenir le coup.

Il passe devant les statues des lions, encapuchonnées de blanc, longe la Cinquième Avenue et prend la 42e Rue pour entrer dans Bryant Park.

Un pauvre clodo est couché sous un banc public ; il ne grelotte même pas ; il est peut-être mort. Tout là-haut, la lune a l'air d'un visage d'ivrogne bouffi. Treefrog s'accroupit à côté du clochard. « Hé-ho », murmure-t-il à haute voix. Rien ne bouge. « Hé-ho. » Il soulève le bord de la couverture et commence à délacer les chaussures du type. Du cuir, et pas un trou. Dommage que ce ne soit pas du quarante-deux. La chaussure vient facilement ; le type roule à peine sur le côté. Tous les clodos d'en haut sont assez idiots pour cacher leur fric sous la semelle intérieure de leurs godasses. Treefrog soulève la patte moite de sueur. Seulement cinq dollars, nom de Dieu ! Il met le billet sous son nez et le sent. De quoi acheter encore une petite bouteille. Robin Treefrog des Bois. Voler les pauvres pour donner aux pauvres, qui donneront à leur foie.

Il laisse la chaussure à moitié suspendue au pied du clochard. À la lisière du parc, il lui jette trois petits cailloux, le touche avec le troisième et le réveille. Le type se redresse brutalement et regarde autour de lui, mais Treefrog disparaît derrière les buissons et saute par-dessus le mur. Il voulait juste réveiller le pauvre idiot pour qu'il ne se retrouve pas avec les pieds gelés. Excuse-moi, vieux. Je ne le ferai plus. C'est promis. De toute façon, il y avait sans doute vingt dollars dans l'autre chaussure.

Sorti de Bryant Park, il va prendre le métro à Times Square. Il descend les marches gelées et luisantes d'urine. Il enjambe le tourniquet. Pourquoi payer pour entrer dans les couloirs de sa propre demeure ?

Il relève les bords de son bonnet de laine, le replie de quelques centimètres au-dessus des oreilles et, d'un pas traînant, il s'avance sur le quai au milieu des voyageurs chargés de gros cabas. Treefrog observe une vieille femme qui renifle l'air et s'accroche à son sac à main. Elle a les cheveux gris, la peau foncée, les yeux d'un brun sale. À voir son visage, on s'attendrait presque à ce que les os se mettent à cliqueter. Son manteau est usé aux coudes. Ses doigts, agrippés au sac, sont longs, fins et abîmés. Elle renifle encore une fois, ses lèvres tremblent légèrement, et elle serre le sac encore plus fort. Il a vu des gens se comporter ainsi assez souvent pour ne pas s'en émouvoir. Mais cette femme, avec un manteau, des yeux, des doigts pareils, comment est-ce possible ? Soudain, il voudrait lui tendre la main. Il voudrait lui dire : Je vous en prie. Il voudrait lui parler très simplement. Il met la main dans sa poche, et ses doigts froissent le billet de cinq dollars. La vieille femme lui jette un nouveau coup d'œil, et puis elle se bouche le nez avec la manche de son manteau. Elle passe son sac de l'autre côté. Il respire fort. Il commence à se balancer, imperceptiblement. Ses genoux fléchissent, se redressent. Elle regarde encore une fois. Elle fait un pas. Il veut lui dire : Non, pas ça. Elle fait encore un pas. Il cesse de se balancer, il la guette. Elle essaie de prendre l'air dégagé pour s'éloigner, mais l'intention est flagrante. Il dit tout haut : « Je vous en prie. » Elle fait semblant de ne pas entendre. Il répète : « Je vous en prie. » Elle disparaît de sa vue, elle se perd derrière des piliers. Il ferme les yeux. Après le départ de la rame, il reste seul sur le quai. Il rouvre les yeux, il serre le billet de cinq dollars dans son poing, et il remonte les marches, abandonné et solitaire en cette heure d'affluence. De la chaleur au froid, se dit-il, du froid à la chaleur.

Route de Birmanie. Des nappes de vapeur montent des canalisations souterraines. Treefrog traverse cette métropole nébuleuse. Le visage de cette femme dans la station de métro le poursuit. De gros tuyaux épais, gris et chauds au toucher. Au mur, des lampes à vapeur de sodium diffusent une lumière bleutée qui donne à l'atmosphère la couleur d'un hématome récent. Il tend les mains dans l'air ambiant, et il sent que l'air lui-même est chaud. Il n'est venu ici qu'une seule fois, dans cette jungle d'acier, à quatre étages de profondeur sous Grand Central, au cœur du cœur de la ville. Les plafonds sont bas, les galeries étroites, le sol miné par le suintement des tuyaux de vapeur. C'est à cause de la chaleur que ce lieu s'appelle la Route de Birmanie – le nom est gribouillé en graffiti à l'entrée grimaçante de ces boyaux. Treefrog sait parfaitement qu'ils sont habités par des hommes et des femmes dont il doit se méfier. Il n'est pas des leurs, il est seulement de passage, lui qui vit encore dans un minimum de lumière. Il les a vus, les vrais damnés. Les uns tapis sous des banquettes jonchées de vêtements, d'autres perchés sur des poutres métalliques, d'autres encore cachés dans des réduits, ou bien terrés sous des canalisations éventrées. Des hommes et des femmes blessés, dans leur lazaret pour sans-abri. Il y a sept niveaux de tunnels en tout – il a entendu parler de meurtres et d'agressions au couteau, là, au fond. Mais à présent il s'accommode de sa honte, et il avance à petit pas irréguliers.

Il ouvre ses pardessus en marchant. Quand il se touche la barbe, il sent les gouttelettes d'eau qui s'y sont déposées.

La Route de Birmanie s'élargit à l'endroit où les canalisations se rejoignent – de petits tuyaux fins en hauteur, et de gros tuyaux épais près du sol, qui tous sifflent et gémissent comme un hôpital insensé.

La vacuité de ce gouffre s'insinue dans son ventre, le regard de cette vieille femme le poursuit toujours, le transperce. Ses pas résonnent. Il gifle les bruits dans le vide. Quand il tapote du doigt sur un tuyau, il entend la vibration, il entend le son se répercuter dans l'eau, dans la vapeur, dans l'air, peut-être même jusque là-haut à l'intérieur de la ville. Il arrive au bout de la galerie et descend par une échelle de fer au-delà du panneau ATTENTION : STRICTEMENT RÉSERVÉ AU SERVICE. L'échelle est glissante à cause de l'humidité, mais il n'a aucun mal à la prendre, et saute les trois derniers barreaux. Il se retrouve quatre mètres plus bas, dans une salle plus grande, où se rejoignent et coulent des dizaines de tuyaux. La vapeur monte en tour-billons, forme de gros nuages qui se dispersent, puis retombent vers le sol.

La première fois qu'il est venu, c'était avec Elijah, descendu voler du cuivre sur les fils dans les tunnels. Elijah se tenait debout sous les tuyaux, les pieds dans la vapeur, puis il a disparu, laissant Treefrog tout seul. Comme s'il s'était évanoui dans la nuée. Il a fallu une demi-journée à Treefrog pour ressortir du labyrinthe, et la voûte de Grand Central lui a fait l'effet d'un lever de soleil.

À présent, il est là à regarder la salle embuée. L'eau ruisselle des tuyaux sales comme une pluie miracu-leuse et soudain clémente. Les installations gémissent. La lumière électrique s'y infiltre, mais bientôt elle ne peut plus passer et colore simplement le pourtour de la nuée.

Treefrog se déshabille, retirant d'abord ses chaussures, puis ses pardessus, son jean, ses chemises, ses sous-vêtements, et il entre tout nu dans les nuages bleutés. De l'eau chaude lui coule sur la peau. Il regrette de ne pas avoir de savon ni de shampoing. C'est seulement en portant la main à ses cheveux qu'il s'aperçoit qu'il a gardé son bonnet bleu. Il le lance plus loin. Il y a une éternité qu'il n'a pas été complètement nu. L'eau chaude lui zèbre la peau ; renversant la tête en arrière, il la laisse creuser un passage autour de ses yeux clos – ah, la délicieuse violence de ces gouttes qui lui enfoncent leur chaleur dans le corps ! « Putain ! crie-t-il, ah, putain ! » Il se frotte furieusement, se nettoie les orteils, l'arrière des talons, les tibias, remonte le long des mollets et des cuisses. Il a déjà le sexe et les testicules irrités par la chaleur de l'eau, mais il continue, fourrageant dans le nombril, dans le derrière, sous les aisselles, frottant l'eau chaude sur sa poitrine, pilonné par la chaleur, extasié, hypnotisé, fendant la vapeur à grands coups, et puis soudain il la voit. Au début, elle a l'air d'un mannequin dans une vitrine, et puis elle s'anime vaguement et elle regarde ce qui se passe, en tenant toujours son sac à la main. Elle se permet un petit rire gêné en chassant la buée sur son visage ridé. Elle le regarde et entre, tout habillée, dans le bain de vapeur. Elle renifle l'air autour d'elle et fait un signe approbateur. Treefrog se cache le sexe avec les mains et baisse la tête tandis que cette figure de carnaval tourne autour de lui. Un rire retentit, et Treefrog se met à rire aussi. Son front se plisse et sa bouche s'ouvre si grand qu'il sent la vapeur lui brûler le fond de la gorge, mais il continue à rire. Il tend la main pour prendre celle de l'apparition, elle s'approche, quand soudain, juste au bord de la nuée, il aperçoit quelque chose de réel, d'humain, qui le dévisage, mais rien ne bouge sauf le blanc des yeux qui cligne.

Treefrog sort du bain de vapeur. Il entend un bruissement, des chaussures qui claquent. Il suit la silhouette, qui va vite à présent. Il entend une respiration lourde. Il arrive à l'échelle et grimpe. L'étrange silhouette a déjà pris la fuite sur la Route de Birmanie et elle disparaît avec un grand rire. Treefrog reste sur l'échelle. « Putain ! » crie-t-il. Il est certain qu'il ne va retrouver ni ses vêtements ni ses chaussures, alors, sans même vérifier, il continue à regarder s'éloigner cette forme vague. Quand elle a disparu, il redescend dans la salle : ses vêtements sont toujours là, et son argent aussi, dans les poches de son jean. Il se retourne vers l'échelle encore une fois, se frotte les yeux vigoureusement, puis il replonge dans la vapeur. La femme du métro s'est évanouie, et il ne lui reste plus qu'à se laver à fond.

Quand Lenora était bébé, il lui donnait son bain dans l'évier de la cuisine. Il pliait une serviette de toilette qu'il lui plaçait sous la tête. Elle agitait les pieds et l'eau chaude éclaboussait. Il mouillait un gant de toilette, mettait du savon pour l'adoucir et le passait sur le corps de l'enfant. Elle poussait des cris, et puis il prenait une cruche pleine d'eau, la tenait bien haut et versait. Parfois, Dancesca l'aidait. Quand ils avaient fini, ils emmaillotaient le bébé dans une serviette qu'ils avaient mise à chauffer sur un radiateur. Ensuite, ils berçaient Lenora tout doucement sur leurs genoux, avec la lueur du poste de télévision en toile de fond.

Quand il émerge la nuit dans la 42e Rue, son bonnet humide lui glace la tête. Il décide de remonter à pied jusqu'en haut de Manhattan, en faisant les poubelles et en ramassant les bouteilles sur son chemin. La neige a cessé, mais les rues resplendissent de blancheur. Il a mis ses lunettes noires. Les gens ne boivent pas beaucoup de soda en hiver, mais il trouve assez de canettes pour en tirer deux dollars quarante. En rassemblant tout son argent, il s'achète deux boîtes de ravioli et une bouteille de gin – la plus grande qu'il puisse s'offrir.

Il longe l'aire de jeux déserte, où sont postés les fantômes des mères et des enfants. Il relève ses lunettes de soleil. Lenora, comment ça va ma petite fille ? Qu'est-ce que ça fait d'être vivant ? Ça me plairait, tu crois ?

Il passe par-dessus la clôture et dévale le talus dans la neige soufflée.

La grille d'accès au tunnel est recouverte de glace. Il se met à quatre pattes, se glisse par la brèche la tête la première, se retourne, fait passer les jambes et s'assied sur la plate-forme métallique en retenant son souffle. Toujours un instant de panique. Quelqu'un l'attend peut-être à l'intérieur. Un type qui n'a plus qu'une chaussure et à qui il manque cinq dollars. Ou bien un gamin prêt à lancer une bouteille d'essence avec un chiffon enflammé dans le goulot. Ou bien un flic avec un revolver. Tout est plongé dans le noir absolu, au point qu'il voit à peine la paume de sa main devant lui. Et puis, lentement, tout se met en place, le tunnel, les rayons de lumière, et il se repère dans l'ombre. Il tend l'oreille, à l'affût d'un mouvement, et la peur se retire tout au fond de lui et s'arrête dans son foie.

Personne en vue. Il rentre ses cheveux sous son bonnet et attrape son sac, mais la bouteille cogne contre les boîtes de ravioli. Il retire ses gants et les place entre la bouteille et les boîtes pour étouffer le bruit : si jamais on l'entend, il ne sera pas obligé de partager son butin.

Il descend l'escalier métallique en silence. À l'ouest, tout est calme. Il s'arrête devant la loge d'Angela et d'Elijah et colle une oreille à la porte : il les entend tirer sur une pipe de crack, aspirer lentement, exhaler dans l'extase, et puis des petits rires accompagnent leurs ébats sous leurs couvertures miteuses.

Il se représente la main d'Elijah déboutonnant la chemise d'Angela, errant sur sa peau brune, la pointe des seins se dressant sous les doigts, et puis cette main

137

glisse plus bas sur le ventre, contourne le nombril d'un doigt, trouve une hanche osseuse, la pétrit, la caresse, se fond en elle, la traverse lentement, sent la moiteur de la femme malgré le froid glacial, les ongles s'enfoncent dans la tiédeur intime du corps d'Angela, renversée sous les couvertures, béate, gémissante, les paupières étroitement closes, Elijah suspendu à son parfum, penché sur elle et lui soufflant dans l'oreille, les ongles d'Angela lui déchirent le dos, tracent des rigoles dans sa peau, le rythme de leur respiration s'accélère, encore, encore, jusqu'à éclater brutalement et retomber en longs, longs soupirs épuisés, et puis sans doute reposent-ils là tous deux dans l'attente d'une nouvelle jouissance.

Treefrog reste derrière la porte jusqu'au moment où il les entend tirer à nouveau sur leur pipe, et alors, se penchant plusieurs fois en avant pour ne pas trop bander, il s'éloigne prudemment avec son sac et sa bouteille, il passe devant la rangée de loges, le vaste espace collectif et les baraques.

Seul Dean est dehors, son feu de camp allumé, ses cheveux jaunes dressés en pointes, le corps étroitement pris dans sa veste de chasse. Il a les yeux dans le vide, il ne regarde même pas le feu, comme le ferait un individu normal. Un jour, au cours d'une querelle amoureuse, il a coupé d'un coup de dents la langue d'un autre homme. Depuis, il a constamment la vie de ce type à la bouche. Parfois il gueule à propos d'une pelouse qui n'a pas été tondue quelque part dans le Connecticut, de plates-bandes qu'il faudrait désherber sur les bords, d'assiettes en porcelaine sur lesquelles il y a des traces de spaghetti, ou de factures de carte de crédit qui n'ont pas été payées.

Treefrog lui fait un bref signe de la main en passant, mais Dean se contente de regarder ailleurs. Un jeune garçon sort de l'appentis, à côté du tas d'ordures. Ils s'assoient côte à côte. Dean lui caresse l'intérieur de la cuisse, et puis, tout d'un coup, les voilà debout, qui s'étreignent devant le feu – le garçon ne lui arrive pas plus haut que la poitrine – et ils restent enlacés à la lumière de la flambée. Treefrog voit le garçon mordiller le cou de Dean, qui glisse une main au creux des reins de l'adolescent.

Treefrog frissonne.

Encore une centaine de mètres et il est chez lui. Avant de grimper, il fait le geste de tourner la clé dans la serrure et il lève la tête en criant « J'arrive, mon chou ! ».

Il glisse le sac sous son pardessus, attache les poignées à la boucle de sa ceinture et grimpe sur la passerelle, en faisant bien attention à la bouteille. Il allume des bougies et pose le sac sur le lit à côté de Castor, lovée près de l'oreiller. Il tend la main vers l'étagère près du Goulag pour attraper un ouvre-boîte et il soupire. « J'irai danser à votre mariage, j'irai danser à votre mariage. »

Le lendemain matin, il s'exerce à lancer sa balle en boucle contre le mur : la balle rose monte très haut, rebondit près de la stalactite et atterrit juste au bon endroit pour qu'il la rattrape de la main droite, puis de la gauche. Il se sent bien, plein d'énergie, presque propre après la douche de la veille. Il ferme le poing pour frapper par en dessous, et la balle rebondit sur *L'Horloge molle*. Il fait durer le rituel jusqu'à ce qu'il sente la chaleur l'envahir. Le long du mur du tunnel, d'un côté, il voit une grosse plaque de glace se former insidieusement, l'eau tombant goutte à goutte d'un tuyau d'écoulement là, en haut, l'air de dire : On est tous passés par là.

« Hé-ho !

— Ah ! merde.

— Hé, Angela. Par ici. Tourne-toi.

— Où ça ?

— Hé-ho.

— Nom de Dieu, c'est toi.

— Eh oui. Où tu vas ?

— Nulle part. Qu'est-ce que tu fous là-haut ?

— La suite présidentielle. Je mets des pastilles de menthe sur mes oreillers.

— T'as pas d'autres couvertures ? On a toujours pas d'électrac. Les radiateurs marchent pas. Elijah, il est parti chercher le type, Edison.

— Faraday.

— C'est pareil.

— Tu veux monter ? J'ai du feu d'allumé.

— Pas question. Si Elijah me voyait là en haut, il t'arracherait les yeux et il te chierait dans la gueule. Il arrête pas de me dire ça. Il me dit qu'il va m'arracher…

— Il nous verra pas. Il est sorti du désert, il s'est fait nourrir par les corbeaux et il a disparu dans un tourbillon.

— Hein ?

— Rien. T'as réussi à tuer tes rats ?

— Non. Je… » Angela hésite et se gratte le côté de la figure. « J'aime bien la grosse femelle. Elle est mignonne. Elle ferait de mal à personne. Elle est enceinte. »

Angela est au bord des voies, enveloppée dans une couverture, prise dans un flot de lumière qui vient de là-haut, le nez en l'air, le visage triste et beau.

« Tu devrais demander à Papa Love de faire ton portrait, lui dit Treefrog.

— Qui ça ?

— Le type de la baraque près des petites loges, avec tous les dessins dessus. Il sort jamais, sauf des fois

140

quand il en a envie. Tu devrais lui demander de faire ton portrait.

— J'ai pas besoin de portrait », dit-elle. Mais tout d'un coup son visage s'illumine. « Au fait, il a un chauffage ?

— Ouais, mais il ouvre à personne.

— Merde. Ce foutu Edison, où il est bon Dieu ?

— Il bouffe les pissenlits par la racine.

— Hein ?

— Il est mort, Edison. C'est lui qu'a fabriqué le premier phonographe. C'est lui qui nous a donné de la musique. Et qui nous a donné de la lumière. Il a cassé sa pipe il y a soixante ans. C'est Faraday, que tu veux dire.

— Quel enfoiré, celui-là ! »

Treefrog éclate de rire.

« Avant, j'avais une maison bien chaude », dit Angela en battant la semelle sur le gravier et en regardant Treefrog perché sur sa passerelle à sept mètres au-dessus d'elle.

« Y avait une belle véranda et une mangeoire pour les oiseaux, et c'était lumineux comme tout. Y avait des arbres devant, et des fois on grimpait aux branches. Je déteste New York. Ça caille tellement ! T'as pas froid, toi ?

— T'es défoncée, hein ? »

Pas de réponse. « En Iowa, il faisait froid, mais on avait un tuyau de poêle, et mon père, il l'a foutu en l'air pour taper sur la gueule de ma mère avec. Un beau chtard sur la pommette. Voilà ce qu'est arrivé au tuyau de poêle. Un beau chtard pour le tuyau de poêle aussi, quand mon pater l'a foutu contre le mur parce qu'il regrettait ce qu'il avait fait. Et puis, il a remis ça. Je le déteste. Il avait toujours dit qu'il m'emmènerait voir la mer, mais il l'a jamais fait. Tout ce qu'il a fait, c'est de foutre en l'air le tuyau de poêle. Le docteur lui a donné

141

un bandeau à mettre sur l'œil. Elle l'a fait tomber dans un puits. T'as été marié ?

— Ouais.

— Comment elle s'appelle ?

— Dancesca.

— Tu la battais ?

— Non.

— Tu mens. Je sais que tu mens.

— Non.

— T'as déjà été battu ? lui demande Angela au bout d'un petit moment. On prend l'habitude. C'est comme respirer sous l'eau. »

Sans trop savoir pourquoi, il a l'impression qu'elle sourit, et pourtant elle tourne le dos à présent et il ne voit que sa silhouette voûtée enveloppée dans la couverture.

« Angela, dit-il. Retourne-toi. Je veux te voir.

— Je parie que tu la battais jusqu'à ce qu'elle puisse même plus marcher.

— Non, c'est pas vrai.

— Je parie que tu te mettais un gant de toilette bleu autour du poing pour que les bleus marquent pas.

— Tais-toi.

— Je parie que tu lui enfonçais un crayon jaune dans l'oreille et que tu le faisais tourner jusqu'à ce que la mine casse et lui entre dans le cerveau.

— La ferme !

— J'en suis sûre. »

Il change de position sur la passerelle. « J'ai eu une femme et un enfant, dit-il, je les ai jamais battues.

— Mais oui, mais oui.

— C'est elle qui m'a quitté.

— Je veux bien croire.

— Elles m'ont quitté toutes les deux.

— Ouais, ouais, ouais. Compte pas sur moi pour te plaindre. »

Et, l'espace d'un instant, le voilà revenu sur l'aire de jeux près de la 97ᵉ Rue. Il y a quatre ans de cela, il est avec sa fille, elle est au seuil de la puberté. C'est un jour d'été, et il la pousse sur la balançoire – elle est trop grande pour les balançoires, ses jambes sont trop longues, alors elle les replie sous la planchette et les lance en avant quand elle arrive en haut. Il la pousse des deux mains et elle crie de joie. C'est l'instant préféré de Lenora, mais plus pour longtemps. Il la pousse dans le haut du dos, au milieu, mais sa main glisse, et Lenora porte un T-shirt trop serré, elle a beaucoup grandi ces derniers mois ; ils n'ont pas beaucoup d'argent pour acheter des vêtements, il a perdu son travail, et à présent il n'est plus maître de ses mains, il la pousse sous les bras et elle continue à se balancer joyeusement, et puis, sans faire exprès, ses doigts touchent les rondeurs toutes nouvelles de sa chair, d'une seule main, et il a la tête qui bat, il faut qu'il rétablisse l'équilibre en touchant l'autre côté, alors il tend les doigts et il sent une sorte de décharge électrique, il tremble, mais c'est si doux, si bon, qu'il en est apaisé un instant, il continue à la pousser et elle ne s'aperçoit de rien, il la pousse sous les bras, et c'est son propre passé qu'il voudrait extraire d'elle, sa fille ; il la touche, il la touchera encore, et il se fera prendre ; il descendra dans le tunnel, et, de honte, il essaiera de tuer ses mains.

« Elles m'ont quitté », dit Treefrog.

Angela se retourne et pointe un doigt vers lui. « Je parie que t'avais un gant de toilette bleu. Je parie que t'avais un crayon jaune, je parie que tu leur as enfoncé les yeux dans la tête.

— Non, j'ai jamais fait ça.

— Je parie que tu leur as tordu les bras derrière la tête. Compte pas sur moi pour te plaindre. T'as juste envie de tirer un coup. C'est ça que tu veux. Tirer un

143

coup. Eh ben, va te faire foutre, et tire ton coup tout seul.

— Angela, dit-il.

— T'es pas mieux que les autres. Compte pas sur moi pour te plaindre, pas question. J'espère que tu tomberas. Que tu tomberas dans un puits, nom de Dieu. Tu devrais te couper la barbe. Et les cheveux. Et tomber dans un puits. Te mettre un bandeau sur l'œil. »

Une vision de Lenora lui traverse l'esprit encore une fois.

« Je ne lui ai pas fait de mal, dit-il.

— Foutaise », réplique Angela, en étirant le mot d'un ton presque lyrique.

Treefrog enfouit la tête dans ses mains un moment, puis il se lève et avance sur la passerelle les bras tendus. Il disparaît au fond de sa caverne, renversant les bouteilles d'urine au pied de son matelas. Il va à tâtons jusqu'à sa table de chevet branlante et fourrage dans le tiroir cassé. Une odeur d'urine monte de l'endroit où les bouteilles se sont répandues par terre. Il fouille dans ses vêtements – parmi lesquels se trouvent, toutes froissées, quelques-unes de ses vieilles cartes dessinées à la main sur papier quadrillé – et il les éparpille autour de lui jusqu'à ce qu'il trouve une chemise en thermolactyl. Il la fourre dans son pardessus, enjambe maladroitement son matelas dans le noir, dégringole par les deux passerelles et, genoux fléchis, il atterrit devant Angela.

Elle s'accroupit et se cache les yeux. « Laisse-moi tranquille, enfoiré !

— Tiens.

— Me fais pas mal, me fais pas mal ! »

Il lui tend la chemise. Elle baisse le bras qui lui cachait la vue, le regarde et dit : « Super !

— Ça va te tenir chaud, dit Treefrog.

— Merci.

— Enfile-la.

— Tout de suite ?

— Ouais.

— C'est pour me voir à poil, hein ? Je t'ai bien vu faire les petits yeux. Je t'ai bien vu.

— Tu la fermes, d'accord. Enfile-la, c'est tout. »

Elle le regarde, intimidée et circonspecte. « Tourne-toi. »

Il s'exécute et il voit un petit paquet de neige tomber à travers la grille de l'autre côté du tunnel. Angela lui accroche son manteau de fourrure sur l'épaule et, quand il se retourne, elle est tout sourire, les bras derrière la tête, coudes écartés, comme une star de cinéma – elle a mis la chemise thermolactyl par-dessus trois ou quatre corsages, mais malgré cela il imagine la pointe de ses seins qui se dressent dans le froid et il a envie de la toucher, mais non, il n'en fait rien, il ne peut pas, il ne la touchera pas.

« J'ai fait de mal à personne.

— Oui, Treefy, je te crois.

— C'est vrai ? dit-il, soudain surpris.

— Ouais, bien sûr que je te crois. »

Et puis Angela reprend son manteau de fourrure et lui dit : « Tu me trouves pas chouette ?

— Ouais, dit-il en passant un bras autour d'elle. Merci.

— Tu pues, mec.

— J'ai pris une douche hier. À Grand Central. Dans le tunnel, dans la vapeur. Tu devrais venir avec moi là-bas, un jour. Y a de l'eau chaude. »

Un peu plus loin, ils entendent du bruit à la grille de sortie.

Angela ouvre de grands yeux effarouchés. Elle se dégage de l'étreinte de Treefrog. « Elijah ! » s'écrie-t-elle.

145

D'un seul geste, en souplesse, Treefrog a les doigts dans la prise, et en quelques secondes il est remonté dans son nid. Angela remet son manteau de fourrure, le serre autour d'elle, et se sauve en courant. À distance, Treefrog regarde Elijah émerger dans un rayon de lumière, un radiateur à la main, en criant : « Faraday, hé, Faraday ? Mais putain, où il est Faraday ? »

8

1950-1955

Le minutage est parfait. Juste avant que le soleil ne passe au-dessus des toits de la 131ᵉ Rue et ne pénètre par la fenêtre, Walker a levé le bras pour se protéger les yeux. C'est un bon exercice, car ses muscles cèdent de plus en plus à la douleur des rhumatismes, le mal des hommes des tunnels. Il garde le bras levé jusqu'à ce que le soleil tape sur la traverse de la fenêtre, et alors lui sont accordées deux minutes et demie de répit, exactement.

L'ombre vient, l'ombre s'en va, et le bras se lève de nouveau car le soleil continue sa course ascendante.

Walker aime bien le canapé, mais s'il y est confiné deux heures par jour, c'est à cause de ses douleurs et non par goût. L'objet s'est modelé à la forme de son corps et lui assure la vue sur une rue où la circulation est devenue affolante ces dernières années. Il est perché sur tout un passé de pièces de monnaie tombées sous les coussins – et parfois, quand il veut du tabac à chiquer, il passe une main derrière un coussin, attrape quelques pièces de dix cents et les lance par la fenêtre à ses enfants qui, lorsqu'ils ne sont pas à l'école, sont assis en bas sur les marches. Les pièces atterrissent bruyamment et les enfants se précipitent pour les ramasser, puis ils vont faire la commission.

L'aiguille du phono broute sur un vieux disque de jazz : Louis Armstrong. Ah ! ce tempo. Ce rythme fabuleux ! Ces retombées syncopées. Walker agite la tête en cadence, et sa croix en argent se balance doucement à son cou. Quand le disque est fini, il se lève pour se dégourdir les genoux et il s'étire à fond, pliant les doigts pour chasser la douleur. Il prend soin de dépasser l'endroit où le vinyle est rayé pour poser l'aiguille sur le sillon. La semaine dernière, l'aiguille s'est mise à sauter, mais ses genoux le lançaient si fort qu'il l'a laissé tourner indéfiniment sur une note de trompette stridente – au bout d'un moment, il a fini par ne plus l'entendre, il était reparti sous le fleuve, il creusait, entouré de ses copains, le bruit qu'il percevait était celui du compresseur – puis Eleanor est rentrée et elle a poussé l'aiguille plus loin.

Ce disque, elle veut le racheter, mais ils sont un peu justes ces temps-ci. Lui ne travaille plus dans les tunnels depuis longtemps ; on n'a plus besoin d'ouvriers pour creuser. C'est surtout elle qui gagne l'argent du ménage grâce à son emploi dans une usine de confection – de longues heures mal payées. Walker s'est mis aux tâches ménagères, et la pièce est bien tenue et bien rangée, séparée en deux par un rideau suspendu au plafond. La pelle de Walker est accrochée au-dessus de la cheminée, sur laquelle est posée une rangée de photos. À côté de la cuisine, cinq chaises sont disposées autour d'une petite table. Il y a trois lits : un grand pour eux, un grand pour les deux filles, et un lit à une place pour Clarence. C'est Walker qui a fabriqué lui-même le lit à une place, en tirant très fort sur la corde entrecroisée entre les piquets pour qu'elle soit tendue et solide.

Les jours où ses doigts ne le lâchent pas complètement, Walker fabrique des meubles afin de les vendre dans la rue : des chaises, des étagères, des tables de chevet. Il fait crédit à qui ne peut pas payer comptant. Il passe des journées entières sur chacune de ces pièces aux sculptures compliquées. Après quoi, il est obligé de baigner ses mains gourdes dans de l'eau chaude pour calmer la douleur.

Il laisse la musique pénétrer en lui et il se traîne jusqu'au fourneau pour faire chauffer la bouilloire. Eleanor lui a enseigné l'art de préparer le thé : tout d'abord, et obligatoirement, réchauffer la théière, la laisser sécher, répartir soigneusement les feuilles, les laisser infuser une minute ou deux. Il utilise un cache-théière, objet venu de l'étranger, héritage de Maura O'Leary. Il a même pris goût au lait dans son thé. Il reste là à attendre au-dessus de la casserole, qu'il recouvre d'une assiette pour que l'eau bouille plus vite. Il a dû apprendre à l'âge mûr tous ces petits trucs de la vie domestique. Par exemple faire les lits en repliant les draps par-dessus les couvertures. Héler le laitier en le sifflant par la fenêtre. Ou encore mettre un peu de vinaigre dans l'eau de lavage. Ils n'ont pas de réfrigérateur, mais il a acheté une glacière en plastique à un ancien combattant de la Seconde Guerre mondiale qui a prétendu que ça marcherait tout aussi bien.

Il se penche pour prendre le lait, qui a déjà commencé à épaissir, alors il le secoue vigoureusement, et la douleur lui traverse le bras et l'épaule. Il se sert sans parcimonie. Ce lait ne va plus se garder bien longtemps. Il observe les remous dans le liquide foncé.

En sirotant son thé, il prépare tout pour le retour d'Eleanor : il couvre la théière, met un morceau de sucre sur une cuiller, dispose soigneusement l'ensemble sur la desserte pour qu'elle n'ait plus qu'à verser et tourner. Ah, la lenteur de ces journées ! Il a l'impression d'être séparé de son corps, de planer quelque part à distance, d'assister de loin au commencement de son propre déclin. Parfois, il choisit de rester parfaitement immobile, debout dans la cuisine, courbé dans une position où il ne souffre pas. Le médecin a prédit que le mal ne ferait qu'empirer. Lui rongerait les coudes, s'infiltrerait dans les hanches. On lui a prescrit des médicaments, mais au bout d'un mois ils étaient épuisés ; ils coûtent trop cher, et on ne veut pas lui faire crédit à la pharmacie.

Il essaie de se rappeler sa mère autrefois en Géorgie. Il y avait une plante qu'elle utilisait contre les rhumatismes ; il ne se souvient pas du nom.

Debout près du fourneau, mais de nouveau ailleurs, détaché, Walker se revoit enfant, dirigeant son canoë au milieu des marais noirs, le long des cyprès carbonisés par la foudre. Il refait avec une pagaie imaginaire les gestes qu'il n'a pas oubliés, puis, d'un pas traînant, il va jusqu'au phono en traversant la pièce parmi les grains de poussière qui tournoient au soleil.

Il a horreur d'entendre le grand Daniel Louis Armstrong arrêté dans son élan, mais cela vaut encore mieux que d'avoir à se lever constamment du canapé. Ses mains tremblent quand il soulève le couvercle du phono et qu'il remet l'aiguille en place. Sur le canapé, il allonge les jambes et tend le cou pour regarder la rue, mais il n'y a pas grand-chose à voir à part les femmes qui sortent de la laverie, l'enseigne vacillante d'un prêteur sur gages, et quelques jeunes rassemblés autour d'une bouche d'incendie, cigarette à la main, rejetant vers le ciel une fumée qui s'élève en volutes molles au-dessus de leurs têtes. Trois prostituées en pantalons serrés vont et viennent au coin de la rue, échangeant des insultes avec les jeunes gens.

Walker s'allonge doucement et souffle sur son thé, qui a pourtant déjà refroidi. L'après-midi tire à sa fin.

Sans décrocher de son disque enrayé, il s'endort, et quand il se réveille, ses trois enfants, rentrés de l'école, sont debout devant lui, hilares : ils lui ont posé le cache-théière de guingois sur la tête.

Au-dessous de chez eux, à toute heure de la nuit, on entend Hoofer McAuliffe, un mécanicien automobile, dans sa pièce enfumée de marijuana. C'est une brute, il a le visage mutilé – il a eu une narine arrachée à coups de dents au cours d'une bagarre, et il a le nez tout esquinté et couvert de cicatrices. Il amène des prostituées chez lui tard le soir. Il les fait entrer en les tenant gentiment par le bras. L'odeur des joints se répand dans l'escalier. De gros éclats de rire montent à travers le plancher. Puis on entend de grandes claques, suivies de gémissements imperceptibles. Les femmes ressortent de là furtivement, craintives, planantes et défaites.

Un matin, comme Walker descend accompagner ses filles qui s'en vont à l'école – en passant devant les abondants graffiti de la cage d'escalier –, Hoofer McAuliffe leur tire une grande langue lubrique dans l'entrebâillement de sa porte. Walker ouvre tout grand et se plante devant lui.

« Y a pas de danger que j'y touche, de toutes manières. Les chattes métissées, ça vaut rien pour un mec. »

Walker plaque McAuliffe contre le mur, lui fourre un genou entre les jambes, lui appuie sur la gorge avec ses doigts, et il le voit glisser par terre à ses pieds, suffoquant, les yeux révulsés, sa narine unique béante. Le soleil matinal concentre dans la pièce la fumée, qui flotte en suspens dans l'air. Walker compte jusqu'à dix, serre le cou de McAuliffe une dernière fois et dit entre ses dents : « Regarde plus jamais mes filles comme ça, t'entends ? Leur montre même pas le bout de ton nez, tu m'entends ? Tu m'entends bien ? »

McAuliffe fait oui de la tête et se dégage tant bien que mal, il traverse la pièce en chancelant, ouvre sa fenêtre et aspire une grande bouffée d'air. Se retournant, Walker voit Clarence dans l'embrasure de la porte, ses livres d'école à la main, qui le regarde, stupéfait.

« Va-t'en à l'école tout de suite, dit Walker. T'as rien vu. Oublie tout ce que t'as vu. »

Clarence acquiesce d'un signe de tête et s'en va, descendant l'escalier lentement, ses livres sous le bras.

Walker passe le reste de la journée chez lui à soigner ses mains endolories avec de la glace.

Les jours où il est mieux, il prend le métro et il observe la courbure des murs dans les tunnels. Il monte en tête, près du conducteur, et il regarde par la portière, le nez collé à la vitre. Il s'abrite le dessus du crâne avec un journal pour ne pas être aveuglé par la lumière.

Les tunnels lui apparaissent à une vitesse éblouissante. Il repère les erreurs : une courbe trop brutale due aux mauvais calculs d'un ingénieur, un endroit qui risque d'être inondé en période de pluie, un aiguillage mal placé. Il voudrait être encore là, sous terre, à creuser. À manier la pelle avec aisance, comme autrefois. Un, deux, trois, un coup, et retour. Il a même fait une demande pour qu'on l'embauche comme détecteur – pour arpenter les tunnels et repérer les fuites de gaz, les incendies ou les animaux morts –, mais sa demande a été rejetée, comme toutes les autres demandes d'emploi qu'il peut faire.

Pourtant, ces tunnels, il les adore, le passage de l'obscurité à la grande lumière jaune des stations, le lent redémarrage avant de pénétrer de nouveau dans l'obscurité, le grincement du métal sur le métal, les ouvriers qui braquent leur torche électrique, le plaisir d'être emporté par un express du matin, et d'apercevoir au passage les banlieusards attendant sur les quais.

Le week-end, il emmène Clarence avec lui, et il est confronté aux regards insistants des voyageurs qui s'interrogent sur la peau plus claire de son fils. Clarence est déjà trop grand pour regarder par la portière sans se baisser. Il a un début de moustache autour des lèvres, mais il n'ose pas encore se raser. Il regarde par la vitre sans rien dire, la main de son père posée sur son épaule.

Quelquefois, Walker descend tout en bas de la ville et retrouve Vannucci et Power au bord de l'East River, côté Manhattan.

Les deux hommes font faire la course à leurs pigeons au-dessus du fleuve. Vannucci a teint ses oiseaux autrement, en rouge, blanc et vert. Dans un moment d'ivresse, Power a dessiné cinquante petites étoiles bleues sur un de ses pigeons préférés. Ils s'assoient tous les trois au bord de l'eau et boivent ensemble – du bourbon et de la grappa –, se passant les bouteilles dans des sacs en papier qui se froissent dans leurs mains moites.

En attendant le retour des pigeons, ils pensent au temps de leur jeunesse et plongent dans l'alcool avec bonheur et nostalgie.

« Passe-moi la gnôle ! s'écrie Power. Que j'continue à me piquer le tube. Jusqu'à la fin des temps.

— Tu te rappelles la fois qu'on avait peint vos pigeons avec El ? dit Walker.

— T'aurais mérité des coups de pied dans ton sale cul tout noir.

— C'était le bon temps, hein ?

— Ça, pour sûr. Et ta diseuse de bonne aventure, Nathan, qu'est-ce qu'elle devient ?

— Elle dit que tu vas continuer à te piquer le tube jusqu'à la fin des temps.

— Alors ça, ça me botte, mon pote, dit Power en applaudissant. Je parie que cette femme-là serait capable de me sucer le chrome de mon pare-chocs.

— Sauf que t'as pas de voiture !

— C'est parfaitement vrai.

— Le chrome, ça veut dire quoi ? intervient Vannucci.

— Demande à ta femme, Ruby. Et puis, Ruby…

— Quoi ?

— Oublie pas de lui demander, pour la crème anglaise.

— Je comprends pas.

— Passe-moi la bouteille, je t'expliquerai. »

Un après-midi, ils prennent le métro sous l'East River. Ils montent dans le wagon de tête et ils demandent au conducteur d'arrêter la rame un petit moment. Le conducteur fait la moue et hoche la tête : « Non.

— Allez, mec.

— Non.

— Un dollar ?

— Non.

— Un dollar cinquante ?

— Non.

— Mon poing dans la gueule ?

— Allez, les gars, arrêtez vos conneries, je vous ai dit non. »

Alors Power lui sort sa carte du syndicat et deux billets d'un dollar. Le conducteur fait un signe de tête et le train s'arrête. Ils s'entassent dans la cabine et ils déploient leur journal à la page du sport. Power se penche par la portière et lit à O'Leary les résultats du base-ball : on est en juin 1950, et les Brooklyn Dodgers viennent de se classer premiers de la National League en battant les Cincinnatti Reds par 8 à 2 à Ebbets Field, avec un splendide *home run* de Gil Hodges jusqu'en haut des tribunes au troisième tour. « Oui, m'sieur, le grand Gil en personne », dit Power. Et puis Walker se penche par-dessus son collègue et dit : « Et Jackie Robinson a fait un doublé, mon p'tit pote. »

Le conducteur s'impatiente et se malaxe les mains tandis que les trois hommes continuent à lire les résultats en hurlant vers le haut du tunnel.

L'après-midi dégénère dans l'alcool. Ils circulent sans arrêt entre les deux stations en faisant un tel tapage qu'on finit par les éjecter du wagon. « Vous pouvez pas nous vider, on est les Ressuscités ! » braille Power.

Eleanor reste dans l'embrasure de la porte et appuie la tête contre le chambranle. Du milieu de la pièce, Walker, qui va au-devant d'elle, s'aperçoit qu'elle pleure. Et puis il comprend qu'elle ne veut pas franchir le seuil, comme si quelque chose la clouait sur place.

« Nathan, j'étais en train de faire l'ourlet d'un pantalon. À l'atelier, on est toutes assises en rang, devant notre machine à coudre. Je ne sais pas ce qui m'a pris, Nathan. C'était affreux. Il arrivait de l'école. Avec son bulletin. Il avait eu un A en sciences. Et il voulait sans doute juste me dire ça. Il voulait juste dire à sa maman qu'il travaillait bien à l'école. Et les ouvrières, tu comprends, elles savent rien sur moi. Tout ce qu'elles savent, c'est que j'habite tout en haut de Manhattan. Elles savent même pas où exactement. Elles savent rien sur toi ni sur les enfants. C'est juste que… enfin, je sais pas pourquoi. C'est pas que j'aie honte. Non. Mais je voulais rien leur dire sur moi, c'est tout. Pour qu'on ait pas d'ennuis, tu comprends ?

— T'en fais pas, El.

— Le patron s'appelle O'Leary, tu te rappelles ? Alors, quand j'ai été embauchée, je lui ai dit que moi aussi je m'appelais O'Leary avant de me marier. J'ai pas dit que je m'appelais Walker à présent. Et vu que je suis une O'Leary, il est gentil avec moi, il crie pas quand je traîne un peu pendant la pause, vu que je suis irlandaise. Il m'aime bien – pas comme on pourrait croire, mais il m'aime bien. Enfin, donc, je suis en train de faire l'ourlet de ce pantalon et quand je lève les yeux, qu'est-ce que je vois ? Notre Clarence à la porte de l'atelier. Il pointe un doigt vers moi. Et moi, je baisse la tête, je sais pas pourquoi. Je me mets à trembler. Je fais semblant de me concentrer sur cet ourlet, de faire ça très soigneusement. Je les entends approcher. J'ai jamais entendu des pas résonner aussi fort. Et quand je lève la tête, ils sont tous les deux devant moi.

— Pleure pas, p'tite.

— Alors O'Leary me dit : "Ce garçon-là prétend qu'il vient voir sa maman."

— Oh, non.

— Je sais pas ce qui m'a pris. Tout d'un coup, je lâche le pantalon et l'ourlet part dans tous les sens. Tu peux pas savoir, y avait pas un bruit. Tout le monde me regardait, toutes les autres, sans dire un mot. "Pardon ?" que je dis. Et le patron, il me répète : "Ce garçon prétend qu'il veut voir sa mère." Et le patron insiste, il insiste vraiment. Et moi, Nathan, je me mets à rire nerveusement. Un rire nerveux, c'est tout. Et puis je dis : "Ah, c'est juste une façon de parler, c'est parce que je connais très bien sa mère."

— El, c'est pas possible que t'aies fait ça !

— Tu peux pas savoir ce que je m'en veux. Tu peux pas savoir.

— Eleanor !

— Alors, O'Leary, il est là à me regarder avec des yeux ronds, comme deux ronds de flan. Et Clarence aussi. Avec son bulletin à la main. Je regarde le patron et je recommence à dire : "C'est juste une façon de parler, vous savez bien, les gens, comment ils parlent." Et Clarence, il fait une tête comme si le monde entier lui tombait dessus. Comme s'il venait de recevoir quelque chose en pleine figure. "Maman", qu'il me dit. Je crois que j'oublierai jamais comme il a dit ça. "Maman. Maman. Maman." Comme s'il avait jamais rien dit de plus important. Mais moi je me retourne, et je vois tous les yeux fixés sur moi dans l'atelier. "Sa maman est une copine à moi, elle habite pas loin de chez moi" – voilà ce que je trouve à dire. Alors O'Leary, il attrape Clarence par la peau du cou. "Pourquoi que tu viens ici faire perdre son temps à la dame ?" qu'il dit. Et Clarence, il répond : "Je voulais juste lui dire que j'ai eu un A en sciences." Alors, O'Leary, il se redresse et il fait l'important, il tousse un coup et il regarde autour de lui. "Un A en sciences ! qu'il dit tout fort dans l'atelier. Faut croire que c'était sur l'évolution de l'espèce !"

— Quel salaud !

— Et Clarence, il est là, à pleurer.

— J'peux pas croire ça, El.

— Il a des grosses larmes qui lui coulent sur la figure. "Maman", qu'il dit encore une fois. Et moi, je lui dis pas un mot. Même pas bravo. Bravo pour son A en sciences. Je suis comme une muette. Mais c'était pas voulu. Je l'ai pas fait exprès. C'est juste arrivé comme ça, Nathan, j'ai pas fait exprès, je le jure. Ah ! Dieu du ciel, j'ai jamais voulu ça, l'ignorer comme j'ai fait. J'ai pas bougé et j'ai regardé O'Leary traîner Clarence à la porte. Jamais de ma vie j'ai vu quelque chose d'aussi triste. Et alors, ah ! Seigneur, je me suis levée tout d'un coup, j'ai bousculé O'Leary pour aller attraper mon manteau et je me suis précipitée à la recherche de Clarence. Mais il était nulle part. J'ai cherché partout, mais il était parti. J'ai perdu ma place, je sais, tant pis. J'ai couru partout, mais je l'ai pas trouvé.

— Et à présent, où il est ?

— Je sais pas.

— Arrête de chialer, ça suffit.

— Il faut que t'ailles le chercher, Nathan. Je t'en prie. Il faut que tu lui expliques.

— Non, El, je peux pas expliquer une chose pareille, ça, je crois pas.

— J'ai jamais voulu ça, l'ignorer comme ça.

— Je vais te dire une bonne chose : j'ai jamais rien vu de plus moche de toute ma vie, nom de Dieu.

— Ah, pitié !

— Vraiment moche, El. Ce qu'on peut faire de plus moche, nom de Dieu.

— Je jure devant Dieu que je referai plus jamais une chose pareille. Des fois, des fois il nous arrive des choses et on sait pas pourquoi. Dis-lui ça, c'est tout. Je t'en supplie. Dis-lui que je sais pas ce qui m'a pris. Dis-lui qu'on peut pas avoir plus de remords que j'en ai à présent. Dis-lui que je l'aime. Que c'est la vérité. C'est la vérité, je le jure.

— C'est pas à moi de le faire, tu crois pas, El ?

— Nathan.

— Non.

— Je t'en prie. Va lui expliquer.

— Non. Quand t'auras fini de chialer, tu pourras lui expliquer toi-même. Je vais aller le chercher, et tu pourras lui expliquer. C'est ta croix, et c'est toi qui la portes. C'est la mienne aussi, pour sûr, mais c'est à toi de réparer. »

Clarence se tait quand Eleanor le prend dans ses bras. Le jeune homme a la tête posée sur l'épaule de sa mère, mais son regard fixe et lointain plonge dans des profondeurs insondables.

Et ce soir-là, au lit, Walker aussi tourne la tête de l'autre côté. Elle garde pour elle son chagrin en l'enfouissant dans l'oreiller. Mais, au fur et à mesure que passent les semaines, elle se rapproche de lui, met ses genoux au creux des siens, colle sa poitrine à son dos, lui souffle son haleine tiède et timide dans le cou. Elle reste ainsi, blottie contre lui, jusqu'à ce que Walker trouve le courage de se retourner et de lui caresser maladroitement les cheveux.

Pendant les semaines qui précèdent le départ de Clarence pour un camp d'entraînement militaire en Virginie, son parrain, Rhubarbe Vannucci, lui apprend le maniement de la dynamite, comment et où l'attacher, à quelle profondeur creuser les trous, où placer la charge pour ne pas laisser de trace : sur un cadavre, sur un cheval, sur un tronc d'arbre. Les cours ont lieu chez Vannucci, sur le toit de son immeuble. Le vieil Italien est très méticuleux dans son enseignement : il se met à genoux par terre sur un morceau de carton et il dessine du doigt des cartes qu'il invente.

Il est souvent obligé de tenir la tête de Clarence à pleines mains pour empêcher le regard du jeune homme de dévier du côté des pigeons multicolores et du tapis de plumes qu'ils laissent sur le sol.

« *Ascoltami !* dit-il.

— Pardon ?

— Écoute vers moi ! »

Vannucci donne tous les mots importants dans sa langue : *carica, esplosivo, spoletta detonante, una valvola.* Il fait des schémas expliquant comment creuser convenablement un tunnel, désamorcer un objet piégé, manipuler la cuiller qui retient le ressort d'une grenade. Il recommande à Clarence de toujours avoir un lacet de chaussure sur lui, cela se révèle utile. De se méfier des mèches foireuses. D'apprendre à ne pas suer à grosses gouttes. De ne jamais avoir les doigts qui tremblent, même quand on ne manipule rien. De fredonner toujours le même air pendant qu'on désamorce, pour éviter de se déconcentrer.

À la fin d'une de ces leçons, il déclare : « Tu diras à ton père que pour la crème anglaise, ça y est. »

En rentrant chez lui, Clarence transmet le message : « Rhubarbe te fait dire que, pour la crème anglaise, ça y est – si jamais tu y piges quelque chose. »

Près du fourneau, Walker se tape sur la cuisse, ravi. Il va parler à l'oreille de sa femme à l'autre bout de la pièce, et elle le gronde gentiment d'une petite claque sur le poignet.

Clarence lève les yeux au ciel. Gêné d'être dans la même pièce que ses parents, il va dormir en boule dans l'escalier de secours, à l'extérieur. La nuit, il les entend s'approcher timidement l'un de l'autre, quand ils pensent que tout le monde dort – des remous sous les draps, d'étranges frôlements étouffés, le frottement de leurs corps – et Clarence ne déteste rien tant que ce bruit-là.

Il veut faire partie d'une unité de déminage, mais il est engagé comme cuisinier. Il a dix-sept ans. On le prend en photo. Ses cheveux, qui ne sont plus teintés de roux, ne jurent pas avec son uniforme militaire. Il n'a plus de taches de rousseur sur les joues. Il a les dents bien blanches et un grand sourire, mais, malgré ce sourire, les yeux sont profonds, bruns, graves, comme deux trous de mine soigneusement creusés dans sa tête.

Eleanor porte la photo à Ration Rollins et lui dit que s'il ne l'affiche pas dans son magasin elle ira se fournir chez un autre commerçant. Ration scotche la photo sur sa caisse enregistreuse, avec celle de tous les autres hommes du quartier qui sont partis se battre en Corée. Les visages cachent les chiffres qui apparaissent sur la fenêtre de la machine. Un dollar cinquante-six cents. Cinq dollars trente-quatre cents. Seize cents. Le bord du visage de Clarence bouche le petit carré où tournent les pennies.

Tous les soirs, Walker et sa femme descendent jusqu'à l'épicerie pour regarder les actualités. Eleanor reste au fond sans rien dire, à côté d'un congélateur rempli de glaces, à tripoter un petit carton avec une prière de circonstance dans un étui en plastique. Walker est debout près d'elle, mais ils ne se touchent toujours pas en public. Du poste de télévision, Eisenhower les regarde d'un air sombre. Ils cherchent le visage de leur fils dans ces files de soldats fatigués qui marchent le long de routes poussiéreuses et chaudes. Ils imaginent les hélicoptères arrivant au-dessus des rizières de la mort, les rangées entières de cadavres et de riz.

Revenue à l'appartement, Eleanor écrit de longues lettres, dans une écriture nette et minuscule :

Comment ça va, là-bas ? On espère que tu vas bien et que tu penses à garder ta jolie petite tête baissée. Nous allons tous très bien. Tu nous manques terriblement. À moi surtout. Ton père fabrique beaucoup de meubles. Les filles grandissent énormément, tu peux pas savoir ! Deirdre a fait la connaissance d'un musicien qui a accordé le piano. Il a un bon son. Maxine a chanté une

chanson de Mary Lou Williams. Un soir, on est
allés au Metropole et on a entendu Henry Red
Allen souffler dans sa trompette, en costume et en
cravate. Pom, pom ! Il est vraiment rigolo. Tout
le monde demande de tes nouvelles, surtout les
jolies filles qui ont vu ta photo chez Ration Rollins.
Tu croirais pas, mais Ration est très aimable avec
nous ces derniers temps. Il demande de tes
nouvelles tous les jours, et il nous a même donné
du thé gratuitement. Tu te rends compte ! Quand
on était à l'épicerie, on a entendu quelqu'un qui
disait qu'ils mangent du chien là-bas en Corée.
C'est pas vrai, si ? Ta sœur Maxine fait Oua Oua *!*
Et ton père dit qu'il y a qu'à laisser l'arrière-train.
Et manger ça avec de la sauce de barbecue !

Pour que la mine continue à bien écrire, elle utilise
un taille-crayon. Les copeaux tombent autour des pieds
de Walker, étalé sur le divan.

Ici, il y a une mauvaise nouvelle : le vieux copain
de ton père, Sean Power, est mort. Au moins, il
avait un bon nombre d'années derrière lui. C'est
la cirrhose du foie qui l'a emporté. Rhubarbe lui
a mis une bouteille de bourbon dans son cercueil
pour le voyage. Nous devons tous mourir un jour,
mais c'était quand même triste. Ton père a dit une
prière pendant le service. À la veillée, tout le
monde était saoul et s'est mis à chanter. Quelqu'un
a pris ton père pour un serveur. On lui a dit,
garçon, va me chercher un verre de whisky. Et
après ils disaient toutes sortes de choses sur lui.
Garçon par-ci, garçon par-là. Ça a failli tourner à
la bagarre, mais en fin de compte non. Rhubarbe
les a tous fait taire. J'ai beau dire à ton père de ne
pas ouvrir la bouche, tu le connais. À la fin de la

soirée, Rhubarbe et ton père se sont mis dans un coin pour parler de l'ancien temps.

Tu peux pas savoir comme je pense à autrefois, Clarence. J'y pense sans arrêt depuis que tu es parti.

Il y a une chose qu'il faut que je te dise, Clarence, il faut que je le redise – j'ai ça sur le cœur, et ça me pèse tellement que j'ai du mal à le supporter –, je ne pensais pas ce que j'ai dit le jour où tu as eu un A en sciences. Je ne sais pas ce qui m'a pris. Ça me suivra sans doute jusqu'à la tombe. Je n'ai jamais eu aussi honte et je veux que tu le saches. Je porte ça en moi comme le fardeau le plus lourd au monde. Je ne te demande pas de me pardonner. Je veux juste que tu comprennes. Je crois que la compréhension est plus importante que le pardon. Alors comprends, s'il te plaît. Des fois, ça m'écrase tellement que j'ai l'impression de me plier en deux en marchant.

Eleanor utilise toujours la même formule à la fin de chaque lettre :

Comme on t'a dit, pense à garder ta jolie petite tête baissée, Clarence, reviens-nous entier, et ne va pas nous causer des larmes à faire déborder la rivière.

Le soir où la guerre se termine officiellement par une impasse, ils reçoivent une lettre de Clarence pour les prévenir qu'il va encore rester dans la zone démilitarisée. Il devrait rentrer dans peu de temps. Il laisse entendre qu'il a rencontré une fille à la base militaire. Elle est aide-soignante et elle lui a peint un bol de gruau sur le devant de son casque de cuisinier. Les lettres arrivent chaque mois – il en arrive même une pendant que Clarence est en permission au Japon. Eleanor garde les timbres dans une enveloppe spéciale.

Et puis, un après-midi, vers la fin de l'été, ils reçoivent encore une lettre. Ils l'ouvrent la tête basse, comme des pénitents. Ils ont déjà appris, par un télégramme qui date d'une quinzaine de jours, que Clarence a été blessé. On passe doucement un couteau sous le rabat de l'enveloppe. Walker sent une goutte de sueur lui couler dans le dos. Il déplie la feuille de papier très lentement et la tend à Eleanor.

À la lecture de la lettre, Eleanor se jette au cou de son mari, de soulagement et de chagrin tout à la fois. Clarence l'a dictée à l'aide-soignante. Il faut un petit moment pour que ses yeux s'habituent à cette écriture.

Chers papa et maman,

Je suis vivant et je vais bien. J'ai été touché par une mine en allant me promener. On venait de sortir de la cantine avec un copain à moi. On était au sud de Pusan, on allait juste se promener dans la forêt au pied de la montagne. Ça devait être un fil de détente. J'aurais dû faire plus attention à ce que Rhubarbe disait. Mon copain, il a perdu les deux jambes. Moi, j'ai été touché à l'œil par un éclat de shrapnel et j'ai perdu l'œil. J'essaie de prendre ça courageusement, mais quelle chierie. Enfin, les infirmières me soignent bien, surtout cette fille, Louisa, je vous en ai déjà parlé. Elle est là, à côté de moi, elle écrit tout ce que je lui dis. Enfin, presque tout ! Elle est de l'Ouest, du pays des Chippewa. Elle est aux petits soins pour moi. Elle m'a même trouvé un phono et des 45 tours de Rex Stewart, comme ça je peux l'écouter souffler dans son cornet. Ici, les stations de radio sont pas terribles – on entend à peu près que Nat King Cole. Mais j'écoute le vieux Rex. Je suis couché sur mon lit et je l'écoute jouer. Ma blessure me fait pas très mal. Des fois, c'est pas facile de regarder avec un seul œil, mais je pense que je vais m'habituer. Pas la peine de faire déborder la rivière, je vais aussi bien que possible. Vous savez, ce bol de gruau que Louisa a peint sur mon casque – je vous ai raconté –, eh bien, je trouve ça vachement marrant. J'ai hâte que vous fassiez sa connaissance. On est bons amis. Mieux que bons amis, à vrai dire. Et vous voulez que je vous dise ? À présent, maman, j'ai compris ce qui s'est passé le jour où tu as fait semblant de pas me connaître à l'atelier. À l'armée, on apprend à pas savoir du tout qui on est. Je me suis mis à réfléchir. Et je sais ce que tu veux dire. Alors je comprends et je te pardonne, maman. Bon, je veux pas que tu commences à te mettre à pleurer, alors je vais m'arrêter là. Encore une chose : on pense plus ou moins à quitter l'armée et à rentrer à New York, Louisa et moi ; à prendre un petit commerce, je sais pas quoi. Peut-être même qu'on va se marier, qu'est-ce que vous dites de ça ? On pourrait voir à s'arranger pour habiter tous ensemble dans un grand appartement, on serait heureux, et il serait plus question pour personne de faire déborder la rivière.

La lettre est signée *Clarence W. et Louisa Turiver*. En dessous, un post-scriptum : *J'ai l'impression qu'il va pousser quelque chose dans la forêt à l'endroit où mon œil est resté.* Et plus bas, un autre post-scriptum : *Vous ferez bien de pas vous moquer de mon bandeau sur l'œil !*

Dix-huit mois plus tard, en 1955, Walker et Eleanor passent la tête de l'autre côté du rideau qui les sépare de leurs filles, ils sortent discrètement sur le palier (des bruits de coups de poing montent de chez McAuliffe) et, le plancher grinçant sous leurs pas, ils vont dans les toilettes communes au bout du couloir. Eleanor met un doigt sur les lèvres de Walker pour l'empêcher de rire. Les murs sont jaunes, souillés de marques de mains. Au sol, le carrelage est noir et craquelé. Eleanor nettoie le lavabo, essuie le bord avec du papier hygiénique, et quand elle se hisse et s'assied sur cette cuvette de porcelaine immaculée, relevant sa chemise de nuit pour accueillir son mari dans son ventre, elle se sent propre et jeune, malgré ses trente-huit ans et son corps qui amorce une sérieuse dégringolade.

« Comment vont tes genoux ? » demande-t-elle à Walker quand il se dresse sur la pointe des pieds et cambre le dos.

Une brise vagabonde entre par le fenestron ouvert, apportant de la fraîcheur. Eleanor défait les barrettes qui lui retiennent les cheveux, et elle pose une main sur la hanche de Walker.

« Comment vont tes genoux ? redemande-t-elle.

— Toujours là, grand-mère », dit Walker en se balançant sur la pointe des pieds et en se mordant la lèvre inférieure pour étouffer son rire.

Elle lui donne un coup dans la poitrine. « Arrête de m'appeler comme ça. Je suis pas encore tout à fait grand-mère. »

Ils restent là à faire l'amour, et Walker n'oubliera jamais cela : le lavabo propre, les murs jaunes, les marques de mains, la chemise de nuit relevée, le présage d'un papillon de nuit battant des ailes comme un fou sous l'ampoule électrique nue.

9

Votre place est sous terre

Des bruits de pas désordonnés : Treefrog sait qu'il y a quelqu'un à l'entrée du tunnel. Des gamins, peut-être, qui viennent s'amuser à faire brûler une taupe. Ou bien Elijah et Angela qui sont encore en train de faire l'amour et qui crient d'extase et d'abattement. À moins que ce ne soit Dean, avec une bande de petits garçons sur les talons. Les voix portent, et soudain quelqu'un clame tout haut : « Fermez-la ! espèces d'enfoirés. »

Des torches électriques illuminent l'intérieur du tunnel.

Treefrog sort de son lit, enfile son pardessus et fourre ses pieds dans ses chaussures. Il éteint toutes les bougies de sabbat. Obscurité complète. Sur la passerelle, il s'assied en ramenant son pardessus sous lui, jambes pendantes. Il voit le rayon lumineux des torches électriques saisir la neige qui tombe de la grille et il entend : « Ça alors, j'veux bien me faire enculer. »

Ils sont huit, certains en civil.

Ils restent tous bien groupés. L'étui de leur revolver est dégrafé. Main gantée sur le flingue. Ils se penchent sur leurs radios comme s'ils transmettaient des secrets immortels. Leurs torches s'agitent frénétiquement, éclairant tout d'un coup l'arbre mort planté sous une des grilles et remontant le long des peintures murales, et puis la même voix reprend : « Qu'on me foute un tabouret dans le cul, les gars, ils se sont même planté un arbre, là, plus loin, putain !

— Putain toi-même, dit Treefrog tout bas. Putain ! »

Les flics progressent le long des voies et, un peu plus fort, mais pas assez pour qu'ils l'entendent, Treefrog imite le grognement d'un porc.

Il remonte les jambes et s'assure qu'il est bien caché et qu'on ne le voit pas. La dernière fois que les flics sont descendus dans le tunnel, on venait de trouver un homme assassiné sous la 103ᵉ Rue. Personne ne savait qui c'était. Il était mort en érection, avec un collier de balles sur la poitrine. C'est Dean qui l'a découvert et qui l'a surnommé la Trique. Et puis les flics sont arrivés et se sont mis à courir dans l'obscurité comme les crétins de Mack Sennett, brandissant leurs flingues devant des ombres. Ils ont fait aligner tout le monde contre le mur – « Debout contre le mur, bande de cons ! » – et ils les ont tous fouillés ; ils cherchaient des armes. Ils se sont disputés pour savoir qui allait inspecter le nid de Treefrog ; ils avaient la trouille de grimper. Ils ont fini par apporter une échelle. Un des flics, qui d'ailleurs lui a fauché une carte, une de ses créations, a essayé de le persuader d'aller dans un centre d'accueil en ville. « Tu vis comme une bête ! Tu devrais demander de l'assistance. Tu vis comme un rat, mec ! » Mais Treefrog est resté impassible avec ses grands cheveux devant les yeux, et il a ricané. Le flic lui a donné une baffe du revers de la main en le priant de remballer son sourire s'il ne voulait pas finir comme le macchabée.

« Comment ? Avec une trique ? a dit Treefrog.

— Ferme ta gueule, mec », a répondu le flic.

Ils sont venus dans le tunnel pendant deux jours, mais personne n'a su dire qui était le mort, ni pourquoi il avait été assassiné, ou s'il s'était assassiné tout seul.

Treefrog les regarde s'approcher de la rangée de loges et s'arrêter devant chez Elijah et Angela, d'où filtre un peu de lumière. Les flics se déploient par deux, certains s'accroupissant au bord des voies, le revolver au poing. « *Police ! Sortez ! Police !* » Treefrog se demande si Elijah et Angela sont en train de fumer une pipe. « *Police !* »

Un des flics s'avance et donne un coup de pied dans la porte. Elijah sort brusquement, les bras au-dessus de la tête, suivi d'Angela, qui serre son manteau de fourrure par-dessus la chemise thermolactyl en criant : « On a rien fait ! on a rien fait !

— Du calme, dit le flic.

— Me touchez pas ! crie Angela. Me touchez pas ! me touchez pas !

— Tiens-toi tranquille !

— Laissez-nous, on a pas de drogue.

— Tu vas la boucler, putain, oui ?

— On a rien. On dormait !

— Dites donc, quelqu'un peut pas faire taire cette femelle ?

— Qui c'est que tu traites de femelle, salaud ? dit Elijah.

— T'occupe, dit un flic.

— Vous savez que vous devriez pas être là en bas, c'est pas légal.

— J'ai perdu la clé de mon appartement en terrasse.

— Très drôle.

— Et puis j'ai oublié de rembourser l'emprunt.

— Je vous avais bien dit qu'ils étaient tous cinglés, là en dessous. Je vous l'avais bien dit, non ? Des taupes ! Des cinglés.

— Putain de merde, je suis pas une taupe, dit Elijah.

169

— Alors pourquoi tu vis sous terre, la taupe ?

— Ça suffit ! crie un autre. Vous connaissez tous James Francis Bedford ? »

Silence dans le tunnel. Treefrog voit un des flics traverser les voies pour aller jusqu'à l'arbre mort et lever les yeux : de la neige tombe autour de lui dans le cercle décrit par sa torche électrique, et il secoue la tête, ébahi.

« Dites donc, vous autres, vous avez déjà entendu parler de James Francis Bedford ?

— Pardon ?

— Vous foutez pas de moi, répondez à ma question, nom de Dieu !

— Jamais entendu ce nom-là. »

Treefrog regarde Elijah et Angela grelotter de froid. Une torche bascule d'un autre côté et saisit le visage de Dean qui sort de sa baraque. Il se protège les yeux avec le bras. Papa Love ouvre le rideau accroché sur sa porte.

« Encore deux taupes par ici ! »

Papa Love se tient devant sa baraque sans dire un mot, avec ses nattes rastas grises qui lui pendent sur les épaules. Dean fanfaronne devant les flics et relève le rabat de sa casquette de chasse au-dessus de ses oreilles.

« Tu connais James Francis Bedford ? lui demande un flic.

— Qui ça ?

— Suis bien mes lèvres. James. Francis. Bedford.

— Jamais entendu parler.

— Blanc. Soixante et un ans. Cicatrice sur la poitrine. Tatouage ici.

— Et alors ?

— On l'a trouvé mort hier. On a appris qu'il vivait par ici.

— Ah ! merde, dit Elijah. Y a quelqu'un de mort ? »

Le flic lui braque sa torche dans les yeux. « Six cents volts. Le courant lui a traversé le dessus du crâne. Ça a giclé un peu tout autour.

— Merde ! s'écrie Dean, c'est Faraday.

— Qui c'est Faraday ? demande le flic.

— Qu'est-ce qu'il a Faraday ? demande Angela.

— James Francis Bedford, reprend le flic.

— C'est Faraday, bon Dieu. C'est son surnom.

— Un Blanc ?

— Ouais, confirme Dean.

— À peu près de cette taille-là, dit le flic en levant la main à une certaine hauteur.

— Ouais.

— Un tableau électrique tatoué ici ?

— Il est mort ?

— Tout ce qu'il y a de plus mort, mon pote.

— Ils ont tué Faraday ! braille Angela.

— Tu sais même pas qui c'est, dit Elijah.

— Ils l'ont tué, ils l'ont tué, tué ! » Elle se met à sangloter dans la manche de son manteau. « J'aimais bien Faraday. Je l'aimais bien !

— Où il habitait ? demande un flic.

— Pourquoi vous voulez savoir ? réplique Elijah.

— Sa famille réclame ses affaires.

— Sa famille ?

— Ouais, les frères, les sœurs, les oncles, les tantes. Allez, déconne pas. Hé, toi, fouille-merde ! Où il habitait ?

— Là. »

Dean indique la loge de Faraday.

« Il vivait dans ce trou de merde ?

— C'est ça sa maison, oui.

— Vingt dieux ! L'abattant de chiottes, qu'est-ce qu'il fout là ?

— C'est la sonnette d'entrée.

— Foutre alors ! »

Un des flics force la serrure, la porte s'ouvre. Ils entrent et, un peu après, ils ressortent avec une caisse pleine de paperasses.

« Y a que des livres là-dedans, dit un flic.

— Vous savez qui c'était James Francis Bedford ?

— C'était Faraday.

— Il avait été flic.

— Faraday ? Flic ?

— C'était un type bien. Mais un jour, il s'est grillé. Il a perdu son sang-froid. Il a tiré sur quelqu'un. Il s'en est jamais remis. Sa famille m'a demandé de descendre chercher ses affaires. Des gens bien, la famille de Bedford. Tous des gens bien. Bedford aussi, avant, c'était un type bien. Avant de venir là en bas. »

Treefrog saute de sa passerelle et s'avance sans bruit sur le gravier jusqu'au moment où un flic le coince dans un rayon lumineux.

« Merde alors, y en a partout de ces taupes ! »

Ils viennent tous se poster devant chez Faraday – Elijah, Angela, Dean, Papa Love, Treefrog –, et ils regardent les flics fouiller dans la cabane.

« Qu'est-ce qu'ils cherchent ?

— J'en sais foutre rien. Un flingue peut-être ?

— Les connards, murmure Angela.

— C'est sans doute eux qui l'ont tué, dit Elijah.

— Tu crois vraiment que Faraday était flic ?

— Jamais de la vie.

— Tu crois qu'il a tué quelqu'un un jour ?

— Peut-être.

— Il me doit du pèze, vingt dollars ! annonce Dean.

— La ferme, mec.

— Dites donc, touchez pas à tout ça, crie Dean aux flics. Il me doit vingt dollars ! Laissez tout ça. C'est à moi.

— C'est celui qui trouve qui garde, dit Angela tout bas. C'est moi qu'ils ont réveillée en premier. Tous les trucs de Faraday, c'est pour moi.

— Je vais te cogner, espèce de chienne, réplique Dean.

— Elijah ? hurle-t-elle. Elijah ! »

Mais, en se retournant, elle voit qu'Elijah n'écoute pas. Il a baissé la capuche de son sweat-shirt, il fronce les sourcils et penche la tête sur le côté. Il se gratte le crâne et dit tout haut : « Faraday ? Faraday avait de la famille ? »

Faraday, apprennent-ils par la suite, était parti à la pêche à l'électricité tout en bas de la ville, dans le tunnel de la Deuxième Avenue. Il était censé aider quelqu'un à prendre un transformateur, mais, en chemin, il a trouvé une canne à pêche dans une décharge du Bowery. Il était défoncé à l'héroïne, et il a voulu essayer sa trouvaille. Fouettant l'air avec la canne à pêche, il est descendu dans le tunnel de la Deuxième Avenue par le tampon de secours. Au bord de la voie, il a voulu jouer les pêcheurs sur les berges de la nuit, il a lancé la canne au-dessus de sa tête comme dans un rêve. Le petit hameçon accroché au bout de la ligne a tourné en l'air avant de plonger vers la voie, puis il est remonté en sautillant quand Faraday a ramené la ligne par-dessus son épaule à la façon d'un lasso. C'est arrivé en l'espace d'une seconde : il a trébuché, il est tombé sur la voie et sa main a touché le troisième rail. Il a été happé par le courant, son corps s'est collé en longueur contre le métal, et la canne à pêche a fermé le circuit. Le cadavre a dû cracher une gerbe d'étincelles bleues. Tout le liquide qu'il avait dans le corps s'est volatilisé aussitôt – le sang, l'eau, le sperme et l'alcool réduits à néant. Une décharge de six cents volts lui a creusé un trou au sommet du crâne. Les flics ont dû couper le courant avant de pouvoir décoller le corps du rail. Ils ont mis un peu de cervelle dans un sac en plastique bleu – un des flics en a dégueulé de voir ça –, et les habitants du tunnel sont restés là à regarder, sidérés, sans rien dire, mais ça n'a pas empêché l'un d'entre eux, un peu plus tard, de se tailler avec la canne à pêche (Angela a pensé que c'était sûrement Jigsaw), en disant qu'il y avait de belles truites arc-en-ciel dans les flaques en dessous des quais, les plus prodigieuses qu'on ait jamais vues en ville.

Treefrog détache sa corde à linge et décroche une cravate foncée, qu'il tape contre le mur pour faire partir la poussière. Celle-ci glisse dans la lumière de la flamme, tombe paresseusement, et vient se poser sur les fins tentacules de cire à la base des bougies. C'est une cravate noire, semée de petits écureuils rouges. Treefrog ne sait plus faire un nœud de cravate, alors il se contente de la passer sous le col de sa chemise de flanelle crasseuse. Il essaie de se peigner, mais il a les cheveux trop longs, emmêlés et tirebouchonnés. Il fourre un T-shirt dans sa poche de pardessus, à utiliser comme passe-montagne plus tard, éventuellement. Dans le tiroir de sa table de chevet, il prend un flacon de démonstration de lotion après-rasage qu'il a volé dans un drugstore un jour, et il s'en met un peu sur les pommettes. L'odeur lui soulève le cœur. Il accomplit son rituel jusqu'au bout, les yeux fermés, touchant tout avec les deux mains, en terminant par le compteur de vitesse.

En attendant les autres, il joue à la balle contre *L'Horloge molle* pour se réchauffer. Il ne lui reste plus qu'une balle ; il va falloir qu'il en rachète une, au cas où il perdrait celle-ci.

Quand arrivent Angela, Dean et Elijah, il relève sa barbe et leur montre la cravate. Ils s'esclaffent en le voyant – « Monsieur Treefrog Rockefeller ! » dit Angela –, alors il la met autour de son front, et ils sortent du tunnel tous les quatre. Papa Love a décidé de ne pas venir. Ils se faufilent par la brèche dans la grille et laissent des traces de pas dans la neige quand ils descendent vers le parc. Angela piaille en sentant la neige sur ses pieds. Avec ce qu'ils ont fumé, Elijah et elle, ils planent. Elle s'est barbouillée de rouge à lèvres, ce qui lui donne vaguement un air de beauté tapageuse.

Treefrog doit remonter la pente quatre fois de suite pour arriver à un nombre pair de pas et, à chaque fois, au passage, il touche de la main le tronc glacé des pommiers sauvages.

« T'es complètement barjo ! » lui crie Angela.

Il enjambe la clôture et rattrape les autres au moment où ils passent près de l'aire de jeux de la 97ᵉ Rue. Un frisson le traverse quand il voit une mère pousser un enfant sur une balançoire, et les pieds de l'enfant s'agiter en l'air. Il porte la main à ses lunettes noires sur le dessus de son crâne et il fait au revoir à Lenora.

Entre West End Avenue et Broadway, ils s'arrêtent à l'Armée du salut pour qu'Angela se trouve une écharpe. Elle en ressort avec une paire de chaussettes supplémentaire qu'elle a fourrée sous son manteau, en disant : « Je crois que je suis fin gelée. »

Elle enfile les chaussettes en les remontant jusqu'en haut, et elle remet ses hauts talons déjetés.

Dans le métro pour Brooklyn, Treefrog va s'asseoir tout seul à l'autre bout du wagon. Les autres restent près de la porte et regardent leur reflet dans la vitre. Treefrog se cale dans le coin, il prend son Hohner et se met à jouer doucement.

Dans un petit restaurant de Brooklyn, sous une enseigne lumineuse pour Boar's Head Ham, le cuisinier est si expert à casser les œufs qu'il fait cela les yeux fermés. Treefrog ne peut qu'approuver en hochant la tête. Le type perce la coquille avec un ongle et vide le contenu avec maestria – deux œufs côte à côte.

Le jaune ne crève pas, il ne bave pas. Le cuistot garde les mains et la spatule au-dessus du gril.

Treefrog, qui a toujours sa cravate sur le front, frotte un billet entre ses doigts en regardant le cuisinier. C'est de l'argent qu'il a récolté à l'enterrement de Faraday. Ils sont arrivés en retard pour la messe, mais un diacre leur a dit où avait lieu l'inhumation. Ils sont allés à pied au cimetière voisin. Le père du défunt les a vus approcher au milieu de la cérémonie. Il est allé à leur rencontre en se traînant avec sa canne, et il leur a proposé dix dollars à chacun pour qu'ils restent à l'écart, avec un « Je vous en prie » dont semblait dépendre toute sa respectabilité. Derrière lui, près de la tombe, les autres membres de la famille observaient la scène. Une femme, qui devait être la mère de Faraday, n'arrêtait pas de se tamponner les yeux avec une longue écharpe noire. Dean a demandé vingt dollars par personne, et le père de Faraday lui a jeté un long regard plein de tristesse. Dean a haussé les épaules. Le père de Faraday a plongé la main dans sa poche pour sortir une liasse de billets d'une enveloppe destinée au prêtre. Il a ôté un gant et, les mains tremblantes, il a distribué les billets de vingt dollars.

Quand il est arrivé à Treefrog, il ne lui restait qu'un billet de dix dollars et un billet de cinq, mais Treefrog a dit : « Ça fait rien, monsieur Bedford. »

Le père de Faraday l'a regardé et, l'espace d'un instant, ses yeux se sont éclairés, mais il a simplement dit : « Vous ne vous approcherez pas de la tombe, c'est entendu ? »

Il a tourné le dos et il est parti, comme délivré d'un grand poids.

Ils ont assisté à la fin de la cérémonie à distance, tous les quatre.

« Voilà Faraday qui s'en va, a dit Elijah pendant qu'on descendait le cercueil.

— Il s'appelle pas Faraday, a répliqué Angela.

— Pour moi, c'est Faraday.

— J'aurais dû récupérer quarante dollars, a protesté Dean. Il m'en devait vingt ! Ce fils de pute, il ne payait jamais.

— Ouais, regardez-moi ce cercueil, a dit Angela tout bas. Ces poignées en or. Merde alors. Il est monté en grade.

— Descendu en grade, ouais, s'est esclaffé Elijah.

— Je parie qu'il était riche, a lancé Dean.

— Riche ou pas, il en est pas moins mort », a dit Treefrog.

Il pivote légèrement sur son tabouret devant le comptoir ; à présent, l'argent s'est réchauffé dans ses mains.

Tout en regardant le cuistot, il se passe les billets sous le nez pour les sentir. Et puis il plie le billet de dix dollars plusieurs fois afin qu'il soit le plus petit possible. Il tâte toutes les poches de son pardessus en quête d'une bonne cachette. La doublure rouge du vêtement est pleine de trous, mais il trouve un endroit convenable, et il accroche le billet avec trois épingles de sûreté pour être sûr de ne pas le perdre. Ça le fait rigoler de voir l'épingle transpercer l'œil d'un président défunt.

Le cuistot fait sauter les œufs en l'air, et ils retombent sur un petit pain. En posant deux tranches de bacon sur les œufs, il fait un clin d'œil à Treefrog.

Ce tour de force vaut peut-être un pourboire. Il y a des années qu'il n'a laissé de pourboire à personne, mais il se sent subitement important et magnanime. Une fois servi, il ôte sa cravate, la range dans sa poche, fait tourner l'assiette deux fois, se lèche tous les doigts, et prend son temps avant de consommer, comme un homme amoureux.

Un mince croissant de lune dans le ciel, et une brève accalmie de la neige. Treefrog se glisse à l'intérieur du tunnel et grimpe dans son nid, chargé de deux bouteilles.

Il laisse tomber de son pardessus un tas de branches et de bois fendu – du bois qu'il a trouvé au retour, sous la passerelle de l'autoroute, la réserve d'un clochard d'en haut qui vit sous le pont, à la 96ᵉ Rue. Du bois enveloppé dans une couverture, tenu au sec. On ne s'explique pas la connerie de ceux qui vivent là-haut : il y en a qui se chauffent sur des bouches de vapeur, se faisant rôtir le dessous du corps par des bouffées d'air chaud tandis que l'autre moitié gèle, se retournant sans arrêt comme des tranches de pain grillé absurdes.

Il se sert de son couteau suisse pour couper un peu de petit bois, dresse quelques brindilles et déchire des bandes de papier journal. Il s'accroupit au-dessus de sa petite flambée en relevant son pardessus et en présentant son derrière à la flamme.

Il reste ainsi en suspens jusqu'à ce que la chaleur pénètre en lui, et puis il ajoute des morceaux de bois plus gros et un sac en plastique noir pour que le feu prenne plus vite. Quand les flammes jaillissent, il va se coucher sur son lit, les bras derrière la tête, comme un adolescent qui s'ennuie. La fumée part dans le tunnel et sort par la grille de l'autre côté.

Il donne un coup de pied au bout de sa couverture et voit des crottes de rat sauter en l'air. Il siffle Castor – « Viens là, ma belle, viens » –, mais la chatte ne bouge pas.

Il débouche la première bouteille de gin, enfonce une paille sale dans le goulot, se met à boire, et puis il passe une main maladroite sous son jean et sous son caleçon long en thermolactyl pour capter un peu de chaleur à l'entre-jambes.

Quand il a fini la première bouteille, il regarde dans le vide. Pas un bruit dans le tunnel. Il sort son harmonica de sa poche, mais l'instrument est froid, et il décide de ne pas le réchauffer. Le train venant du nord passe comme un bolide. Treefrog se sent ivre. Il se lève en entendant quelqu'un siffler. Et, un peu plus bas, il aperçoit Papa Love sortir de sa cabane.

Il se penche sur sa passerelle pour mieux voir.

Papa Love, ni jeune ni vieux, avec ses nattes rastas, est emmitouflé dans un paquet de vêtements qui ne laissent paraître que son visage et ses doigts, mais il se déplace avec aisance. Il remet du bois sur le feu en face de sa cabane et dispose soigneusement des bombes de peinture sur de vieux fauteuils en osier. Avec des gestes lents et gracieux, il aligne les bombes l'une après l'autre, et il agite les bras dans le froid. Sur le côté de sa cabane, au-dessus des planches, cette inscription : ON NE DÉCOUVRE PAS SON MOI, ON LE CRÉE. Plus bas, un collage composé de lignes jaunes et d'un drapeau de la Confédération aux couleurs de la libération africaine.

Treefrog a rarement vu Papa Love sortir du tunnel, sauf pour aller chercher des vivres ou de la peinture. Le vieux peintre a gardé le compte en banque qu'il avait quand il était professeur de dessin dans un lycée – il est descendu là en bas après que son amant a reçu une balle dans la peau, comme ça en passant : les types étaient défoncés aux amphétamines. L'amant a été expédié dans un hôpital de Manhattan, mais le cardiographe a bipé et le trait rouge est resté plat. Papa Love avait vu mourir beaucoup d'hommes au Viêt-nam, mais il ne s'attendait pas à voir son amant partir ainsi. Après sa mort, il s'est mis à marcher dans les rues, à arpenter la ville en long et en large, à dormir sur les marches des églises, et puis, un été, il a décidé de fixer son cœur sur un carton. Un carton qu'il a trouvé devant une porte sur Riverside Drive, et qu'il a apporté dans le tunnel sous son bras. Il a fixé l'aorte d'un côté, l'artère pulmonaire de l'autre, les a soigneusement attachées l'une à l'autre ; il a mis toutes les veines en long, et toutes les artères dans l'autre sens, il les a rattachées au cœur, et il a eu l'impression que tout son sang éclatait. Il s'est couché sur le carton brun étalé à terre et, plongeant son regard dans la nuit du tunnel, il a vu un rat passer sur les voies. Alors, avec un ricanement de douleur, il s'est dit : J'ai fixé mon cœur sur un carton.

Ce fut sa première peinture – un autoportrait de son cœur attaché à un morceau de carton. Les gens ont cru qu'il avait fait un cœur d'amour et l'ont surnommé Papa Love, et il ne les a jamais détrompés.

Une fois, il y a des années, un marchand de tableaux est venu le réveiller dans le tunnel pour lui demander de venir peindre là-haut. Papa Love avait fait un autre autoportrait – il s'était représenté en percolateur, sa chair tombant goutte à goutte comme du café noir. Le patron de la galerie voulait qu'il le refasse sur toile. Papa Love a refusé et le marchand de tableaux a décampé précipitamment, la sueur au front malgré le froid, avec une telle frousse que ses jambes se dérobaient sous lui. Dean l'a frôlé au passage et lui a subtilisé son portefeuille. C'était la première fois qu'on voyait Papa Love en colère. Il a écrasé la tête blonde de Dean contre le mur et il s'est précipité là-haut avec le portefeuille du marchand de tableaux. Quand il est redescendu, haletant, il a appelé Dean à cor et à cri, mais celui-ci avait pris la fuite. Pour se venger, Papa

Love est allé faire un portrait de lui sous ces multiples grilles où on se croirait à l'intérieur d'une église, dans la 86ᵉ Rue, et, au-dessous, il a écrit en lettres géantes : PÉDOPHILE ; mais plus tard le même jour, pris de remords, il est retourné effacer les lettres, sans toucher à la peinture, et Dean a été flatté d'avoir son portrait sur le mur du tunnel.

De loin, Treefrog voit que le mur éclairé par le feu, juste en face de la cabane de Papa Love, a été apprêté à la peinture blanche sur une très grande surface, un rectangle parfait cerné de noir.

Papa Love s'en approche et empile quatre caisses les unes sur les autres pour se faire une échelle. Il se couvre la bouche et le nez d'un foulard rouge, afin de ne pas absorber les émanations de la peinture. Il a un air comique avec sa vieille paire de lunettes toute déformée au-dessus de son foulard. Il monte sur les caisses et agite une bombe. Treefrog entend la bille de métal sauter à l'intérieur. Papa Love tend les bras et, avec une violence soudaine, il se lance vers le mur en décrivant avec ses bras un arc de cercle gigantesque.

Une bouffée d'air sort du foulard au moment où il perd pied, les caisses s'écroulent comme un château de cartes – on dirait que son corps traverse l'obscurité en glissant le long d'une corde –, et la peinture gicle sur le mur en un large demi-cercle, suivant la trajectoire de l'artiste. Et puis, aussitôt après, voilà Papa Love par terre, à côté du feu de camp, frottant ses genoux endoloris par le contact brutal avec le sol.

Il recule, fait un signe de tête en regardant le mur et remet les caisses en place. Il grimpe de nouveau sur sa curieuse échelle, se penche vers le mur et, en décrivant un arc de cercle parfait, il pulvérise une autre couche de peinture sur le premier demi-cercle. Ses cheveux gris voltigent avec ce geste aérien. La peinture recouvre complètement le premier trait. Il atterrit près du feu de camp et se frotte les mains vigoureusement pour résister au froid. Il répartit les caisses au pied du mur et se tient les pieds écartés – on croirait voir le fantôme de Nathan Walker en train de creuser ; il prend une autre bombe et fait jaillir deux lunes sous le demi-cercle. Chaque fois qu'il prend du recul, il va se réchauffer les mains au-dessus du feu.

Treefrog se laisse tomber de la passerelle et se rapproche pour regarder, sans sortir de l'ombre.

Papa Love se penche et trace un long tube droit émergeant du demi-cercle. Sur le tube, il dessine toute une série de rayures. Le fond du tableau est jaune au centre, teinté d'un nuage rouge sur les bords. Papa Love y travaille avec une ardeur farouche : les bombes de peinture éparpillées par terre autour de lui, il s'arrête à chaque instant afin de se réchauffer les mains à la flamme du feu de camp, puis il repart à l'attaque, chargeant le mur de couleur, à grands gestes de bras, fonçant ensuite sur le haut du cercle pour en faire sortir d'autres lignes.

Le portrait prend forme, et une ampoule géante apparaît, haute de deux mètres. Papa Love est debout près du feu ; il bricole le pulvérisateur d'une bombe avec son couteau. Vers le haut de l'ampoule, il dessine deux traits velus et, au-dessous, deux ovales bleus. Treefrog comprend alors que le vieux peintre a fait deux yeux à l'intérieur de l'ampoule.

Papa Love se sert d'un pinceau pour dessiner deux circuits électriques en guise de pupilles. Une seule caisse lui suffit à présent : un long nez se forme sous les yeux, et puis une bouche, qui sourit à demi. Quelques poils de barbe parsèment le bas de l'ampoule.

Papa Love recule et admire son œuvre, les mains dans sa salopette.

« Hé-ho, dit Treefrog en s'avançant.

— T'es allé à l'enterrement ?

— Ouais, et on nous a payés. Le père de Faraday m'a donné quinze dollars pour pas approcher. Les autres en ont eu vingt.

— Quelle foutaise !

— Première fois qu'on me paie à un enterrement.

— Moi, j'suis trop vieux pour les enterrements à présent », dit Papa Love.

Treefrog montre la peinture murale. « C'est Faraday, hein ?

— Pas encore. Peut-être. C'est pas tout à fait fini.

— Il est chouette.

— Un compagnon d'infortune », dit Papa Love.

Treefrog traîne les pieds dans le gravier. « Il y a une tombe en chacun de nous. » Et puis, gêné de ce qu'il vient de dire, il marmonne : « Tu crois que la neige va s'arrêter un jour ? »

Papa Love hausse les épaules.

« Qu'est-ce que tu crois, toi, que c'était pas un accident ? demande Treefrog.

— Si, je pense. Mais, en tout cas, il a sans doute eu la mort qu'il voulait. Enfin, je veux dire que c'est sans doute comme ça qu'il souhaitait mourir.

— Dis donc, si tu devais faire mon portrait, comment tu me ferais ?

— Ben, tu sais, je fais que des portraits de gens qui sont morts.

— T'as bien fait le tien. Et celui de Dean.

— De gens qui sont morts, et de gens que je voudrais voir morts.

— Ah bon. » Treefrog réfléchit un long moment. « Et Myriam Makeba alors ?

— Elle aussi j'aimerais bien qu'elle soit morte.

— Pourquoi ça ?

— Pour qu'elle vienne me rejoindre ici. »

Treefrog s'esclaffe.

Papa Love se tourne vers sa peinture murale. « Ça te plaît ? demande-t-il.

— Ouais, sûr que ça me plaît. Ce vieux Faraday. Merde ! Ça me fait chier qu'il nous quitte.

— Frères de sang. »

Papa Love se met à secouer une autre bombe de peinture.

« T'as déjà vu la fille qui s'appelle Angela ? demande Treefrog.

— Ouais, la fille qui vit avec Elijah.

— Tu devrais faire son portrait, putain !

— La dernière fois que je l'ai vue, elle respirait encore bien.

— Ouais, mais tu devrais quand même faire son portrait. »

Treefrog donne une tape sur l'épaule de Papa Love, qui s'attaque maintenant au menton de Faraday.

Dans son carnet, Treefrog note : *Retournez sous terre, c'est là qu'est votre place. Retournez sous terre, c'est là qu'est votre place.* Chaque lettre de chaque mot semble le miroir parfait de celle qui précède, l'écriture est minuscule, précise et répétitive. Il pourrait faire la carte de tous ces mots, en commençant au *R* et en finissant au *e* – là où tout commence et où tout finit – et on aurait la plus étrange des topographies du dessus et du dessous. Puis il écrit *Angela*. Deux *A*, un à chaque bout. Très bien, ça. Un nom parfait. Charmant. Une fioriture au crayon à la fin, un aileron à l'arrière.

10

1955-1964

Une Buick bleue massive sillonne le quartier, un aileron outrancier à l'arrière. Le conducteur a le bras qui pend par la portière gauche, et une bouteille de whisky débouchée entre les jambes. Il porte des lunettes noires et une chemise imprimée de cartes à jouer, ouverte au col sur le valet de trèfle. Dans sa poche de poitrine, un sachet de marijuana fait une bosse sous le tissu.

Hoofer McAuliffe tient son volant avec ses genoux, il tapote d'une main le tableau de bord et, de l'autre, il tambourine sur l'extérieur de la portière. Tout en roulant, il se penche au-dehors pour voir ses pneus à flanc blanc tout neufs, presque hypnotisé par leur mouvement tournant. Il retire la main du tableau de bord et saisit la bouteille : il boit à longs traits. Il a le menton inondé, le whisky dégouline dans ses poils de barbe. La voiture avance lentement, à trente à l'heure.

Au coin de la rue, un peu plus haut, McAuliffe voit des gamins qui s'amusent avec une bouche d'incendie. D'énormes jets d'eau ruissellent sur la chaussée. À chaque véhicule qu'ils aspergent au passage, ils s'esclaffent, et l'un d'eux montre du doigt la voiture de McAuliffe. De joie, ils se bourrent de coups, et leurs poings dérapent sur leurs épaules mouillées.

McAuliffe rentre le bras et, en remontant sa vitre précipitamment, il fait tomber sa bouteille de whisky. Il jure tout fort en piquant du nez et il se penche pour la rattraper. D'un coup de volant, il coupe trois voies afin de passer à l'écart des gamins. Derrière lui, un taxi klaxonne. Hoofer McAuliffe se redresse sur son siège, il se concentre. Un homme à bicyclette, à contre-courant de la circulation, fait une embardée pour éviter la Buick.

McAuliffe freine à mort une seconde, mais les gamins dirigent le jet sur lui en décrivant un grand arc en hauteur comme une fontaine géante, et il se remet à accélérer.

Le feu est rouge, l'accélérateur presque au plancher, et le moteur gémit.

McAuliffe ne voit pas la femme qui traverse la rue sur le passage clouté, un gros sac de linge dans les bras. Elle regarde derrière elle et rit de voir les enfants inonder la chaussée. Un hurlement lui parvient aux oreilles – « *Madame, madame, attention !* ». Elle se retourne aussitôt, mais trop tard. La Buick la happe à la hanche et elle voltige, comme en un saut périlleux : les épingles à linge dégringolent de ses poches, son corps frêle vient s'écraser sur le pare-brise, où il tisse une toile d'araignée dans le verre, elle roule sur le toit en cabossant le métal, sa robe verte se gonfle, et dans la rue on n'entend plus que le crépitement de l'eau et le crissement des pneus. Son sac de linge – des couches et des habits de bébé – reste fiché à l'avant de la voiture. Elle est projetée vers l'arrière, et ses bras tendus vont heurter le bel aileron.

Elle vole plus loin et se fracasse le crâne sur le pavé avec un bruit mat – le seul bruit dont le passant se souviendra plus tard –, le bruit sourd de la tête contre le béton, et puis il verra une épingle à linge se gorger de sang, et d'autres épingles éparpillées sur la chaussée.

La Buick défonce une boîte aux lettres, contre laquelle le sac de linge reste plaqué, et elle continue sa course en donnant de la bande, puis s'arrête enfin, à cheval sur deux voies.

Déjà, Hoofer McAuliffe sort de sa voiture, il arrache ses boutons, sa chemise s'ouvre et les cartes à jouer imprimées vont se promener sur ses hanches. Il va et vient entre la femme et la voiture en se frappant la tête avec les poings. De l'autre côté de la rue, quelqu'un ferme la bouche d'incendie avec une clé à écrous. McAuliffe pousse des gémissements de plus en plus forts et il s'effondre à l'avant de sa voiture, à genoux, tâtant les grosses bosses sur le capot de la Buick.

Un quart d'heure s'écoule avant que Clarence n'arrive chez lui à toutes jambes en criant : « Maman a été renversée par une voiture ! »

Walker se lève d'un mouvement brusque : sa jambe heurte le phono, une nouvelle égratignure se grave dans le vinyle, et l'aiguille saute et ressaute, toujours au même endroit, tandis que le père et le fils se précipitent vers la porte. Clarence soutient son père pour l'aider à descendre.

Au coin de la rue, Hoofer McAuliffe caresse toujours sa voiture cabossée et il crie à Walker : « C'est pas moi ! Le feu était vert ! Elle est venue se foutre là, devant moi ! Regarde-moi ça ! » Et il montre la marque du corps d'Eleanor sur le capot en marmonnant : « La garce est venue se foutre devant moi. »

Le silence se fait dans l'assistance quand Walker s'agenouille à terre et prend la tête d'Eleanor dans ses mains. Ah, la caresse de ses cheveux dans les moments heureux, lorsque, penchés ensemble sur une lettre, elle inclinait la tête vers lui et lui effleurait le visage de ses mèches rousses indociles ! Ou lorsqu'elle tirait le rideau, une fois les enfants endormis, et se glissait à côté de lui dans le grand lit, les cheveux écrasés sur l'oreiller. Ou encore, à bicyclette, avant leur mariage, quand, assise sur la barre, elle attrapait ses longues nattes et les lui mettait sur le visage comme une moustache rousse en lançant gaiement : « Voilà à quoi vont ressembler nos enfants ! » Quand elle se lavait les cheveux, il restait de longues mèches dans le lavabo, et, comme lui-même commençait à perdre les siens, elle les ramassait pour les lui coller sur le front, en riant aux éclats. Elle brossait ceux de Deirdre et de Maxine, sans jamais venir à bout de tous les nœuds et de toutes les bouclettes. Elle disait à ses filles d'être fières de leur toison frisée. Le jour où elle était rentrée les cheveux coupés court, il avait brisé un pot de confiture contre un mur. Dix-huit mois plus tard, ils avaient repoussé, elle avait retrouvé sa belle chevelure longue. Et une fois qu'il avait lavé par terre, elle avait été si émerveillée à son retour qu'elle avait traversé la pièce en crabe, courbée en deux, en laissant ses mèches traîner sur le sol, pour lui prouver qu'elle n'avait aucun doute sur la qualité de son travail. « Regarde ! s'était-elle écriée joyeusement en arrivant à l'autre bout de la pièce, pas la moindre saleté dans mes cheveux ! Tu es le meilleur homme de ménage que j'aie jamais vu de ma vie ! »

Walker retire sa chemise et la met sous la tête de sa femme, puis il se relève et se dirige lentement vers la Buick. Le visage inondé de larmes, il pilonne le capot avec son poing jusqu'à ce qu'il ne soit plus que creux et bosses.

Plus tard dans la soirée, Hoofer McAuliffe est dans la rue, montrant d'un air abattu son véhicule défoncé.

Les vêtements et les couches qu'Eleanor venait de laver pour son petit-fils ont déjà été enlevés.

Clarence démonte le manche de la pelle et laisse la partie métallique devant la porte avec un petit billet.

Je serai peut-être absent un certain temps, papa. Je te demande de t'occuper de Louisa et du bébé à ma place. Tu m'as parlé d'un endroit quand t'étais petit. C'est là que je vais. Ne dis rien à personne. Je reviendrai quand le ciel s'éclaircira.

Il fourre le manche de bois à l'intérieur de son pardessus, attrape sa valise en carton, descend l'escalier quatre à quatre et se fond dans la nuit de Harlem, à quatre heures du matin, tandis que la pluie hachure en biais la lumière jaune des réverbères.

Il sent le bois entre ses mains briser ce crâne comme s'il fendait un cantaloup, d'un seul coup. McAuliffe s'écroule sur l'aile de sa Buick amochée. Clarence continue à frapper avec le manche de la pelle. Le sang jaillit et éclabousse le coin de son bandeau sur l'œil. « Espèce de salaud, on oublie qu'on a du sang dans le corps, tant que c'est pas le nôtre qui coule », dit-il au cadavre.

Au moment où il tourne à l'angle d'une rue en courant à toute vitesse, un coup de sifflet retentit et il tombe en arrière sous la matraque d'un policier. Mais, mû par une formidable et irrésistible poussée d'adrénaline, il se relève, balançant le manche de la pelle. Il se jette à la face du flic blanc avec une force terrible.

Hoofer McAuliffe et le flic blanc, soudain réduits au silence, restent sur le carreau avec l'air incrédule de deux hommes à l'écoute de leur propre cœur, qui a cessé de battre.

Clarence se laisse ballotter entre les wagons d'un train à destination du Sud. Un flux d'adrénaline continue à passer dans son cœur de vingt-trois ans. Une brise rafraîchissante lui procure un certain apaisement, la chaleur est intenable à l'arrière. De ses bras musclés, il se cale entre les wagons et il s'ajuste au balancement du train. Voyant le sang qui macule ses chaussures, il crache d'abord sur l'une, puis sur l'autre, et il les frotte contre les jambes de sa salopette.

C'est le matin, et la chaleur monte déjà quand le train sort brusquement d'un tunnel et se fond dans le gris et le vert du New Jersey : deux gamins se battent sur un tas de charbon, des épaves de voitures sur des parpaings à la lisière des prés, des entrepôts, le clocher d'une église se dresse au loin.

Le contrôleur lui prend son billet. « C'est pour la Géorgie ? » demande-t-il.

Clarence ne répond pas.

« Changement à Washington. »

Clarence regarde fixement l'insigne de l'employé des chemins de fer.

« Hé, lui dit le contrôleur, on t'a déjà appris à dire "Oui, monsieur" ? »

Pas de réponse.

« Dis donc, le nègre, pour qui tu te prends ? J'te parle. »

Après un silence, il se penche vers Clarence.

« Tous des foutus fils de pute, voilà ce que vous êtes ! Tu m'écoutes ? Tu te prends pour quoi, espèce de fils de pute. Tu m'entends ?

— Oui, m'sieur », dit le jeune homme dans sa lassitude.

Une fois le contrôleur parti, Clarence s'appuie à la paroi du wagon et pose la joue contre le métal frais. Il pourrait se laisser tomber là, à ce moment précis, atterrir sur les rails et, comme un serpent, attendre que son corps se fragmente, que les roues le réduisent en charpie, que sa tête vole à des centaines de mètres, que son cœur soit tranché en deux, que ses orteils soient éparpillés à tous les vents.

En regardant le gravier filer sous lui, Clarence imagine sa mère rentrant à la maison avec la lessive, comme cela aurait dû être. Il la voit assise sur le canapé à côté de son petit-fils : elle lui met un doigt dans le nombril pour jouer. Puis elle retourne à la cuisine, où elle enlève le cache-théière et se verse une tasse de thé. Elle ajoute un morceau de sucre, tourne avec la cuiller et s'écrie : « Voilà le meilleur des médicaments ! » Elle traverse la pièce avec sa tasse fumante pour venir s'asseoir sur le bord d'une chaise ; fleurant la feuille de thé, elle se penche au-dessus de l'enfant et dit : « C'est le plus mignon de tous les bébés. »

Le paysage qui défile emporte cette vision – des silos à grain, la fumée des crassiers, des fermes blanchies à la chaux.

Il arrive à Atlanta le lendemain, à Brookwood Station, et s'aventure bien au-delà de Peachtree Street. La ville est un labyrinthe d'autoroutes et de ponts autoroutiers. Vidé de toute énergie, il va d'un pas chancelant, traînant négligemment les pieds dans les flaques. Dans les faubourgs de la ville, une nouvelle rampe de béton s'élève au-dessus du vide. Des ouvriers y travaillent, suspendus à des cordes en plein ciel. Il observe leurs acrobaties sous la pluie, puis il lève la tête et voit le soleil percer derrière des nuages lugubres.

L'après-midi, il trouve une laverie du côté de Hunter Street, et le gérant, qui a la peau foncée, le laisse attendre en sous-vêtements dans les toilettes que ses affaires soient prêtes. Par terre, il y a un journal. Il le ramasse. En première page, on annonce qu'un jeune de quatorze ans a été lynché à Greenwood, Mississippi, pour avoir sifflé une femme blanche. C'est peut-être vrai que ce garçon a sifflé, et peut-être pas. Peut-être que son corps siffle encore. Et sifflera à jamais. Sur la page du journal, l'adolescent le dévisage ; ses mains en tremblent.

Une heure après, le gérant de la laverie lui passe ses vêtements par la porte. Il s'aperçoit que le sang a laissé des petites taches cuivrées sur sa salopette. Une fois habillé, il s'observe longuement, attentivement, dans un miroir brisé, puis se dirige à pas lents vers la boutique d'un coiffeur pour hommes, de l'autre côté de la rue, où une enseigne rouge et blanc tourne gaiement. Il se fait tondre à ras, et le coiffeur noir lui dit : « Tiens, mon pote, t'es comme neuf à présent. »

Clarence se regarde dans la glace. « Rasez-moi », lui dit-il.

On lui pose la serviette chaude et humide sur le cou, on lui étale le savon à barbe moussant sur le visage. Il sent le froid du rasoir sur sa gorge. Il imagine la lame s'enfonçant dans son cou, jusqu'aux tendons et aux veines, et plus loin encore – quand ses veines seront largement ouvertes, son petit garçon viendra nager dans son sang, il remontera jusqu'à l'aine, jusqu'au cerveau, jusqu'au cœur.

La serviette refroidit, le rasoir glisse.

« T'es comme neuf, à présent, et même encore mieux que ça », dit le coiffeur, en essuyant le fil du rasoir sur la poche arrière de son tablier. Clarence lui laisse un petit pourboire et s'en va en regardant son reflet dans les vitrines : il voit l'image de quelqu'un qu'il n'a pas envie d'être.

Plus tard dans la semaine, à la poste principale de Forsyth Street, il scrute les avis de recherche pour y trouver son visage, mais il ne voit que des yeux inconnus, tous noirs et sinistres, attendant la mort. Il arpente les rues d'Atlanta en pleurant.

Chez Walker, quatre policiers sont plantés au milieu de la pièce. Il est assis, la main de Louisa dans la sienne. Louisa est toute tremblante. Elle tient le bébé assez haut pour cacher une tache de lait sur sa robe. Maxine et Deirdre sanglotent sur leur lit.

« Alors, dit un des flics, où il a bien pu se tirer, à ton avis ?

— Pas la moindre idée.

— Il va pas aller bien loin avec un œil en moins. Ils sont pas des masses à avoir un bandeau sur l'œil. T'écoutes, Walker ?

— Monsieur Walker, s'il vous plaît.

— Où il est ? »

Walker regarde le plafond et se revoit, enfant, dans son canoë : il vogue sous les cyprès qui laissent à peine passer la lumière de l'été ; il tend le bras pour attraper la mousse espagnole, sa pagaie noueuse bruissant dans l'eau à longs traits, son geste suspendu dans le silence, sa détermination tranquille, son léger tour de poignet à la fin de chaque coup de rame pour corriger la direction du bateau, le clapotis à peine audible de la pagaie ; il se plie à sa tâche sans cesse répétée, la mousse se détache en douceur entre ses doigts, et il entend autour de lui tous les cris de l'Okefenokee.

Le flic se penche et plante son regard dans celui de Walker. « On a besoin de savoir où ton fils est parti. Alors, à ton avis ? Il est dans un sale pétrin.

— C'est vrai ?

— On peut l'aider à s'en sortir.

— Ah oui, sûrement.

— Tu l'auras cherché, le vieux. »

Walker se revoit soudain, une branche résineuse enflammée à la main ; dans le ciel nocturne, une immense traîne blanche se déploie, tout un vol d'oiseaux, et une sentinelle solitaire, immobile, se tient au bord du marais.

« Si t'apprends quelque chose, tu ferais mieux de nous prévenir. C'est pour son bien.

— Sûrement, oui, dit Walker.

— Fais pas le malin avec moi, le vieux. »

Un silence empoisonné flotte dans la pièce.

« Où il est nom de Dieu ?

— Il pourrait bien être en route pour la Californie, à ce que je pense. Il parlait tout le temps de la Californie. Pas vrai, Louisa ?

— Oui, c'est vrai, dit-elle.

— Une petite ville du nom de Mendicino, je crois bien. Il parlait tout le temps de Mendicino. Je sais pas ce qui l'attirait là-bas. Mais il nous bassinait tout le temps avec Mendicino. Le soleil et les vagues. Il avait un faible pour le soleil et les vagues.

— Il est parti se faire bronzer, hein ?

— Je crois pas qu'il en ait vraiment besoin.

— En Californie, alors ?

— Oui, c'est sûrement là qu'il est parti.

— On sait bien que tu nous racontes des salades, dit le flic en allant vers la porte.

— Lui faites pas de mal, dit Walker. Si vous lui faites du mal, j'vous revaudrai ça. C'est un serment que j'fais.

— Une menace, plutôt.

— Lui faites pas de mal, répète Walker. Lui faites pas de mal, j'vous en prie. »

Trois semaines après la visite des flics, Walker emprunte cinquante dollars à Rhubarbe Vannucci et prend le train pour Atlanta, où la police a retrouvé Clarence.

Walker plonge dans la chaleur, de son grand corps courbé, et le voilà devant une fontaine qui porte l'inscription « Gens de couleur », où il avale une gorgée d'eau. Les arbres sont en fleur dans toute la ville. Des quiscales fébriles chantent à tue-tête sur les branches. Des femmes en chapeau aux teintes pastel se protègent le visage des gaz d'échappement. Juste devant la gare, il voit un jeune cireur de chaussures au travail. Le petit garçon lève les yeux et lui sourit. Walker essaie de se rappeler où il a déjà vu cet enfant, mais il ne sait plus.

Il marche en balançant hardiment les épaules, ne voulant pas laisser paraître sa douleur.

Les moustiques semblent s'être réunis pieusement à la fenêtre de sa chambre d'hôtel. La chaleur est si intolérable qu'il ouvre la fenêtre. Les insectes entrent aussitôt en masse, et s'agglutinent autour de lui. Il en écrase quelques-uns, et il lui reste sur les doigts une petite trace de son propre sang. Une cloque apparaît sous son œil. Debout à la fenêtre, il voit trouble : les arbres ne sont que des formes et l'enseigne d'un bar est floue. Il sort de l'hôtel et va au bar d'en face, où il commande un whisky. Une chanteuse de jazz lui lance un regard provocant du haut de son estrade et passe sa langue rose sur ses lèvres d'un air lubrique. Walker repense soudain au petit cireur de chaussures de la gare, et il comprend que ce visage qu'il a vu n'est autre, sans doute, que le sien lorsqu'il était enfant. Il enfouit la tête dans ses mains, renverse tout son whisky, sort, et s'en va dans la nuit.

En traversant la rue, chancelant, il écrase au vol un papillon de nuit. Il chasse les débris restés dans le creux de ses mains. Une antenne filiforme est collée à sa paume : il souffle dessus et cela lui rappelle un autre papillon de nuit, ailleurs, il y a des mois.

Le lendemain matin, il se réveille avec le chant des oiseaux et s'en va à la morgue. Tout l'art des spécialistes des pompes funèbres est impuissant à camoufler les coups que Clarence a dû recevoir : la mâchoire déjetée ; les pommettes tuméfiées et bleuies ; un nouveau bandeau recouvrant une blessure encore plus profonde dans l'orbite. Clarence, lui disent les policiers, a été tué par balle alors qu'il tentait de s'enfuir à travers un dépôt de ferraille dans les faubourgs de la ville. Armé d'un couteau, il aurait fait un casse dans un magasin de spiritueux, et il aurait cherché à se réfugier dans ce dépôt ; une balle l'a touché quand il a glissé sur des bidons à pétrole. On a retrouvé son couteau sur place, et il avait de l'argent plein les poches.

« Voilà ce qui arrive quand on tue un flic », disent-ils.

Walker dévisage les accusateurs de son fils.

« Tu sais, dit un des flics, j'en ai un de ta race accroché à mon tableau de chasse. » Il se triture l'intérieur de la bouche avec un cure-dents. « Il se balance tout en haut. »

Walker a les yeux embués de larmes. Il les retient, se mord la lèvre.

Revenu dans sa chambre d'hôtel, il s'affale sur les draps sales et se laisse assiéger par les moustiques, sans broncher quand il se fait piquer. Il songe un moment à aller revoir l'Okefenokee de son enfance, mais il y renonce. Quand il monte dans le train pour New York, il a le visage boursouflé de cloques rouges. Un contrôleur l'expédie à l'arrière du wagon. Par la portière, il regarde défiler le paysage de l'Amérique.

De retour chez lui, il dort dans le lit de Clarence. Puis il change de place et arrange les oreillers à côté du fantôme de sa femme. Ils se couchent là tous les trois ensemble. La voix de Louis Armstrong jaillit du tourne-disque et berce tendrement son supplice.

Par un jour de semaine blafard, il enterre Clarence, au côté d'Eleanor, dans un cimetière du Bronx. Ses filles et Louisa sont derrière lui.

Il s'agenouille devant la tombe, mais ne dit aucune prière. À présent, les prières ne sont plus pour lui que paroles atones – supplications inutiles qui, à peine prononcées et sorties de la gorge, retombent dans l'estomac. De la régurgitation spirituelle. Il ne veut pas voir les fossoyeurs qui sont là, gras et satisfaits, au-dessus du trou qu'ils viennent de creuser. Il saisit une pelle, jette une première motte de terre sur le cercueil de son fils. Il fait un pas en arrière, prend ses filles dans ses bras, et ils rejoignent ensemble la voiture qui les attend.

C'est une voiture qu'il a louée pour ramener sa famille. Les filles montent dans l'auto, mais Walker décide de rentrer seul. De tristes oiseaux gris l'escortent tout le long du chemin, dans le Bronx, sur le pont, et jusqu'à sa rue, à Harlem – cinq heures de marche –; une fois arrivé, il se dit qu'il va s'attacher à ce canapé, le bras sur l'accoudoir, jusqu'à la fin de ses jours. Même l'idée de vengeance lui semble dérisoire.

Il fixe le plafond, son corps est une chambre noire de néant, creuse, vide. Il admet la nécessité du chagrin – si le chagrin s'efface, le souvenir aussi. Il entretient la douleur pour garder le souvenir, évoquant les gestes d'Eleanor, les repassant dans sa tête. Il s'étourdit à repenser à leur gymnastique amoureuse. Petits éclairs de bonheur surgis de sa mémoire. Il rassemble toute la beauté de leur vie commune, il la soupèse dans ses mains. Même leurs instants les plus banals, devant une tasse de thé, lui reviennent à l'esprit. Il rappelle ensuite le souvenir de Clarence, puis il fait revivre ensemble sa femme et son fils, devant le piano, où il se met à leur parler.

« T'es bien belle, Eleanor, dit-il tout bas.

» Hé, Clar, va chercher la brosse à cheveux de ta maman.

» T'as jamais été aussi belle, mon p'tit loup.

» Merci, fiston, dit-il, saisissant une brosse à cheveux imaginaire. Tu peux nous laisser un petit moment, ta maman et moi ? »

Et après un instant de silence : « Il pousse comme une fleur, pas vrai, El ? »

Les journées passent avec une lenteur perverse. Même le jour est long à s'éteindre. On dirait qu'un présent éternel remet sans cesse l'avenir à plus tard. Walker prend le temps en horreur. Il tourne la pendule face au mur. Le seul jour qu'il reconnaisse est le dimanche, parce que, par la fenêtre, il voit les gens qui vont à l'office. Il est agacé par leurs dents blanches, leur joie, l'assurance avec laquelle ils tiennent leur bible sous le bras. À les voir marcher ainsi sur la pointe des pieds, on croirait que les gospels les portent déjà. Ils vont à l'église pour faire monter leurs voix vers des cieux impuissants. Chanter leur aveuglement à l'unisson. Dieu n'existe que dans le bonheur, se dit Walker, ou au moins la promesse du bonheur.

Il tourne le dos de sa bible vers le mur, la cache derrière d'autres livres et ne la lit plus. Qu'ils aillent dans leurs églises ridicules ! Que leurs chants montent vers les hauteurs ! Faut plus compter sur lui pour implorer Jésus. Il en a terminé avec tout ça.

Il ne va même plus jusqu'à son tourne-disque, il se laisse sombrer dans les replis de son canapé. À côté de lui, un crachoir se remplit du tabac brun qu'il a chiqué. Un matin, il crache une dent gâtée, sans s'en émouvoir. Il repousse les assiettes de nourriture. Ses filles et Louisa lui apportent des tasses de thé qui refroidissent à portée de sa main. La fenêtre est fermée aux bruits de la rue. Il peste à voix basse contre lui-même. Les semaines passant, il dépérit, prend un air égaré, et de grosses poches se forment sous ses yeux. Le crachoir déborde et macule l'accoudoir. Walker met le pasteur à la porte, et il demande à ses filles de dire à Rhubarbe Vannucci qu'il n'est pas là, au cas où l'Italien viendrait lui rendre visite.

C'est à peine s'il lance un regard à son petit-fils dans son berceau ; l'enfant n'est pour lui qu'un vague paquet de chair qui ne signifie rien.

Le soir, Louisa essaie de l'emmener faire sa toilette au bout du couloir, mais il est semblable à un poids mort entre ses mains, et elle capitule. Il ne souhaite qu'une chose : retourner sur son canapé. « C'est là que je veux rester », dit-il. Il laisserait bien son corps sombrer dans l'oubli parmi les coussins, comme l'une de ces pièces tombées là-dessous. Il irait repêcher des débris de lui-même qu'il jetterait au fantôme de Clarence assis en bas sur les marches : des morceaux de bras, de jambes, de doigts, et un globe oculaire, la petite monnaie des disparus.

Il remarque que ses filles commencent à rentrer tard le soir, mais il ne dit rien. Louisa reste avec lui dans l'appartement, des bouteilles de tequila en cercle autour d'elle. Son haleine est chargée d'alcool. Elle passe son temps à fabriquer des colliers indiens pour les vendre sur un marché. Un silence contagieux s'installe entre Walker et elle.

Elle a décidé d'appeler le bébé Clarence Nathan, comme son père et son grand-père. Mais Walker a rejeté le nom d'un geste du bras, c'est assez pour lui de supporter la douleur qu'il lui cause. « Appelle-le comme tu voudras, qu'est-ce que ça peut me foutre ! »

Louisa s'emploie à confectionner un attrape-rêve qu'elle suspend au-dessus de la tête de l'enfant. L'attrape-rêve est fait de brindilles en forme de triangle, de fils entrecroisés, d'une dent de chien, de perles et d'une plume attachée aux perles.

« J'attraperai ses rêves, dit-elle.

— De toute façon, ils iront pas plus loin.

— Faut pas être si amer. Je supporte pas.

— Et si ça me plaît d'être amer, nom de Dieu !

— Alors je pars, dit-elle.

— Pars. Emporte tes bouteilles. Prends toutes tes perles et tes ficelles et ton fil, et entortille tout ça autour de tes litrons pour te faire un radeau, nom d'un chien ! »

Elle ne part pas, elle le regarde s'abîmer toujours plus profondément dans son divan. Par moments, elle lui fait de la cuisine et s'y applique avec une grande tendresse, même lorsqu'elle est ivre – du poulet au four, du riz et des haricots, des sandwichs au concombre –, mais elle boit de plus en plus. Elle achète des bouteilles d'une contenance plus grande, qui font une grosse bosse dans les sacs de provisions où elle essaie de les dissimuler. Parfois, elle verse un peu de tequila dans ce qu'elle cuisine, pour en sentir l'odeur pendant qu'elle est penchée au-dessus du fourneau.

Et puis, un matin, en sortant des toilettes, elle entend Walker marmonner tout seul. Elle est surprise par sa voix, aux accents clairs, profonds, déments.

« J'parie qu'il a rien vu de tout ça, dit-il. J'parie qu'il a rien vu du tout.

— Quoi donc ? demande-t-elle.

— Rien.

— Qu'est-ce que vous dites ?

— Rien.

— Vu quoi ?

— Rien du tout, nom de Dieu ! hurle-t-il. Ils ont tiré sur lui dans un dépôt de ferraille ! Il a jamais réussi à rien voir de ce que je lui parlais ! Jamais vu une grue ! Il aura même pas vu une grue ! C'est ce que je désirais pour lui ! Depuis sa naissance ! Je voulais qu'il voie une grue danser ! Me regarde pas comme ça ! Si tu trouves ça idiot, tu peux aller te faire foutre ! Va te faire foutre ! Je voulais qu'il voie une grue ! C'est ça que j'voulais ! Même ça, j'ai jamais pu lui montrer ! »

Ces lamentations déchaînent une tempête dans sa poitrine, et il suffoque. Louisa pose la main sur son épaule ; il la repousse brutalement, et du tabac lui dégouline sur le menton.

Elle se dirige vers la cuisine, le laissant dans le silence, mais soudain elle se retourne, le regarde, et lui dit : « Un jour, j'en ai vu vingt-sept. »

Walker ne répond pas.

« Près de la caravane où ma famille habite, dans le Dakota du Sud. »

Il se balance doucement sur le canapé.

« Au bord d'un lac. Une par une, et puis toutes ensemble, un vol entier. C'était boueux au bord, le sol était mou, elles ont laissé les empreintes de leurs pattes. Et puis les empreintes ont cuit au soleil. Elles sont restées là toute une saison. Je passais dessus en vélo. Quand la pluie les a effacées, je me suis mise à pleurer. Comme j'arrêtais pas de pleurer, mon père m'a giflée. »

Louisa déplace le crachoir et s'assied sur le bord du canapé.

« Les grues sont revenues à la saison suivante, mais je trouvais que j'avais passé l'âge de faire du vélo. En plus, mon frère prenait les pneus pour fabriquer des lance-pierres. Il y avait plus moyen de faire du vélo, même si j'en avais eu envie.

— Vous étiez pas mariés tous les deux, hein ?

— On nous a pas laissé le temps.

— Alors l'enfant est un bâtard.

— Ne dites plus jamais ça, vous m'entendez ? N'appelez jamais mon fils comme ça.

— Clarence, ils l'ont battu à mort, dit Walker.

— Je veux pas y penser. Y a des choses qu'il faut oublier.

— Et des choses qu'il faut pas oublier, reprend Walker. Ils ont assassiné mon fils. Ils lui ont mis le canon de leur revolver en plein dans l'œil. Ils lui ont fait une tombe dans la tête.

— Taisez-vous, dit-elle. Ça suffit ! bon sang. Écoutez ! Vingt-sept grues. J'avais jamais rien vu d'aussi beau. Elles allaient et venaient. Elles s'élevaient dans le ciel, les ailes déployées. Et elles tournaient, tournaient, tournaient. »

Ils ne bougent ni l'un ni l'autre, mais, au bout d'un moment, Walker change de position sur le canapé et dit à Louisa : « Alors fais-le.

— Quoi ?

— Montre-moi.

— Vous êtes fou.

— S'il te plaît. Montre-moi.

— Vous devenez fou. Laissez-moi.

— Allez, dit-il. Si tu te rappelles si bien, vas-y, fais-le.

— Nathan !

— Fais-le ! » hurle-t-il.

Louisa baisse la tête et se verse un grand verre de tequila. Elle ne sourcille même pas quand l'alcool lui descend dans la gorge. Elle regarde Walker et hésite un instant. Elle ferme les yeux un petit moment. Puis elle sourit, en se moquant presque. Elle s'essuie les lèvres, tend un bras, ricane et s'arrête.

« Vas-y », dit Walker.

Elle se met à danser : pommettes hautes, cheveux épars, dents très blanches, une robe grise, sans chaussures, ses pieds bruns inspirés sur la carpette élimée. Gêné, Walker tourne légèrement la tête, mais son regard revient sur Louisa, sur ses mains tendues, ses bras qui tournoient, ses pieds qui vont et viennent, accomplissant des gestes quasi originels, qui se dissolvent par-delà les limites de son corps. Walker sent ses tempes battre, quelque chose de primitif se réveiller en lui, une bouffée de joie monter lentement, l'envahir, le réchauffer, au point de lui donner la chair de poule. De son canapé, il continue à regarder. Il sait que Louisa a de l'alcool dans le sang, mais il ne veut pas y penser ; il laisse ce mouvement l'envelopper, le revigorer, se fondre en lui, ancestral et superbe. Et quand Louisa commence à perdre haleine, Walker se lève maladroitement, il lui prend la main, et elle cesse de danser. Il lui touche la joue. Elle baisse le menton. Ils se taisent un moment, puis il lui dit tout bas, avec un sourire : « T'étais ridicule à danser comme ça, tu sais. »

Elle pose la tête sur son épaule, et ils s'esclaffent longuement tous les deux, pourtant, Walker a toujours la chair de poule.

« On a encore une chose à accomplir, dit-il à Louisa plus tard dans l'après-midi.

— Quoi donc ?

— Un rituel familial.

— Un rituel ? »

Il s'étonne lui-même de pouvoir bouger ainsi, de recouvrer dans les genoux une étrange souplesse. D'un doigt, il fait signe à Louisa d'approcher. Côte à côte, ils se penchent au-dessus du berceau en écartant l'attrape-rêve et, après avoir répété une première fois, ils prononcent ces paroles à l'adresse du bébé : « T'es sacrément beau, Clarence Nathan Walker ! »

Des années plus tard, à l'époque des émeutes, des hippies et des poings noirs peints sur les murs, Walker et son petit-fils sont assis ensemble dans l'église en sous-sol de Saint Nicholas Park, où Eleanor a été baptisée autrefois. Le nouveau pasteur, un jeune, raconte l'histoire d'Ézéchias, roi de Juda. Il n'y a pas de bruit. Walker et l'enfant sont assis l'un à côté de l'autre, leurs cuisses se touchent, mais ce contact ne les gêne pas. Il fait chaud. Ils s'épongent avec un mouchoir. Le pasteur n'en finit pas de pérorer sur la tolérance, la nécessité de garder la foi et de poursuivre la lutte.

Le grand-père et le petit-fils n'écoutent pas vraiment le sermon, mais voici que le pasteur se met à parler d'un tunnel de l'Antiquité.

Walker donne un coup de coude au petit garçon et lui dit : « Écoute !

— Quoi donc ?

— Écoute bien. »

Ézéchias, dit le pasteur, voulut relier par un tunnel deux bassins d'eau, le bassin de Siloé et le bassin des Vierges. Une équipe d'ouvriers se mit au travail à partir de chacun des deux lacs, en se jurant de se retrouver à mi-distance. Sous terre, les terrassiers creusèrent de plus en plus loin, espérant se rejoindre. Leurs calculs étaient mauvais, et ils se manquèrent. Les hommes poussèrent des cris de colère et de désillusion mais, dans leur fureur, ils furent stupéfaits de percevoir vaguement à travers le rocher le son des voix de l'autre équipe. Ils changèrent donc de direction. Le travail reprit dans les deux tunnels. Les haches et les pelles allaient bon train. Les couloirs souterrains faisaient toutes sortes de méandres. Les hommes se fiaient au bruit des voix, toujours étouffées par le rocher. Mais les sons devinrent plus distincts, les deux équipes se rapprochèrent, et puis les pioches se rencontrèrent avec maintes étincelles et les voix se rejoignirent. Quand ils eurent déblayé ce qui restait de rocher, les hommes purent voir de près leurs visages las. Ils tendirent alors les bras et se touchèrent pour s'assurer qu'ils étaient bien réels. Le tunnel avait la forme d'un S gigantesque, mais bientôt, malgré l'échec initial, l'eau se mit à couler entre les deux bassins.

11

Comme Dieu l'a voulu

Un soleil d'hiver s'amarre dans le ciel pour la journée et commence à faire fondre la neige, de sorte que Treefrog entend les voitures là-haut frayer leur chemin dans la gadoue. Mais, dans le tunnel, le vent cingle, chargé d'un froid pénétrant. Trente-deux jours de neige et de glace. L'hiver le plus cruel qu'il ait connu. Il relève le capuchon de son sac de couchage et se couvre le visage avec une chemise dont il sent les boutons comme des glaçons sur son nez.

Le mieux est de rester au lit toute la journée, se dit-il, mais Castor grimpe à côté de lui, passe le nez sous la chemise, et le poitrail de l'animal pèse sur son visage.

Toujours dans son sac de couchage, il réussit à enfiler une ou deux chemises de plus et ses gants, puis il sort d'un bond, attrape un carton de lait dans le Goulag – le liquide est pris en glace. Il éventre le carton d'un coup de couteau et un cube de lait tombe dans la casserole. Il se dépêche de le faire chauffer sur un petit feu. Castor lape ce festin, et puis elle saute sur le matelas et se love dans les couvertures, sa fourrure blanche presque phosphorescente dans le noir. Treefrog sort un vieux thermomètre d'une boîte d'enjoliveurs et va prendre la température partout : près de la stalactite, devant le mur de glace, sur les voies, dans la caverne du fond, près du feu de signalisation de Faraday, dans le Goulag, devant le foyer, et sur la table de chevet, où il ne marque que − 10 °C – quel froid ! Un sacré froid !

Il réchauffe le thermomètre avec son haleine pour le faire monter jusqu'à 4 et pisse à grand-peine dans une des bouteilles.

Il est temps d'aller les vider là-haut.

Avec Castor à l'intérieur de sa chemise, il sort du tunnel par la grille : la lumière vive lui blesse les yeux. Il met ses lunettes de soleil et il écrit son nom en versant le liquide sur tout ce blanc, près des pommiers sauvages, mais il n'en a pas assez pour aller jusqu'au bout du mot. Il détache d'un arbre une brindille glacée avec laquelle il grave les dernières lettres.

Déjà deux semaines et demie impitoyables de glace et de neige. Il devrait peut-être cocher les jours dans la pierre près du Goulag.

Il longe la courbe de l'autoroute et descend vers les bancs publics au bord de l'Hudson.

Toujours de la glace sur l'eau : il se demande à quelle distance sa grue a été entraînée du côté de la mer. En face, de l'autre côté du fleuve, il y a du soleil sur le New Jersey.

Angela est assise, seule, sur le banc. De la neige s'est amoncelée autour de ses chaussures.

« Hé-ho », dit-il, mais elle ne répond pas.

Elle a étalé un sac de plastique bleu sous elle pour que ses vêtements ne prennent pas l'humidité. Treefrog s'assied sur le haut dossier. Il prend Castor et la pose sur les genoux d'Angela ; la chatte se met en boule, contente de se faire caresser.

« Belle matinée, dit Treefrog, belle matinée.

— Non.

— Qu'est-ce qu'il y a ?

— J'veux me laver les cheveux.

— Viens dans mon nid. Je te ferai bouillir de l'eau.

— Pas question. Je grimpe pas là-haut. »

Elle remonte son écharpe autour de son cou.

« Pourquoi qu'il fait si froid et qu'il y a quand même du soleil ?

— La réfraction, dit-il. Le soleil rebondit sur la neige.

— Ah ouais ? Qu'est-ce que t'es malin, toi alors ! La seule chose qui rebondit sur la neige, c'est tes conneries. » Pourtant, au bout d'un moment, elle lui dit : « Tu sais quoi ? Quand j'habitais dans cette maison avec la véranda, on avait de l'eau chaude tout le temps. Elle était rouge, parce qu'il y avait trop de fer dedans, et j'aimais pas me laver les cheveux parce qu'après ils étaient tout raides et je pensais que ça leur donnerait une couleur dégueulasse, mais maintenant je serais bien contente de pouvoir me laver les cheveux dans cette eau-là, je passerais bien mes journées à me les laver dans cette eau dégueulasse, et même mes nuits.

— Là, au moins, ils seraient propres.

— Ils sont pas sales, espèce de salaud.

— C'est pas ce que je voulais dire.

— Je les laverais même l'après-midi si j'avais le temps. »

Treefrog ajuste ses lunettes. « Au fait, Elijah, où il est ?

— Parti chercher son fric de la Sécu. Cinq cents tickets par mois.

— Merde, il a une adresse ?

— Il a un copain qu'a un appart, alors ils ramassent le fric et après ils vont au ravitaillement. J'espère qu'il m'en gardera un peu. Il a dit qu'il allait m'en garder.

— C'est pas bon pour toi, ce truc-là », dit Treefrog.

Elle ricane et regarde ailleurs.

« Dis donc, Angela, ces fameux rats, tu les as tués finalement ?

— Je t'ai déjà dit, celle qu'est enceinte est enceinte. Elle s'appelle Skagerrak.

— Hein ?

— C'est des rats norvégiens, c'est Papa Love qui m'l'a dit, alors j'lui ai demandé un nom norvégien, un bout de mer, par exemple, et il m'a dit Skagerrak et Barents, alors je les ai appelés comme ça.

— T'as parlé à Papa Love ?

— Il était en train de finir ce type, là, Edison.

— Faraday.

— Ouais, ouais, comme tu veux.

— Et tu lui as posé des questions sur les rats ?

— Ouais.

— Et tu leur as donné un nom ?

— Ouais, qu'est-ce que ça peut te faire ?

— Maintenant, je comprends.

— La femelle est sympa. Elle vient tout à côté de moi. Un de ces jours, elle va venir me prendre le pain dans les mains.

— Merde alors ! »

Ils gardent le silence un long moment, lui, haut perché sur le dossier du banc, contemplant l'eau qui dort.

« La mer est belle, dit-elle.

— C'est pas la mer, c'est l'Hudson. La mer est par là. »

Elle avance les lèvres comme si elle allait donner un baiser dans le vide. « Tu sais quoi ? J'ai toujours eu envie de voir la mer. Quand on était dans l'Iowa, on avait une voiture, une Plymouth Volare, un tas de merde tout cabossé, tu vois, et avec mes sœurs on était assises à l'arrière, et on disait : *Ma mère voit la mer et la mer voit ma mère.* Et mon père nous disait "On va à la mer". Mais on tombait toujours en panne d'essence, alors il donnait des coups de pied dans ce tas de merde cabossé et il nous disait d'attendre une minute. Il s'en allait chercher de l'essence – il avait un bidon vide dans le coffre –, mais il s'arrêtait dans un bar et c'est comme ça que ça se terminait. Et nous, on restait là sur le siège arrière à chanter cette chanson idiote : *Ma mère voit la mer et la mer voit ma mère.* Une fois, on a essayé de rentrer chez nous à pied à travers champs, le maïs était bien plus haut que nous, alors on a eu la frousse et on est revenues à la voiture.

— Il y a plus rien qui t'empêche d'aller la voir, à présent.

— Non, peut-être bien.

— Tu devrais y aller. Tu devrais prendre le métro jusqu'à Coney Island, c'est chouette là-bas. »

Il vient s'asseoir sur le banc, tire un bout du sac en plastique et s'installe à côté d'elle, mais elle se détourne. « Hé là », s'écrie-t-il, surpris.

Elle se cache le visage. « Laisse-moi tranquille.

— Qu'est-ce qui t'est arrivé ?

— Rien.

— Il t'a cognée, c'est ça ?

— Je suis tombée, et merde, laisse-moi tranquille.

— Quand est-ce qu'il t'a battue ?

— Tu fais chier, t'as compris ? Tu me fais chier comme jamais. J'suis assise là, bien au calme, et toi tu ramènes ta fraise. Tu peux pas me laisser tranquille, bon Dieu ?

— Tu devrais aller dans un centre.

— T'as déjà été dans un de ces trucs-là ? Y a que des femmes avec les os en miettes, les oreilles arrachées et tellement de trous entre les dents qu'on y ferait passer une rame de métro.

— Pourquoi tu restes avec lui ? »

Angela met la main dans sa poche et en sort un tube vide avec un bouchon orangé qu'elle fait tourner entre ses doigts en souriant.

« Tu devrais arrêter de prendre cette merde.

— Oui, m'sieur, monsieur Treefrog Prêchi-Prêcha, soupire-t-elle. Ça a pas plu à Elijah que je donne un nom à mes rats. Il trouvait ça idiot. Il disait qu'il allait les tuer. Ramener du poison et leur faire bouffer. Ou alors, peut-être, prendre un chat.

— Il aime pas les chats.

— Maintenant si. C'est juste des bêtes, comme toi et moi. »

Alors Treefrog se souvient qu'une fois, au printemps – quand il était très bas, dans ses plus mauvais jours –, il s'est endormi avec un morceau de pain près de son oreiller. Quand il s'est réveillé, un rat lui avait mangé un petit bout de l'oreille droite, en haut. Le sang a coulé sur son visage et séché dans sa barbe. Il a poursuivi le rat à l'arrière du nid. Il y avait des petites crottes brunes partout au fond de la caverne. Treefrog tournait dans le noir, tellement désorienté qu'il s'est éraflé l'oreille contre le mur, et du coup, il avait de la poussière noire plein sa blessure. Il l'a nettoyée avec de l'eau et désinfectée avec du gin ; il a déchiré une bande dans un T-shirt blanc pour se faire un pansement qu'il a passé autour de sa tête et sous sa barbe. Des jours durant, il a été transpercé par des éclairs de douleur dans l'oreille. Il craignait d'en perdre l'équilibre. Il ne cessait de se pincer l'autre oreille avec un ongle, à tel point qu'une fois il est rentré dans la chair, mais la blessure était bénigne. Il oubliait de changer son pansement et, pendant un moment, Papa Love l'a surnommé Van Gogh, mais son oreille a fini par guérir et le surnom ne lui est pas resté. Un mois plus tard, il a pris le rat dans un piège, sous sa bibliothèque. L'animal se tortillait en piaillant sous la tige de métal qui le retenait. Treefrog lui a défoncé le crâne avec sa clé à écrous, et le rat a poussé un dernier cri. Treefrog l'a emporté là-haut, il a creusé un petit trou dans l'herbe au bord du fleuve, et il l'a enterré en grande pompe – qui sait si, par ce bout d'oreille, l'animal ne pouvait pas encore écouter les secrets de son esprit et de son corps.

« Oui, j'en sais quelque chose, réplique-t-il.

— Tu crois qu'il va reneiger ? lui demande-t-elle. Tu sais quoi ? poursuit-elle en regardant le fleuve, j'avais un oncle, il savait prédire le temps. Il sentait venir l'orage à des millions de kilomètres. Il était là dans les champs de maïs, et il disait : "Y a un orage qu'arrive." Ou bien : "Le soleil va venir." Ou alors : "Y a une tornade qu'approche." Il était comme le temps. Il avait la figure du temps. Et moi, Treefy, tu trouves que je suis comme le temps ?

— Tu brilles comme le soleil.

— T'es gentil, Treefy. Seulement, le soleil, ça donne le cancer.

— T'es sûre ?

— C'est bien connu.

— Donne-moi une cigarette.

— Ça aussi ça donne le cancer. Le soleil et le tabac. »

Elle fait sauter la fermeture dorée de son sac, plonge la main tout au fond, sort une cigarette à moitié aplatie et la roule entre ses doigts pour lui redonner sa forme. Il la lui allume et elle essaie de ne pas lui envoyer la fumée dans la figure ; mais le vent la rabat. Elle tire cinq bouffées comme une enragée, puis elle lui passe la cigarette, et Treefrog la tient amoureusement. Au moment où la fumée lui arrive dans les poumons, une pensée lui vient au tréfonds de lui-même.

« Je voudrais faire la carte de ta figure.

— La carte de ma figure, qu'est-ce que tu racontes ?

— Une carte, quoi, c'est tout.

— Les cartes, c'est pour ceux qui roulent en voiture, enfoiré.

— Allez viens, on va essayer.

— Où ça ?

— Dans mon nid.

— Non, non, moi je grimpe nulle part. Tu veux juste baiser un coup.

— Coucou.

— Qui est là ?

— Treefrog.

— Treefrog qui ?

— Treefrog baise-moi.

— C'est même pas drôle.

— Ça voulait pas être drôle. Allez, viens, je vais te montrer. »

Il lui repasse la cigarette et elle aspire fort, malgré le filtre qui brûle. « Des cartes ? dit-elle.

— Oui, j'ai des cartes. J'en fais, des fois.

— Ça te sert à quoi de faire des cartes, bordel ? C'est pas comme si tu voulais aller quelque part. »

Dans l'obscurité, en dessous de son nid – car elle refuse de monter –, il ferme les yeux et passe les doigts sur le visage d'Angela, d'un côté. Au début, elle tremble, mais il s'interrompt jusqu'à ce qu'elle se calme, et alors, détendue, elle lui dit : « C'est idiot, ce truc. »

Les doigts de Treefrog se déplacent avec lenteur et précision. Il va tirer un trait de l'oreille au nez, une ligne parfaitement droite, sinon la transcription serait inexacte. Il part du bord extérieur de l'oreille – il a retiré ses gants pour plus de rigueur, il a craché sur ses doigts, enlevant la poussière du tunnel, et il les a essuyés sur son pardessus. Il passe du bord de l'oreille au petit pendentif charnu tout en bas, mesurant cette infime distance du bout de l'index. Quand il l'a déterminée, il ouvre les yeux et prend un morceau de papier quadrillé et un crayon dans la poche de son pardessus. Il tire deux traits, l'un vertical, l'autre horizontal, qui se rencontrent sur un axe fixe et immuable au centre du papier. Le vertical pour l'altitude, l'horizontal pour la distance. Il allume son briquet d'une main, puis de l'autre, et il note l'altitude de l'oreille, le bout et le lobe : deux petits points au crayon sur son papier millimétré.

Il faut qu'il procède avec prudence : il n'a presque plus de gomme, et il ne veut pas faire d'erreur. Fermant les yeux de nouveau, il repasse son doigt le long de l'oreille – ce ne sont que replis et arêtes – et elle pousse un « Ahhh ! ».

Un silence pénible règne dans le tunnel, on n'entend que le passage rapide des voitures au-dessus, un bruit si constant qu'on ne le remarque même plus. Ses doigts hésitent au centre de l'oreille, près du puits du tympan, et il sent Angela parcourue d'un tremblement nerveux dans tout le corps.

« J'aime pas quand tu me touches à cet endroit-là », s'écrie-t-elle, mais il lui dit que ça va ressembler à un lac miniature. Une autre fois, réfléchit-il, il partira d'un point différent, du lobe peut-être, où la boucle d'oreille manquante fera comme une espèce de trou de lavabo. Angela change de position et allume une autre cigarette. Il ne veut pas la toucher pendant qu'elle fume ; il prétend que cela fausserait la lecture, car ses joues se creusent quand elle tire sur le filtre. Elle fume la cigarette jusqu'au bout, et Treefrog l'écrase sous son pied.

Il referme les yeux et passe sur l'oreille jusqu'à ce que son doigt atteigne le point sensible sur le côté du visage, juste en haut de la mâchoire.

« T'es sûr que t'as les doigts propres ? demande-t-elle.

« — Ouais », répond-il tout bas.

L'os forme une toute petite arête : il l'indique sur son graphique. Angela est calme à présent, elle aussi ferme les yeux. Treefrog hume l'air à grands coups de tête, et il croit bien sentir une délicieuse odeur de moisi, mais elle sursaute quand il touche la meurtrissure au milieu de sa joue – topographie de la violence – et il essaie de l'effleurer à peine à l'endroit où la peau doit être toute bleue.

« Ça fait mal.

— Pardon. »

Si elle pleure, s'interroge-t-il, va-t-il réussir à contenir les larmes avec ses doigts, afin d'arrêter juste un instant les molécules fuyantes et de les inclure à jamais dans son visage ? Mais elle ne pleure pas, et il avance un peu plus vite, en s'éloignant de l'endroit meurtri. La peau fait une petite bosse en direction du nez, à l'endroit où il s'évase.

« T'as un beau nez », lui dit-il, tandis que ses doigts commencent l'ascension d'un os qui semble avoir été cassé plusieurs fois. Il aborde les narines et parvient au centre même du visage, s'attarde le long de la joue.

« Alors, t'as fini, grand connard ?

— Il faut que je fasse l'autre côté.

— Pourquoi ?

— Parce que tu peux pas avoir que la moitié de la figure.

— Et si Elijah nous voit ?

— Je ferai la carte de son poing. Ça sera comme une arête avec une grosse bosse au bout. »

Elle ricane doucement.

« Reste tranquille, bon Dieu. »

Treefrog lève la main gauche et touche l'oreille droite d'Angela, se rappelant le parcours exact de ses doigts sur l'autre côté de son visage. Il est essentiel qu'il touche autant avec une main qu'avec l'autre. Ses doigts font la traversée de la joue – de ce côté-ci, pas d'ecchymose – et c'est avec une infinie tendresse qu'il établit la géographie d'Angela. Quand il a terminé, il grimpe dans son nid, rapporte quatre couvertures, et ils vont s'asseoir près de *L'Horloge molle*. Un train passe à toute vitesse à trois mètres d'eux à peine. Treefrog relie les points sur le papier quadrillé en léchant la mine de son crayon, obtenant ainsi une ligne foncée et visible.

Il travaille avec soin, veillant à faire des traits bien raccordés, réguliers et fermes, des courbes douces entre les points, un dessin qui ne soit ni nerveux ni fouillis. Il ne se sert pas une seule fois de sa gomme. Il change son briquet et son crayon de main, car ses doigts tremblent de froid. Angela se penche sur l'épaule de Treefrog pour regarder, y appuie son menton et lui dit : « J'ai jamais rien vu d'aussi idiot. »

Quand il a fini, Treefrog tient le papier en l'air et montre à Angela les hauteurs et les ondulations de son visage – ces gorges, ces crêtes, ces lits de rivière et ces vallées suspendues qu'elle est devenue.

« Hé-ho, dit-il à la feuille de papier.

— C'est moi, ça ?

— Voilà tes oreilles, ton nez, ta joue.

— Ça en fait des bosses !

— Je peux modifier l'échelle, dit-il.

— Tu veux me faire plaisir, Treefy ?

— Ouais.

— Enlève la marque de coup, là. »

Il la regarde et lui sourit.

Il gratte le bout de la gomme avec ses ongles pour être sûr qu'elle ne laisse pas de trace noire sur le papier, et il efface la petite butte à l'endroit de l'ecchymose. Elle l'embrasse sur la joue et lui dit d'une voix douce : « Docteur Treefrog. »

« Si je faisais des relevés partout sur ta figure, j'aurais la carte complète. Il y aurait toutes les courbes de niveau, et voilà ce que ça donnerait. »

Il trace une série de cercles déformés.

« T'aurais le nez comme ça, et l'oreille comme ça. Et tes lèvres, elles seraient fantastiques. Comme ça.

— Où t'as appris à faire tout ça ?

— J'ai appris tout seul. Ça fait longtemps que je dessine des cartes.

— T'en as déjà fait pour quelqu'un d'autre ?

— Oui, pour Dancesca.

— Qui c'est ?

— Je te l'ai dit. Et Lenora aussi. Ma petite fille.

— Où elle est ?

— Je sais pas.

— Moi non plus, personne sait où j'suis », dit Angela.

Walker est assis près de la fenêtre. L'appartement a été agrandi quand le propriétaire s'est fait prendre pour violation de la réglementation sur le logement. La vue a changé ces dernières années – le soleil est caché par de grands ensembles qui se dressent en travers de la ville. Des immeubles gigantesques, bruns et gris, qui barrent l'horizon d'un front sinistre. Du linge sèche aux balcons. Les jeunes communiquent par les fenêtres voisines avec des boîtes en fer au bout d'une ficelle. On reconnaît les suicides à la durée des cris.

Avec lui, dans l'appartement, il ne reste que Louisa et le petit garçon. Les deux filles l'ont quitté pour se marier, Deirdre avec un installateur de conduites dans les gisements de pétrole du Texas, et Maxine avec un soudeur de Philadelphie. Elles ont peu à peu disparu de sa vie. Parfois, il arrive des photos de leurs enfants, avec du retard, comme s'ils avaient déjà un an ou deux à la naissance. Souvent, Walker songe à faire le voyage pour aller les voir, mais ça ne se réalise jamais : son compte en banque ne le lui permet pas.

Il passe la majeure partie de son temps assis près de la fenêtre à regarder Clarence Nathan, son petit-fils de dix ans, qui joue seul dans un terrain vague de l'autre côté de la rue.

Parfois, dans l'appartement, Louisa danse. Walker oriente le canapé vers le milieu de la pièce, il s'enveloppe les jambes dans une couverture et pose une tasse de thé en équilibre sur l'accoudoir. Clarence Nathan regarde lui aussi – il regarde les bras de sa mère se déployer au rythme d'un chant muet et ses pieds aller et venir délicatement tandis que le gros rire de Walker se mêle aux sirènes de la ville. Louisa rentre la tête dans la poitrine, comme au creux d'une aile. Puis la redresse. Ses bras soulevant tout le poids de l'air, elle est en partance pour le ciel, fantasme de mouvement et de géométrie. Mais, au cours des dernières années, Walker a remarqué des changements de rythme. De sa place, sur les coussins moelleux, il voit les gestes de Louisa devenir peu à peu mécaniques et saccadés, perdre de leur maîtrise. Grande, les jambes longues, elle a désormais l'air d'une chose blessée. Elle ne déploie plus les bras comme avant. Ses pieds ne sont plus aussi inspirés. Elle a le souffle irrégulier. Elle a perdu de cette rudesse primitive d'autrefois et elle ne tournoie plus de la même façon. Il lui arrive de chanceler un instant au bord du tapis, comme si la fluidité de ses mouvements se diluait dans la tequila, où elle croit justement la trouver. Une bouteille et demie par jour. Le matin, à peine sortie du lit, elle va droit au buffet et avale sans broncher une première gorgée. Elle adore décoller la moitié des étiquettes en les grattant avec les ongles. Il lui arrive de se cacher dans les toilettes pendant des heures, et quand elle en sort la bouteille est vide.

Louisa porte autour du cou un collier de coquillages enfilés sur une tresse blanche. Ils cliquettent quand elle bouge. Elle est toujours un peu étourdie, dit-elle ; un médecin lui a prescrit des pilules pour l'aider à guérir. Elle en avale à pleines poignées et reste éveillée pendant des heures. Elle va en boîte tard dans la nuit, rentre dans un état d'agitation extrême, se retourne en tous sens dans son lit solitaire à côté de son fils, cheveux épars. L'après-midi, elle ne se réveille que pour donner à l'enfant un baiser hâtif, puis elle retombe sur son lit sans un mot.

Les hommes défilent à la porte de l'appartement, et Walker a remarqué, avec un sentiment de honte grandissant, que Louisa porte maintenant des jupes qui lui découvrent les cuisses.

Des objets se sont mis à disparaître dans la maison : un vase, une cuiller à soupe, un cadre de photo, mais pas la photo.

« T'as pas vu le cadre de Clarence ? lui demande Walker. Il a l'air tout nu, comme ça, sans rien autour.

— Non, je l'ai vu nulle part, dit-elle.

— Il serait pas au clou par hasard ?

— Ça va pas, non. Vous me prenez pour une voleuse ?

— Te fâche pas. C'est pas ce que je veux dire, tu sais bien.

— Je lui ai chouré son cadre, c'est ça que vous voulez dire ?

— Mais non. Excuse-moi. C'était juste un coup de gueule. Faut pas faire attention.

— Après tout ce que je fais ici ? La cuisine, et le ménage. Et votre petit-fils, vous l'avez près de vous grâce à qui ? Je pourrais vivre ailleurs, vous savez, j'ai

220

que l'embarras du choix. Et vous venez dire que je suis une voleuse ?

— Je me demandais juste où ce cadre est passé.

— Eh ben, vous demandez pas.

— Au fait, lui dit Walker au bout d'un moment, tu te demandes pas des fois ce qui a bien pu pousser à la place de son œil ?

— Quoi ?

— L'œil de Clarence. En Corée. Quelle sorte de plante, je veux dire. C'est lui qu'a dit ça y a longtemps, qu'il pousserait peut-être quelque chose à la place de son œil.

— Vous êtes malade ou quoi ? Je sais pas de quoi vous parlez. Tous ces temps-ci, vous me dites que des trucs qu'ont aucun sens, bordel.

— Jure pas devant le petit.

— Je jure quand je veux.

— Des fois, je me dis que c'est peut-être un gros chêne d'Amérique.

— Ça existe pas, un chêne d'Amérique.

— Ou un châtaignier, des fois.

— Pas de châtaigniers en Corée.

— Ou alors un érable.

— Je sors un peu, dit-elle en se détournant.

— Où tu vas donc ?

— Je sors, c'est tout.

— Méfie-toi. Ta jupe, là, il va bientôt plus en rester. Oublie pas de siffler dans la rue, qu'ils t'entendent arriver.

— Très drôle. »

Elle pousse un soupir.

« Vous vous occuperez de Claren ?

— Dieu du ciel !

— Alors ?

— Tu sais bien que je m'occupe toujours de lui.

— Merci, dit-elle, en posant brusquement un baiser sur le front de Clarence Nathan.

— Seigneur ! » s'écrie Walker pendant qu'elle s'en va.

Un soir, en rentrant, Louisa réveille Walker, et, les pupilles révulsées, elle veut absolument exécuter sa danse pendant que l'enfant dort. Un doigt sur la bouche pour faire signe à Walker de se taire, elle se place au milieu de la pièce. La blancheur de son collier de coquillages se détache sur sa peau brune. Elle a la tête entourée d'un mince foulard bleu, auquel sont attachés quatre autres foulards qui lui tombent sur les reins et se mêlent à ses cheveux crasseux. Elle tourne et tourne et lance les bras en l'air, et pendant un moment Walker est sous le charme, puis, soudain, elle perd le contrôle d'elle-même, tombe et, comme dans un film au ralenti, un pied se dresse, ses bras font des demi-moulinets, elle s'écorche un coude par terre et s'effondre contre le buffet. Sa tête heurte une poignée métallique.

Walker, en pyjama, se met debout tant bien que mal et la relève. Il se penche sur elle et perçoit une vague odeur de vomi dans son haleine. Il est rassuré de voir qu'elle ne saigne pas ; elle n'a qu'une égratignure sur le front.

Il déboutonne la manche de son corsage pour lui prendre le pouls et c'est alors qu'il voit, à l'intérieur du poignet, tout un bracelet de petites marques.

« Retourne au lit, dit-il à son petit-fils qui est debout à côté de lui, bien réveillé.

— Qu'est-ce qui s'est passé, grand-père Walker ?

— Va te recoucher. Ta maman a eu un petit malaise, c'est tout. »

Walker est soulagé de sentir le pouls de Louisa, si faible soit-il – un peu comme le souvenir très lointain d'un canoë qui tourne dans le marais. Il la soulève, l'assoit et lui tapote le visage pour la faire revenir à elle.

Tu vois, fiston, la grue, quand elle avale un poisson, c'est toujours la tête la première. N'importe quel poisson, c'est pareil. C'est jamais la queue qui descend dans le gosier en premier. Sans ça, les écailles lui arracheraient le gosier. Alors elle le mange en commençant par la tête, et ça glisse tout seul. C'est bien connu. Les grues, elles font ça d'instinct. Elles sont pas folles. Elles s'y prennent comme Dieu l'a voulu. Je les ai vues, de mes yeux vues.

Clarence Nathan a reçu l'équilibre en héritage. Pendant que sa mère s'abrutit dans la drogue et que son grand-père est cloué de douleur sur son canapé, il aime grimper sur le toit de l'immeuble pour porter son regard au-delà de Harlem – derrière son architecture de grands ensembles, d'églises en brique rouge, de funérariums, ses plâtres tarabiscotés, ses terrains vagues et ses parcs publics – et voir au loin les gratte-ciel qui enjambent Manhattan.

L'héroïne circule sur le toit de l'immeuble, des liasses de billets passent de main en main, mais les drogués laissent Clarence tranquille. Pendant qu'ils se défoncent, ils aiment bien le voir marcher tout au bord, comme un acrobate, à vingt-cinq mètres de hauteur au-dessus de la rue. Ils l'incitent à aller plus vite, à courir sur le rebord étroit.

Le jeune homme évolue, vision hallucinatoire, doué de toutes les possibilités. Il ne fait jamais un faux pas, et il peut même faire le poirier, les bras tremblant très légèrement quand il regarde le ciel la tête en bas.

Il ne pense jamais au danger. Son cœur ne flanche jamais. Son sang coule de façon égale dans toutes les parties de son corps.

Un jour, à l'école, il est allé au gymnase, il a grimpé à la corde jusqu'au plafond et il s'est accroché la tête en bas : un maître l'a vu pendu au-dessus du vide avec la corde autour du pied, nouée à la cheville. Il était immobile, son corps ne se balançait même pas. Le maître l'a reconnu, à cause d'incidents antérieurs – il s'était fait coincer et battre par les autres bien des fois. Il a cru un instant que Clarence Nathan s'était pendu, mais le jeune homme a poussé un cri, s'est ramassé en boule, a défait le nœud autour de son pied et s'est laissé glisser le long de la corde jusqu'au sol.

Certains après-midi, Walker se traîne jusqu'en haut de l'escalier pour assister aux acrobaties de son petit-fils. Il se guide avec une canne le long des murs couverts de graffiti. Ses soixante-douze ans le font souffrir plus que jamais. Une fine barbe grise a envahi ses joues, car ses doigts ne sont plus assez agiles pour manier le rasoir. Une blague à tabac au bout d'une cordelette pend à son cou, afin qu'il puisse l'atteindre aisément. Elle danse au-dessus de sa croix en argent. Il peine à ouvrir la porte d'accès à la terrasse, finit par la pousser d'un coup de genou et grimace de douleur.

Sur le toit, il trouve un peu de soleil et tourne la tête de ce côté-là ; il voit Clarence Nathan debout au bord.

« Grand-père Walker ! » crie le jeune homme.

Walker lance des regards furibonds aux drogués qui somnolent de l'autre côté en faisant fondre des glaçons dans un seau pour s'injecter de l'eau glacée dans les veines.

Il s'assied sur une chaise longue bleue miteuse, toute couverte de suie. Il porte une main à son front, s'essuie la tempe et donne le feu vert à son petit-fils : « Vas-y, fiston.

« — Qu'est-ce que tu veux que je te fasse ?

— Ce que tu voudras.

— Bon.

— Mais sois prudent. »

Walker s'installe au fond de sa chaise longue. Il a vu cette démonstration assez souvent pour ne plus avoir peur. Le jeune homme lui fait signe, se précipite vers le bord et saute sur un toit voisin. Au-dessus du vide, extase et danger se confondent : une jambe tendue très loin devant l'autre, le souffle de l'air autour de lui. L'atterrissage est parfait, à un mètre du bord sur l'immeuble voisin. Il se retourne avec un grand sourire. Il saute une nouvelle fois pour revenir, en suivant cette curieuse règle qu'il s'est donnée de ne jamais atterrir deux fois sur le même pied. Il y prend plaisir. S'il fait une faute, il recommence plusieurs fois pour rétablir l'équilibre. Il n'a presque plus de semelle à ses baskets. Il se dit qu'un jour il essaiera de sauter pieds nus. Son cœur bat de fierté quand Walker l'applaudit, laissant échapper de sa bouche quelques miettes de tabac, qui tombent sur sa chemise et qu'il essuie, honteux.

« Joli travail, fiston.

— Je recommence ?

— Si tu veux. Mais pas trop de fantaisies. Allez, vas-y. »

Walker reste là tout l'après-midi, à regarder les acrobaties de son petit-fils ; il déplace sa chaise longue en tournant avec le soleil.

Même pour écouter les histoires de son grand-père, Clarence Nathan se perche sur le rebord du toit, les bras autour des genoux, en se balançant au-dessus de la rue.

Quand le soleil disparaît, il saute du mur et vient brosser l'arrière du pantalon de son grand-père. Des tourbillons de suie sortent du cul du vieillard, et ils se mettent à rire en voyant ces nuages s'élever dans l'air.

Le grand-père continue son récit en passant par-dessus des flaques de goudron visqueux et des morceaux de verre brisé, et jusque dans l'escalier. Il y a des visages nouveaux parmi les graffiti du mur : Huey Newton et Bobby Seale en dashikis, entre deux grandes panthères qui ont l'air gravées dans la pierre. À côté, l'inscription : LES PORCS NE SONT PAS CASHER. Et juste après : VOTRE ORDRE D'INCORPORATION, BOUFFEZ-LE. Un peu plus bas, une affiche avec un portrait de feu Martin Luther King.

Il y a deux nouveaux verrous sur la porte de l'appartement. À l'intérieur, de la vaisselle est empilée dans l'évier. Le réfrigérateur est ouvert, sans rien dedans. Un fauteuil d'osier inachevé est posé à l'envers, à l'abandon. Des photos jaunissent sur les murs. Il manque tous les cadres.

Louisa n'est pas là. Elle est rarement à la maison maintenant. Walker s'assied au chevet de son petit-fils. Une odeur rance se dégage du vieillard, comme une odeur de fumée, mais le garçon l'écoute tranquillement. Une de ses histoires préférées concerne son arrière-grand-père, Con O'Leary, qui, avant d'être expédié au ciel et de rester bloqué à mi-chemin, avait la manie de cacher une balle de revolver dans son nombril. Il reste encore dans l'appartement quelques-unes des balles qu'Eleanor rapportait pendant la Seconde Guerre mondiale, et Clarence Nathan aime bien regarder son grand-père relever sa chemise pour faire la même chose.

« Encore une.

— J'ai pas assez de graisse pour ça !

— Allez, essaie, grand-père Walker.

— Tout doux, p'tit gars.

— Allez, s'il te plaît. »

Walker se met à tousser, ses poumons recrachent un long filet de poussière noire, vestige des tunnels. Il crache dans une feuille de papier journal, en fait une boule, et la laisse tomber dans la corbeille. Clarence Nathan se redresse dans son lit et tape dans le dos de son grand-père pour enrayer la toux. Walker entend les coups résonner dans sa poitrine. Depuis quelque temps, son corps le lâche : la toux s'aggrave, ses membres se raidissent, ses bavures de tabac lui font honte – autant de taches qui vont rester sur des chemises blanches.

Après sa quinte de toux, il se redresse et prend une autre balle. « Abracadabra », dit-il.

Griffonnée dans un cahier d'école, une liste de toutes les injures : hybride, mulâtre, moricaud, négro, mal blanchi, Blanche-Neige, zèbre, crevard, chimpanzé, bamboula, oncle Tom, Crazy Horse, bois d'ébène.

Clarence Nathan prend le métro – son grand-père lui a inculqué l'amour de ce voyage –, il sort de la station et se dirige d'un pas fringant vers les chantiers de construction, du côté de Battery Park. On lui a donné une paire de baskets neuves pour son seizième anniversaire.

Il observe l'envolée chorégraphique du monde des affaires.

Les hommes qui créent ces constructions gigantesques apparaissent comme des points sur des poutrelles à nu, des silhouettes coiffées de casques qui vont et viennent. Ils progressent au rythme d'un étage par semaine. Les grues leur apportent l'acier, et les hommes assemblent et boulonnent les pièces. Quand le métal est habillé, ils grimpent plus haut, s'éloignant du monde au-dessous d'eux. Parfois, Clarence Nathan entre dans les gratte-ciel voisins, se fait passer pour un coursier, et réussit à monter jusqu'en haut de l'immeuble, où la vue s'étend plus loin. Il a acheté une paire de jumelles chez le revendeur. Il adore voir les hommes évoluer sur les poutrelles et les colonnes, et même grimper sans baudrier. Ils se déplacent comme sur la terre ferme ; leurs pieds ne glissent jamais ; ils n'ont pas besoin d'écarter les bras pour garder l'équilibre. Certains même se balancent à travers les airs au bout de flèches métalliques. Clarence Nathan donne de faux renseignements sur les formulaires de demande d'emploi, il prétend qu'il a dix-huit ans, mais les chefs de chantier voient bien qu'il n'a pas encore de poil au menton.

« Tu reviendras quand tes couilles seront descendues », lui dit un ouvrier.

Un après-midi, deux gardes chargés de la sécurité sont obligés de le faire descendre d'une échelle au vingt-troisième étage d'un immeuble en construction. En le tirant par les pieds, ils sont stupéfaits de la puissance animale de ses jambes. Il leur échappe et, sous leurs yeux, il saute d'un coup les huit derniers barreaux et atterrit plus bas sur le tablier d'acier, genoux fléchis, ses jumelles se balançant autour de son cou. « T'es complètement cinglé », lui dit un des gardes. On le reconduit jusqu'à la rue, et on le prévient que, s'il recommence, il sera arrêté. Il acquiesce d'un signe de tête avec le plus grand sérieux, sort du chantier, et, quand il est suffisamment éloigné, il brandit le poing en l'air, euphorique. Un jour, il grimpera, et ils le regarderont, médusés. Il sera maître de son propre mouvement dans les airs, il grimpera plus haut qu'aucun d'eux !

Clarence Nathan reste debout en équilibre sur un parcmètre jusqu'à ce qu'un flic l'en chasse. Un peu plus loin, il recommence, sur un autre parcmètre, sur l'autre pied.

Jour après jour, il retourne sur le chantier de son gratte-ciel, avec les godillots de son grand-père aux pieds et sa chemise de flanelle sur le dos. On finit par le laisser travailler au sol, à passer des colliers autour de poutrelles d'acier géantes, tant qu'il promet de ne pas grimper. Il attache les câbles et regarde les poutrelles s'élever dans les airs au bout des grues puissantes. Des semaines plus tard, Walker ouvre la porte à un membre du personnel de l'école qui l'informe qu'il n'a pas vu l'élève depuis une éternité.

Angela se lève bien vite quand elle aperçoit l'ombre d'Elijah un peu plus loin. Elle jette la couverture sur Treefrog et l'embrasse sur la joue.

« À plus tard, Treefy.

— Reste ici. »

Elle fait non de la tête. « Merci pour le portrait.

— C'est pas un portrait.

— Comme tu voudras. Dis donc, vieux, t'aurais pas un peu de fric ?

— Donnez-moi une petite pièce, et j'irai danser à votre mariage.

— Très drôle.

— Non, dit-il, j'ai pas de fric. »

Elle plie soigneusement le papier quadrillé, le met dans son manteau et fait un clin d'œil à Treefrog en se passant la langue sur les lèvres. « J'ai soif, dit-elle. Je vais voir mon ravitailleur.

— Ah merde, dit-il tout bas derrière elle. Reste ici. »

Il regarde sa silhouette traverser un à un les rayons de lumière, puis disparaître, et un peu plus tard il entend des cris près de la loge d'Elijah – peut-être Angela lui a-t-elle montré la carte de son visage, où toute trace de coup a disparu. Il se rencogne contre le mur du tunnel, en songeant à leur rituel d'amour et de pugilat – les imaginant face à face, en garde, d'abord à distance, puis se rapprochant l'un de l'autre, comme s'ils descendaient lentement en spirale dans un entonnoir, le cercle de l'amour et du pugilat se rétrécissant peu à peu, jusqu'à ce que le poing soit tout près de l'amour et l'amour du poing ; pris dans une spirale descendante, où le poing est amour et l'amour un poing, et tous deux sont maintenant dans le trou de l'entonnoir, à se cogner et à s'aimer à mort.

12

Sous l'éclat du soleil

Treefrog va chercher le silence au fond de sa caverne, et il allume une bougie. La cire blanche dégouline par terre.

Il sort ses cartes dessinées à la main de leurs sacs hermétiquement fermés – des cartes qu'il a faites, de son nid, de Dancesca, de Lenora – et il les étale à ses pieds. Tandis qu'il les observe, il sent qu'elles aussi le regardent. Il les range toutes, sauf Lenora et Dancesca, et, sur une feuille de papier vierge, il dessine Dancesca exactement telle qu'il se la rappelle, constante, immuable. Les contours parfaits de son visage. Comme si elle allait soudain s'éveiller, surgir du papier, et pouvoir respirer, soupirer et se souvenir. Il touche sa gorge et remonte du bout des doigts jusqu'à ses yeux. Il trace au crayon les dernières courbes en creux, puis il range cette nouvelle carte dans le sac en plastique.

Il prend une autre feuille vierge et, examinant l'ancienne carte de Lenora, il essaie de se représenter les changements qui ont pu apparaître sur le visage de sa fille depuis quatre ans qu'il ne l'a pas vue. Il fait d'elle un paysage entièrement nouveau, le nez plus long, les lèvres à peine plus renflées, les joues un peu

231

plus pleines, de sorte que les courbes de niveau sont rehaussées, une fossette plus profonde au menton, les sourcils épilés, l'oreille plus allongée avec des lacs minuscules sur le lobe, la place de mettre une boucle d'oreille. Il y passe une heure. Quand il a fini, il tient la feuille en l'air, il la touche du bout des lèvres, et il lui demande pardon, veillant constamment à ce que ses mains ne s'égarent pas plus bas, en dessous du papier, où se trouve le reste du corps.

Dancesca aime bien la façon dont Clarence Nathan marche au bord du toit. Elle monte sur la terrasse les soirs d'été quand le soleil descend dans un ciel dénaturé, une odeur de lotion capillaire sur les mains et une cicatrice sur la joue, balafre récente due à une cliente que Dancesca avait égratignée à l'oreille – la cliente s'était emparée des ciseaux en fendant l'air. Une coupure longue mais peu profonde. Pas besoin de points de suture, a dit le médecin, qui s'est contenté de rapprocher les deux bords et de recoller la joue avec du sparadrap. La coupure lui a laissé un ruisselet de peau claire sur le visage. Dancesca étale une bonne couche de maquillage sur ce relief inégal.

Elle s'assied à un bout du toit, un pied se balançant dans le vide et l'autre à l'intérieur.

« Fais ton petit numéro », dit-elle, les tresses dansant sur sa tête.

Clarence Nathan marche tout au bord, parfaitement concentré, avec sa coiffure en hauteur ridicule. C'est dans le salon de coiffure de East Harlem où elle travaille qu'il a rencontré Dancesca. Plutôt rondelette – elle ne maigrirait que plus tard. Yeux bruns. Superbe. La peau noire comme le lit d'un fleuve. Quand elle l'a regardé dans la glace, il a vite détourné les yeux. Il s'est senti piquer un fard. Quand elle a eu fini de le coiffer, il lui a laissé un pourboire énorme. Des rires moqueurs ont fusé sur les marches de l'immeuble lorsqu'il est rentré en roulant des épaules et en bondissant sur la pointe des pieds, un peigne planté dans une touffe de cheveux crêpelés. Il l'a revue deux jours plus tard à Saint Nicholas Park, où ils se sont assis sur un banc pour qu'elle le coiffe autrement.

Il marche au bord du toit avec son jean pattes d'éléphant, si bien qu'on n'a pas l'impression que ses pieds bougent, et puis il prend la main de Dancesca et il essaie de la persuader de se mettre debout sur le rebord. Mais sans succès : la peur lui coupe les jambes.

« Il faut que tu oublies que ton corps existe, c'est tout, lui dit-il.

— Je ne peux pas.

— Bien sûr que si. Il suffit d'oublier où tu es. Tu fais comme si tu étais sur le trottoir.

— T'es vraiment timbré.

— Regarde. »

Il lui fait son numéro préféré – il se débarrasse de ses chaussures et il saute d'un immeuble à l'autre. Plus tard, ils prennent une couverture et l'étalent sur le toit. L'odeur âcre du goudron monte tout autour d'eux. Ils commencent par s'asseoir chacun à un bout de la couverture, puis ils se rapprochent petit à petit et finissent par être si près l'un de l'autre qu'elle sent son souffle sur sa joue. Il lui pose la main sur la taille et ils s'allongent côte à côte. Lorsqu'il lui déboutonne son chemisier, il sent l'armature métallique du soutien-gorge. Des deux mains, il cherche la fermeture dans le dos, la dégrafe, tire une bretelle sur son épaule. Elle se laisse aller en arrière et le prend dans ses bras. Leurs lèvres se touchent, ses doigts s'avancent timidement, et il se hisse contre sa hanche. Elle se penche sur lui de plus près et lui mordille le lobe de l'oreille. Avec ardeur, il se glisse en elle. Au moment où ils font l'amour, Clarence Nathan, dix-sept ans, sent que, maintenant, il entre dans sa propre histoire.

Le lendemain matin, dans l'appartement, où il est revenu seul, il est réveillé par son grand-père.

Walker a préparé sur la table de toilette une serviette, du savon à raser et un rasoir-sabre. Il les a alignés très soigneusement, il a même fait chauffer de l'eau en plus sur le fourneau. Sa barbe grise est trop longue, dit-il. Il peut attraper le bout de sa moustache entre ses dents, et il déteste cela. Il y retrouve des débris de nourriture tout secs, et il n'aime pas l'image que lui renvoie la glace.

Clarence Nathan suit son grand-père. C'est le début de la matinée et les ombres s'étirent sur le sol. Les deux hommes poussent la porte des toilettes – le verrou est cassé – et ils trouvent là Louisa, assise sur le siège, pliée en deux. Ils ne remarquent d'abord que son corps penché en avant, mais quand, lentement, elle lève la tête, ils voient qu'elle a relevé sa jupe et qu'elle cherche sur ses cuisses un endroit où piquer une aiguille.

« Sortez d'ici ! » leur crie-t-elle.

Walker donne un grand coup de poing dans le mur. « Qu'est-ce que tu fous là, nom de Dieu ? »

Elle lève les yeux et enfonce vite l'aiguille. Clarence Nathan frémit à la vue de sa mère, avec ses poils avachis qui dépassent sous sa petite culotte blanche.

« Je jure que c'est la dernière fois, je le jure. »

Elle se lève en tirant le bas de sa jupe, elle se frotte les yeux avec sa manche. Elle regarde Walker droit dans les yeux en passant devant lui.

Il soupire, se penche au-dessus du lavabo et se lave les mains, bien qu'elles soient déjà propres. Assis sur un tabouret devant la glace, il ne cesse de répéter, comme une incantation : « Seigneur ! Seigneur ! »

Son petit-fils lui coupe la barbe, retirant le plus gros aux ciseaux, les doigts tremblants. Walker sent la chaleur matinale se tapir à l'intérieur de ses joues affaissées, et descendre plus bas – comme si ses poumons et son cœur transpiraient dans le paysage évanescent de son corps. Du fond de l'horizon, il voit arriver un vent de catastrophe : de sombres rafales et des pluies de malheur. Le temps s'annonce dans ses genoux, ses épaules et ses coudes. Il sait ce qu'il lui réserve et il sent qu'il n'en a plus pour longtemps. Il n'aura aucun mal à capituler. Qu'il pleuve, se dit-il, tandis que l'eau et le savon glissent sur ses joues. Que la pluie tombe à verse. Ces derniers mois, Walker a cessé d'aller voir le médecin. La souffrance est sa compagne. Si elle l'abandonnait, il serait bien surpris – il se sentirait même seul. Elle s'est installée avec lui depuis tant d'années, imposant un ordre nécessaire aux heures, à la routine, au spectacle de la rue. Il pense à Eleanor, au jour où, au-dessus d'un autre lavabo, elle a relevé pour lui sa chemise de nuit.

Ses lèvres esquissent un petit sourire grivois au fur et à mesure que la barbe disparaît.

De brefs instants du passé lui reviennent à l'esprit. Il s'attarde au bord de ces souvenirs. Il s'est remis à dire des prières, sur des rythmes compliqués, mais il se demande si ce n'est pas à lui-même qu'il s'adresse. Il se rappelle cette prière à peine formulée dans le tunnel, en 1917, ce moment de silence avant le lancer de bougies. Il l'a encore au bout de la langue.

Le rasoir est en haut de ses rouflaquettes grises.

« Dis-moi, fiston.

— Oui, grand-père ?

— J'ai entendu des bruits sur le toit, hier soir. On aurait dit quelqu'un qui sautait là au-dessus. »

Clarence Nathan se sent rougir, mais son grand-père éclate d'un grand rire.

« C'est une jolie fille. Elle s'appelle comment ?

— Dancesca.

« — Eh ben, c'est une aubaine. »

Gêné, Clarence Nathan a les mains qui tremblent ; il laisse échapper le rasoir et une entaille minuscule apparaît sur l'oreille de son grand-père. Il essuie les restes de savon sur le visage du vieillard, tamponne la coupure avec une serviette et regarde le tissu absorber le sang.

« La laisse pas filer », dit Walker.

Clarence Nathan déchire un petit morceau de journal, le lèche et l'applique sur la coupure, où il sèche et reste collé. Le sang noircit le papier.

« Excuse-moi, je t'ai coupé.

— Je sens rien du tout. » Walker se regarde dans la vitre et s'écrie : « T'es encore sacrément beau, Nathan Walker. »

Il se tourne vers Clarence Nathan en gloussant.

« Si on allait faire un p'tit tour tous les deux. Profiter de cette journée.

— Oui, grand-père.

— J'ai quelque chose à te dire.

— Bien, grand-père. »

Les rues semblent s'ouvrir sous l'éclat du soleil, s'élargir à la chaleur. Walker et son petit-fils traversent les avenues côté ouest et remontent vers Riverside Drive. Walker sent sa croix en argent sauter à son cou, la face fraîche contre sa peau.

En marchant, il jette des regards obliques à son petit-fils. Le jeune homme porte une tunique africaine, un bonnet rouge, vert et jaune sur le haut du crâne, un pantalon vert évasé. Un harmonica – cadeau de son grand-père – fait une bosse dans une de ses poches de pantalon. Clarence Nathan a franchi un cap, ce n'est plus un jeune adolescent : ses muscles roulent sous sa chemise, il a la pomme d'Adam saillante, il redresse fièrement les épaules. Il essaie de se faire une coiffure afro, mais ses cheveux noirs et raides ne tiennent guère et lui retombent bien vite dans le cou.

Ils s'assoient sur un banc public derrière le tombeau de Grant et ils regardent couler le fleuve à travers les arbres en contrebas. Le jeune homme se juche sur le dossier du banc. Walker soulève le rabat de sa blague à tabac, en approche son nez, aspire l'odeur et redresse la tête.

« Il fait bon, hein ?

— Tu dis ?

— Aujourd'hui, il fait bon.

— Oui.

— Elle s'appelle comment déjà ? Cette fille ?

— Dancesca.

— La laisse pas filer. Je te l'ai déjà dit, hein ?

— Oui, oui. »

Après un long silence, Clarence Nathan annonce : « Hier, on m'a laissé monter au quarante-troisième étage. Avec les ouvriers. On voit l'East River et l'Hudson sur des kilomètres. Quand il y a pas de brume.

— Tu te fais de l'argent avec ce boulot ?

— Oui, un petit peu.

— T'en mets de côté ?

— Ouais, ouais, bien sûr.

— Et le reste, tu le dépenses à quoi ?

— Des petits trucs.

— C'est ça que j'voulais te dire.

— Quoi ?

— Y a deux sortes de liberté, mon p'tit gars. La liberté de faire ce qu'on veut, et la liberté de faire ce qu'on doit. C'est toi qu'achètes la poudre à ta mère, hein ?

— Non, non.

— Me raconte pas de mensonges, p'tit. C'est toi qu'achètes sa blanche. Je suis sûr. Tu sais que j'aime pas les mensonges.

— J'ai jamais acheté de drogue, jamais.

— Alors, tu lui donnes de l'argent. »

Clarence Nathan ne répond pas.

« Faut plus lui donner d'argent.

— Oui, d'accord, dit le jeune homme, la tête basse.

— Je dis pas ça en l'air. Jure-le-moi.

— Oui, oui.

— Si t'arrêtes pas de lui en donner, Dieu sait ce qui pourrait arriver. Il faut que t'arrêtes.

— Compris.

— Tu sais ce qu'elle a fait ? Elle a enlevé toutes les touches du piano. L'autre jour, j'ai soulevé le couvercle, et il y en avait plus une seule.

— Comment ?

— Elle devait croire que c'était de l'ivoire. Qu'elle allait se faire un peu d'argent avec. Y a que le dessus qu'est en ivoire, le reste, c'est du bois. Ça vaut pas un clou.

» Et à présent, écoute-moi, mon garçon. »

Il tousse et essuie des petites gouttes de salive sur son menton.

« Je t'ai déjà parlé de ce premier terrain de base-ball subaquatique de toute l'histoire du monde ? »

Clarence Nathan sait très bien de quoi il s'agit, mais il répond : « Non, non.

— Tu promets que tu lui donneras plus d'argent ?

— Oui, je promets.

— Bon, dit Walker en tendant la main. Fais comme si j'avais là une bible. »

Clarence Nathan pose la main sur celle de son grand-père.

« Et maintenant, jure.

— Je jure.

— Jure sur ta vie que tu lui donneras pas un sou de plus.

— Je le jure.

— Bon », dit Walker. Il tousse encore une fois, son corps est pourfendu par une douleur soudaine, il ferme les yeux. « C'était l'inauguration de la ligne, et les enfants avaient apporté des balles de base-ball, tu comprends... »

Un peu plus loin, Treefrog entend un bruit de corps qui s'entrechoquent et un grognement. Le vent souffle par le sud de la ligne, fouette les moindres recoins du tunnel et s'insinue jusque là-haut dans son nid. Castor est assise sur ses genoux, avec du lait gelé dans les moustaches. Il souffle sur elle et lui enlève le glaçon de lait avec le pouce et l'index, au cas où son équilibre en serait affecté.

Clarence Nathan a souvent vu son grand-père chercher dans les vêtements de sa mère et en retirer des petits paquets qu'il fait disparaître dans les toilettes. Quand elle rentre, Louisa va fouiller au fond de la cuvette avec un cintre, et ne trouve rien. Elle va et vient dans l'appartement en agitant le cintre comme une arme. Elle menace de s'en aller, prétend que l'héroïne fait partie de son traitement. Que son corps doit se déshabituer progressivement. Elle parle de se rendre dans le Dakota, en car, en avion, mais elle fait seulement la navette entre la rue et l'appartement. Elle a le visage boucané comme du cuir, tout parcouru de rides. Depuis des années, elle ne voit plus d'autre couleur que le rouge qui monte dans le tube en plastique de la seringue quand, par erreur, elle tire trop sur le piston.

« Il faut que tu me prêtes de l'argent, dit-elle à Clarence Nathan une nuit, tard.

— Je t'ai déjà dit que je ne te prête plus rien.

— J'en ai besoin pour les provisions.

— On a assez de provisions comme ça.

— Il faut bien que je te nourrisse. Tu sais ce que c'est d'avoir une famille à nourrir ?

— T'arrives déjà pas à te nourrir toi-même. Sauf quand il s'agit de bouffer cette merde.

— Dis pas ça. »

Elle ferme les yeux.

« Je peux pas m'en passer, Claren. S'il te plaît.

— Où tu vas le trouver, ton médicament, à trois heures du matin ?

— Prête-moi juste un peu d'argent. S'il te plaît.

— Il va me tuer, dit Clarence Nathan en désignant la silhouette endormie de son grand-père.

— T'es pas obligé de lui dire. »

Elle prend la tête de son fils entre ses mains et lui caresse les joues tendrement de ses doigts tremblants.

« Non, m'man. Désolé.

— C'est la dernière fois, dit-elle. Je le jure sur la Bible.

— Me fais pas ça, m'man.

— Demain, je trouverai un travail. »

Le blanc de ses yeux grands ouverts, implorants. Le manque affreux dans ses mains tremblantes. Elle le regarde comme s'il avait le pouvoir de l'écraser, de la briser, de la faire disparaître, de lui donner la vie.

« S'il te plaît », dit-elle en approchant les mains des pales du ventilateur électrique qui tournent sans protection. « Je t'en supplie. S'il te plaît. »

Elle retire ses mains au dernier moment, puis elle penche la tête, serre les lèvres, fait une moue.

« T'aimerais mieux me voir sur le trottoir, sans doute.

— M'man !

— Mon propre fils. M'obliger à faire le trottoir.

— Je ferais pas ça.

— Alors comment tu veux que je m'achète mon médicament ? »

Il soupire, baisse la tête.

« Tu savais que les empreintes de pattes d'oiseaux...

— M'man.

— ... c'est formidable pour faire des symboles de paix ?

— M'man, t'es défoncée.

— C'est pourtant vrai, c'est parfait.

— Tu dis des conneries.

— Tu dessines un petit rond autour. Réfléchis. Je te montrerai. Un rond parfait. Comme ça. » Elle lui fait un rond sur la poitrine avec le doigt, et trace trois traits à l'intérieur, elle incline la tête et lui dit : « M'envoie pas sur le trottoir. S'il te plaît. J'en ai trop vu pour ça. Tu sais que je me remets pas de la mort de ton père. »

Clarence Nathan passe la main sous son matelas, où il range son argent, et lui tend un billet de vingt dollars. Elle sourit et fourre le billet dans l'ouverture de son corsage.

« J'oublierai jamais ça », dit-elle.

Après l'avoir couvert de baisers sur le front, elle s'en va. De rage, il se donne un grand coup de poing dans la paume de la main.

Il dort dans l'escalier de secours ; c'était une habitude de son père, lui a-t-on dit. Le bruit qui vient d'en bas ne le gêne pas – les sirènes de police, la voix de Jimi Hendrix et de James Brown sur les tourne-disques qui braillent par les fenêtres ouvertes. Il se tasse dans ce petit espace, les bras autour des genoux. Parfois, la nuit est trouée de coups de feu. Ou par le beuglement d'un Klaxon musical. Parfois, des couples s'injurient en se penchant aux fenêtres. Tout un paysage d'amour et de

241

haine. Une brutalité sensible dans l'atmosphère. De la tendresse aussi, pourtant. Il y a là quelque chose de si vivant que le cœur de la ville semble près d'éclater de toute la douleur qui y est accumulée. Comme s'il allait soudain exploser sous le poids de la vie. Comme si la ville elle-même avait engendré toutes les complexités du cœur humain. Des veines et des artères – semblables aux tunnels de son grand-père – bouillonnantes de sang. Des millions d'hommes et de femmes irriguant de ce sang les rues de la cité.

Souvent, il s'est demandé ce qu'il entendrait si, doué d'une ouïe assez fine, il pouvait écouter ce sang battre sur les rives de ces corps, écouter cette symphonie de malheur et d'amour.

En bas dans la rue, il voit sa mère passer dans la lueur mouvante des réverbères : elle est si menue, les bras enroulés autour d'elle, qu'on dirait que sa chair avachie la force à se replier dans le corps de la fillette qu'elle a dû être autrefois.

Quelques semaines plus tard, Clarence Nathan est sur son chantier, au sol, à passer des colliers autour des poutrelles, quand on le prévient qu'il est demandé au téléphone, près des baraques des ouvriers. Il s'y rend en battant la mesure sur sa cuisse.

« C'est pour ta mère, lui dit Walker. Il faut que tu rentres. »

La porte de l'appartement s'ouvre avant même qu'il ne frappe. Ses yeux font rapidement le tour de la pièce. Le piano vandalisé est ouvert. Le canapé est poussé contre la fenêtre. Quelques fauteuils d'osier sont là, abandonnés en plein milieu, le haut du dossier tout éraillé. Walker se lève, attrape son petit-fils par le revers de son vêtement et lui donne un coup de poing, lentement, sans force. Mais le jeune homme tombe en arrière sur le plancher.

« T'as pas tenu ta promesse, mon garçon. »

Clarence Nathan met un doigt à sa bouche.

« Viens t'asseoir, dit Walker.

— Et m'man, où elle est ? »

Walker hoche la tête.

« Où elle est ?

— Je savais bien que ça arriverait, dit Walker.

— Quoi ? »

Le jeune homme relève les genoux contre la poitrine et se tient les pieds.

« Où elle est ?

— Allez, debout ! »

Le jeune homme se lève, regarde autour de lui, se met à pleurer et dit : « Je lui ai donné de l'argent.

— Ça a plus d'importance, à présent. Quand c'est fini, c'est bien fini. Y a plus qu'à l'accepter. C'est fini.

— C'est fini, répète Clarence Nathan sans comprendre.

— Allez, donne-moi ta main. »

Clarence Nathan lui tend une main, et Walker y pose la sienne en tremblant. « On va dire une prière. »

Après un moment de silence, Walker dit encore : « Je t'ai frappé, p'tit, excuse-moi. »

Le vieillard s'installe sur le canapé, prend une pincée de tabac dans la blague qui pend à son cou, la regarde fixement, compte les brins. « Ah ! merde », finit-il par dire. Il s'essuie les yeux, veut boire un peu de thé alors qu'il sait que la tasse est vide depuis longtemps. « J'espérais qu'elle allait arrêter. »

Clarence Nathan regarde par la fenêtre. « C'est de ma faute. C'est moi qui lui ai donné l'argent.

— Te rends pas malheureux, p'tit. C'est son affaire à elle. C'est ce qu'on fait de pire, de se rendre malheureux comme ça. »

Walker se lève comme il peut, sèche ses larmes, traverse la pièce.

« Il faut qu'on aille aux pompes funèbres, qu'on la fasse transporter dans le Dakota. Il faut qu'elle retourne près de son lac. »

Clarence Nathan boutonne le pardessus de son grand-père, l'aide à mettre une écharpe autour de son cou, se penche pour lui lacer ses chaussures. Ils ferment la porte à triple tour et prennent l'escalier. Clarence Nathan retient Walker qui s'agrippe à la rampe. Ils sortent en plein soleil. Clarence Nathan, qui pleure toujours, ôte sa casquette de base-ball pour la mettre sur la tête de son grand-père et lui protéger les yeux.

Dans Saint Nicholas Park, par une journée boueuse, il montre à Dancesca comment on transforme une patte d'oiseau en symbole. « Tu vois, dit-il. Tu fais un rond, comme ça. »

Treefrog se réveille au fond de sa caverne quand un rat lui passe sur les chevilles. Il ramène les genoux sur la poitrine et siffle Castor, mais elle n'est pas dans les parages. Est-ce la nuit ou le jour ? se demande-t-il. Était-il mort, ou seulement endormi, ou les deux ? Se peut-il que ce soit pour toujours, qu'il soit à jamais mort et endormi ?

Il allume une autre bougie et remet ses cartes dans leurs sacs en plastique. Se balançant d'avant en arrière dans l'obscurité humide, il guette le bruit d'un train pour savoir si c'est le matin ou le soir. Pas de trains entre minuit et sept heures du matin ; ensuite, il passe un Amtrak toutes les quarante minutes. Treefrog se brûle le bas de la barbe à la flamme de la bougie, il sent la chaleur sur son menton, et il attend presque une heure, recroquevillé, l'estomac qui réclame. Rien. Donc, ce doit être le soir. Il se fait couler de la cire chaude sur l'envers de chaque pouce, où elle durcit rapidement. Puis il appuie ses doigts sur son côté gauche, pour faire pendant à sa douleur au foie. Il lui reste encore un peu d'argent de l'enterrement de Faraday, et il se dit qu'il pourrait peut-être aller s'acheter du gin.

Il passe de la caverne à sa pièce avant, et, attiré par le tunnel, il saute en bas.

Pas la moindre lumière. Le noir le plus pur et le plus profond. Il passe devant le tas d'ordures de Dean, renifle une odeur d'excréments humains, et fait un écart pour ne pas en mettre plein ses chaussures.

Il se cogne dans la voiture d'enfant remplie de détritus. Il s'arrête, regarde à l'intérieur et tend le bras pour balancer un peu le landau : c'était l'été de 1976. Lenora venait de naître. Comme elle était menue ! De beaux petits cheveux noirs. La peau douce, une peau d'ébène. Clarence Nathan avait l'impression d'une révolution dans sa vie, il avait soudain acquis une profondeur, un sens, une histoire. Il passait des heures simplement à tenir cette enfant. Allongée sur le ventre, elle bousculait les couvertures avec ses petits pieds. Dancesca se couchait avec eux. Le temps avait désormais une qualité nouvelle – parfois, les heures s'écoulaient à leur insu, à contempler le bébé. Ils se sentaient unis, comblés, pleins de courage et d'assurance. Cette enfant sans défense était toute leur vie. Ils formaient une trinité, Dancesca, Lenora et lui. Tous les dimanches, il faisait les frais d'un taxi pour que Walker puisse venir les voir. Ils regardaient des matchs de base-ball ensemble. L'enfant dormait sur un petit lit à côté d'eux. C'était une époque de douceur et de calme, même quand Lenora s'agitait et pleurnichait. Un dimanche, Walker alla prendre l'enfant dans son lit. Il lui baisa le front. Il l'emporta dans la salle de bains, où il avait rempli le lavabo d'eau chaude. Clarence Nathan regardait. Le vieillard allait la baptiser – un baptême inspiré par sa propre religion et par l'histoire d'Eleanor. Juste avant de la tremper doucement dans le lavabo, il lui murmura quelque chose à l'oreille. Il y eut un instant de silence, puis il l'immergea. L'enfant pleura un petit peu puis se calma. Walker sortit de la salle de bains après l'avoir enveloppée dans une couverture tiède. Un peu plus tard, il déclara : « Je vais emmener Lenora faire un tour. » De la fenêtre, Dancesca et Clarence Nathan virent le vieillard sortir dans la rue en poussant le landau. Près d'une bouche d'incendie, Lenora fit tomber sa tétine. Walker se pencha et, avec bien du mal, il la ramassa. Le caoutchouc était sale. Il regarda autour de lui, l'air embarrassé. Puis il mit la sucette dans sa bouche pour la nettoyer. Il se courba et glissa doucement la tétine entre les lèvres de l'enfant en lui murmurant quelque chose à l'oreille. Clarence Nathan n'avait pas besoin d'entendre pour savoir exactement ce qu'il disait.

Treefrog se détourne brusquement du landau et continue son chemin en équilibre sur un rail, pied gauche pied droit pied gauche pied droit. Il ressent à présent un besoin énorme de parler à quelqu'un, n'importe qui, de dire n'importe quoi, de laisser simplement les paroles sortir de sa gorge, longuement, lentement, honnêtement. Il hésite un instant à la porte de Papa Love, puis décide de ne pas réveiller le vieux peintre, qui ne répondrait pas, de toute façon.

Il y a des murmures indistincts dans la loge d'Elijah, et un filet de lumière passe sous la porte. Il a dû remettre le jus. Treefrog colle son oreille à la porte et il entend Angela pleurer. Soudain, un bruit mat, qui atteint Treefrog dans le bas-ventre, demeure là, le taraude. Il sort la clé à écrous de sa poche. Il a la gorge sèche, les pieds mal assurés. Il a envie de pousser la porte et de faire irruption, mais il se retient, paralysé par l'inaction. Les bruits sourds et les pleurs se prolongent, puis il entend la voix aiguë d'Angela s'écrier, en longs hoquets pathétiques : « Pourquoi tu fais du mal à ceux que t'aimes, pourquoi tu fais du mal à ceux que t'aimes ? »

Treefrog reste devant la porte et se frappe chaque paume en cadence avec sa clé à écrous. Puis il entend Elijah bouger.

Il s'éloigne discrètement et va se poster sous la grille, de l'autre côté du tunnel. Il attend qu'Elijah sorte, mais il ne se passe rien. Et puis, de nouveau, il entend les coups sourds, la voix plaintive et le souffle haletant d'Angela. Treefrog se laisse glisser contre le mur et s'assied sur le gravier. Lentement, il ôte ses gants et sort son couteau. Il appuie la lame sur la paume de sa main. Tout ce néant, se dit-il. Toute cette lâcheté. Cette vie solitaire – une oreille qui écoute, qui écoute, c'est tout, rien d'autre.

Avec son couteau, il se fait une petite entaille dans la paume droite, puis dans la gauche, et il s'étonne, en allumant son briquet, de voir deux minces filets de sang couler parallèlement le long de ses poignets levés. Il remonte ses manches de pardessus, et une goutte rouge vient se loger dans le creux de chaque coude.

Sous la grille, il lève les yeux, regarde les étoiles qui ne signifient plus rien, et il sait que la lumière qu'il voit là n'y est plus depuis des années. Il ne reste plus là-haut que le mouvement du passé, des choses qui ont depuis longtemps implosé et explosé, et qui ont disparu à jamais : c'était des années plus tard, un vendredi, il avait fini ses heures de travail sur le gratte-ciel, il était descendu par l'ascenseur, il avait pris sa douche, il s'était fait une petite queue de cheval, et ils l'attendaient dehors dans une voiture de location toute neuve, une

Ford. Walker voulait absolument une voiture de fabrication américaine. Dancesca était montée à l'arrière avec la petite Lenora qui avait cinq ans. Clarence Nathan avait pris le volant. Ils avaient mis quatre jours pour arriver dans le Dakota du Sud. Clarence Nathan avait envoyé des centaines de dollars pour une pierre tombale, un billet de vingt dollars chaque semaine, mais dans le cimetière il n'y avait qu'une simple croix de bois marquée TURIVER. La famille de Louisa était partie. Il n'y avait plus que des herbes folles dans la vieille bicoque où elle avait vécu autrefois. Ils étaient allés au bord du lac ensemble, tous les quatre. Un lac immense, où rien ne bougeait sauf un hors-bord au milieu des eaux. Ils avaient apporté un pique-nique, et ils avaient mangé en silence leurs sandwichs au concombre tout ramollis. Le hors-bord avait fait des vagues et le skieur était tombé à l'eau. Pour la première fois de la journée, ils avaient ri en le voyant voltiger dans les airs. À cette époque-là, Walker était quasiment paralysé par les rhumatismes, mais il avait emmené la petite Lenora au bord de l'eau ; il avait tendu un bras, plié un genou et écarté les orteils, le pied levé, et l'enfant avait imité chacun de ses gestes, mais rien ne bougeait dans le ciel et il n'y avait pas une seule empreinte dans la boue. Ils étaient restés ainsi, à danser. Clarence Nathan avait touché le bras de sa femme, tandis que le soleil du Dakota se déversait généreusement autour d'eux.

Treefrog entend soudain un coup sourd alarmant. Il ouvre les yeux, bondit sur ses pieds, met la main sur sa clé à écrous. Un gond de la porte cède, et le bois éclate.

De la lumière électrique s'échappe par la porte brisée.

Treefrog ne sait plus bien où il est – dans un tunnel, en voiture, au bord d'un lac – et puis Angela sort en titubant ; elle pousse la porte branlante, son corps se redresse, elle respire vite.

Elijah la suit.

« Non ! » crie-t-elle.

À l'intérieur, l'ampoule nue se balance.

Elijah frappe Angela derrière la tête. Elle titube de nouveau, se retourne et tombe en vrille.

Elle se relève péniblement, elle saigne de la bouche, de l'œil, de la joue. Malgré la faible lumière qui vient d'en haut, Treefrog voit bien que son corps n'est qu'un triste ravage. Elle chancelle sur le gravier presque au bord de la voie, son manteau à moitié enfilé, balançant son sac à main en l'air pour tenir Elijah à distance. *« Non ! »* C'est alors que Treefrog sort de l'ombre, le poing serré sur sa clé à écrous.

Elijah – qui reste hors de portée du sac d'Angela – tourne la tête vers l'autre côté de la voie et baisse la capuche de son sweat-shirt en disant : « Tiens, tiens. » D'un doigt, il fait signe à Treefrog d'approcher. « Allez, viens, pauvre connard. »

Angela gémit au bord de la voie, en serrant son sac contre sa poitrine. Treefrog est conscient de chaque pas qu'il fait, comme s'il flottait dans l'obscurité.

La porte bat dans un sens et dans l'autre, et la lumière se répand dans le tunnel, s'infiltre dans les coins sombres, éclaire le corps de Treefrog, puis se retire, mais finalement la porte s'immobilise et il se tient dans un cercle de lumière.

Pas besoin de s'y reprendre à deux fois, la certitude le pousse. Il traverse la voie et s'arrête.

Elijah lui fait un grand sourire.

Treefrog le lui rend.

Elijah met un pied en avant, lève les poings.

Treefrog se rapproche.

Elijah pivote tout d'un coup.

Treefrog recule pour parer un premier coup de pied, puis il avance et plonge pour éviter le deuxième.

La jambe d'Elijah passe au-dessus de lui au ralenti.

On croirait Treefrog monté sur des ressorts ; il se relève et brandit sa clé et, visant parfaitement juste, il atteint Elijah à l'entre-jambes. Celui-ci s'effondre en arrière contre sa loge en se tenant les couilles. Il pousse un cri de douleur et aspire quatre grandes goulées d'air.

Une main à terre, il se relève lentement en cherchant son couteau dans sa poche arrière.

Treefrog avance encore.

Les yeux d'Elijah s'agrandissent. Il sort son couteau, le pointe en avant.

Treefrog approche toujours.

Elijah ouvre des yeux immenses.

Le couteau fend l'air.

Treefrog s'écarte.

Tout le corps d'Elijah suit la trajectoire de son arme.

Avec un grand sourire, Treefrog profite de l'espace qui lui est offert. La clé à écrous vole dans le coude d'Elijah en un mouvement vif et gracieux, et le craquement des os fait écho au bruit de la porte défoncée. Le couteau tombe avec fracas.

Au deuxième tour, la clé atteint Elijah à l'épaule, et il laisse échapper un hurlement animal, le visage grimaçant de terreur. Il chancelle, se tient le coude d'une main, les testicules de l'autre, et la clé s'abat de nouveau sur lui.

Cette fois, elle l'atteint au genou, et, dans la foulée, Treefrog écarte le couteau d'un coup de pied.

Quand Elijah tombe à terre, Treefrog lui plante fermement sa chaussure dans les dents, et une joie colossale l'envahit au moment où sa tête se fracasse contre la porte brisée. Le coup de pied suivant le cueille à l'entre-jambes : Elijah, écrasé de douleur, se replie comme un accordéon et fait entendre un grognement qui, se répercutant sur les murs, pourrait bien, pense Treefrog, résonner dans le tunnel pour l'éternité.

Il ramasse le couteau d'Elijah, le fourre dans sa poche, se penche et dit tranquillement : « Salut, sale con. »

Elijah crache un peu de sang et détourne la tête en toussant et en gémissant. Angela, qui regarde tout cela du bord de la voie, retire sa main de sa bouche abîmée pour crier bravo. Cependant que Treefrog a l'impression d'accomplir quelque chose pour la première fois de sa vie.

13

Bâtisseurs du ciel

Il lance le sac à main dans le nid et grimpe lestement sur la première passerelle. Il ôte ses gants pour avoir une meilleure prise, se penche et saisit Angela par le poignet.

Elle place une jambe contre le pilier, mais les semelles de ses chaussures à talons sont glissantes, et il doit user de toute la force de ses avant-bras pour la hisser jusqu'à lui. Elle a déjà le visage gonflé et bleui ; un filet de sang coule de sa bouche, à l'endroit où une dent a sauté ; elle a un œil labouré, et qui saigne. La jambe appuyée au pilier de béton, elle sanglote. « Treefy. » Elle agite les bras en l'air et respire nerveusement. « Je peux pas, Treefy, je peux pas. »

On croirait qu'elle fait tout pour tomber – elle n'est qu'à trois mètres du sol –, mais elle tend les bras et s'accroche à la poutrelle, et Treefrog l'attrape sous les aisselles. Il se penche dangereusement, tire Angela vers lui dans l'obscurité, et la voilà enfin allongée sur la première poutre, toute gémissante. Il repense à sa fille, qu'il attrapait ainsi sur la balançoire, et il sent un creux énorme à l'estomac.

« Ramène les jambes, dit-il.

— Pourquoi t'as pas…

— Reste tranquille, Angela.

— … Pourquoi t'as pas d'échelle, nom de Dieu ? »

Il l'enjambe en souplesse et prend sa main dans la sienne. « J'veux descendre, dit-elle.

— Lève-toi, lui dit Treefrog. Je te tiens, tu tomberas pas, je te promets ; fais-moi confiance.

— Je fais confiance à personne.

— Essaie quand même.

— Personne, j'te dis. »

Elle reste assise à califourchon sur la poutre glacée, les mains agrippées au bord. Elle grelotte, alors il se penche et l'entoure de ses bras pour la réchauffer. Il avise ses chaussures à talons. « Attends une minute », dit-il.

Et le voilà parti : il fait douze pas sur la poutrelle, grimpe sur la suivante, entre dans son nid et redescend aussitôt avec des baskets et trois paires de chaussettes. Il s'accroupit et lui retire ses chaussures.

« Tiens », dit-il.

Il jette les chaussures à talons de l'autre côté de la voie, près de la peinture murale, et, en atterrissant, elles vont rouler dans la plaque de neige au-dessous de la grille. « Bouge pas », dit-il, et il lui enfile deux paires de chaussettes. Il lui attache les baskets aux pieds – elles sont encore beaucoup trop grandes. « Bon. »

Il met la troisième paire de chaussettes dans sa poche, enjambe le corps accroupi d'Angela et, debout derrière elle, il la relève et la tient par la taille.

« Treefy !

— Je te tiens.

— C'est glacé. »

À marcher derrière elle, un souvenir lui revient : il arrive après l'aube, un homme en route vers le ciel. Il monte les marches de la station de métro, longe une rue où tempêtent les Klaxons. Il est pris dans une foule d'hommes d'affaires et de femmes qui se dirigent vers Wall Street, mais bientôt il rejoint d'autres ouvriers du bâtiment qui ont l'air de sortir de publicités pour cigarettes très fortes. Ils ont le regard trouble après une nuit d'amour, de beuverie, de télévision et de cocaïne. La poche arrière de leurs jeans épouse la forme de son contenu – un paquet de cigarettes, une boîte de tabac ronde, un sachet de cocaïne, un portefeuille. Dans leur portefeuille, ils ont la photo de leur mère, de leur femme, de leur petite amie et de leur fille, et parfois de leur père et de leur fils. S'il leur arrive quelque chose, ils seront tout près de ceux qu'ils aiment ; mieux vaut mourir auprès des siens qu'au cœur des affaires. Et pourtant, on parle rarement de la mort – même aux enterrements, on ne va pas raconter que le mort est tombé de quinze mètres de haut, que la cage d'ascenseur s'est effondrée, qu'un type qui voulait se suicider s'est pris dans le filet, ou qu'il a suffi d'un seul boulon tombé de haut pour faire surgir une rivière de sang dans le crâne d'un maçon. Ils préfèrent parler des femmes, des filles, des serveuses, des douces rondeurs d'un arrière-train, de croupes fabuleuses, de seins qui se découvrent avec l'été, d'une épaule dénudée au soleil.

Ils jurent bruyamment en arpentant les rues. Ils ne cèdent jamais le pas. Autour d'eux, les hommes d'affaires paraissent tout petits, inutiles, efféminés.

Parfois, l'un d'eux se mouche avec le doigt en envoyant un jet de morve par terre, et l'homme d'affaires dégoûté fronce la lèvre dédaigneusement, mais, indifférents, les ouvriers poursuivent leur chemin en fendant la foule matinale.

Clarence Nathan a déjà tellement porté ses chaussures de travail neuves que le frottement du cuir contre la peau lui dessine deux bracelets glabres autour des chevilles. Un talisman, en quelque sorte. Un charme. Son T-shirt bleu lui colle au torse. Dans sa poche arrière, il a un portefeuille avec son grand-père, sa défunte mère, sa femme et sa petite fille de trois ans. La coiffure afro que Dancesca lui avait faite est retombée, et il a de nouveau les cheveux longs et raides. Au-dessus de lui, quand il lève la tête, il voit se dresser dans le ciel sans nuages de Manhattan une ossature d'acier qui est sa propre création. Parmi ses compagnons de travail, les uns restent au pied de l'édifice à glisser des colliers autour des poutrelles, d'autres, à mi-hauteur de la structure d'acier, attachent des crochets à des cordes en se penchant dangereusement, d'autres encore s'activent toute la journée dans les diverses travées : ils installent les cages d'ascenseur, tirent des fils électriques, font des joints, tapent au marteau, passent de la peinture, posent des plaques de tôle. Mais Clarence Nathan, lui, est le seul homme dans Manhattan à marcher aussi haut.

Après le café sur le chantier, il rejoint devant l'ascenseur les hommes qui bâtissent la charpente métallique, et ces aristocrates s'élèvent dans les airs. Ils sont quatorze, deux équipes de sept. La cabine de l'ascenseur se balance au vent. Elle n'est pas vitrée ; ils n'ont autour d'eux que des barres, à hauteur des genoux, des hanches et de la poitrine. Au-dessous de lui, Manhattan devient une masse indistincte de taxis jaunes en mouvement et de silhouettes noires. Quelque chose dans cette ascension s'apparente au désir, le léger balancement, la brise rafraîchissante, la conscience que c'est lui qui va dépuceler l'espace à cette hauteur où l'acier touche le ciel.

Tous les collègues de Clarence sont des hommes musclés. Deux d'entre eux sont des Mohawks, qui ont le sang réparti très également dans toutes les parties du corps : cela tient à leur histoire, c'est un don, ils ont l'équilibre inné ; ils ont en abomination l'idée même de tomber. D'autres viennent des Antilles et de la

Grenade, et il y a un Anglais, Cricket, qui vous sert ses voyelles comme s'il vous les tendait au bout d'une pince. Il est mince, blond, le visage grêlé et porte une boucle d'oreille paratonnerre. On l'a surnommé ainsi parce qu'il a voulu montrer aux autres comment se pratiquait le jeu national de son pays, debout sur une poutrelle transversale. Après avoir astiqué une balle imaginaire sur sa cuisse, il a baissé la tête, il s'est mis à courir le long de l'étroite poutrelle pour faire une démonstration de lancer, en décrivant un cercle gigantesque, avec son bras. Ses spectateurs le regardaient, médusés, quand Cricket a failli tomber – une dizaine de mètres le séparaient du tablier métallique en contrebas –, mais il s'est rattrapé à la force des bras en se balançant dans le vide avec un grand sourire, il a fait un rétablissement, puis il s'est écrié : « La jambe devant le guichet, messieurs ! »

L'ascenseur s'arrête avec un bruit de ferraille. Clarence Nathan finit son café, jette sa tasse en carton et traverse le tablier pour se diriger vers deux échelles dressées vers le ciel. Pour plaisanter, les hommes nomment cet endroit le P.C.M., le Point des Couilles Molles. Aucun homme normalement constitué ne s'aventure au-delà.

Les plus agiles, Clarence Nathan et Cricket, gravissent deux barreaux à la fois. Leurs ceintures de cuir sont bourrées d'outils, et leur longue clé à écrous bat contre leur cuisse. Ils grimpent par trois échelles jusqu'au sommet du bâtiment, où des colonnes d'acier s'élancent vers le ciel. Lafayette, le chef d'équipe, avec ses lunettes à monture épaisse, lève le nez et dit : « Une journée de plus, un dollar de plus. »

À pas prudents, Lafayette traverse le tablier instable. Cricket le suit, en disant : « Une journée de plus, une douleur de plus. »

Clarence Nathan repasse dans sa tête la topographie de la veille : l'endroit où sont restés certains matériaux, l'emplacement des trous dans le tablier, un coin où il risquerait de buter accidentellement dans un seau de boulons ou une cannette de bière laissée là par ceux de l'équipe précédente. Crépitement des radios, bredouillement des voix sur les ondes. Les hommes regardent les énormes grues Favco se mettre en marche et apporter les poutrelles et les colonnes d'acier. Petit à petit, le métal arrive jusque-là, porté au-dessus du vide. Quand il a été déposé sur le tablier, Lafayette décide de l'ordre dans lequel les hommes vont se mettre à bâtir. Ils attendent en palabrant.

Le moins bavard d'entre eux est Clarence Nathan. À peine s'il dit un mot, mais parfois, quand le chef d'équipe est ailleurs, Cricket et lui se lancent le défi de parcourir toute la longueur d'une poutrelle en aveugle. Ils marchent comme s'ils étaient sur la terre ferme. S'ils tombent, ils n'iront pas bien loin, mais, qu'ils tombent de dix ou de trente mètres, le danger est le même. Les yeux fermés, ils ne font famais un faux pas.

Sur le tablier, Clarence Nathan met son casque devant derrière et rentre ses cheveux dessous. Le responsable de la signalisation s'adresse au technicien de la grue en un langage codé de signaux radio. On monte une énorme colonne d'acier. Les hommes la mettent en place, puis ils boulonnent le pied. La colonne se dresse dans le ciel. La flèche de la grue tourne, avec une sphère accrochée au bout – les hommes l'appellent le casse-tête. Lafayette siffle pour appeler l'un d'eux, et Clarence Nathan lui fait signe qu'il est prêt à y aller. La flèche vient vers lui.

Il tend le bras pour saisir le câble, l'immobilise, puis, avec une superbe insouciance, il monte sur la boule d'acier.

Soudain, la flèche se remet en mouvement et il se balance dans les airs, dans le néant. Il adore cette sensation : seul sur la boule d'acier, au-dessus de la ville, ses compagnons de travail au-dessous de lui, ne pensant à rien d'autre qu'à cette traversée du vide. Il ne se tient que d'une main. Le grutier manœuvre prudemment et l'amène lentement au faîte de la colonne. La boule casse-tête oscille un peu, puis s'arrête. Clarence Nathan change de position, et, d'un pied léger, il passe sur les ailes d'acier de la colonne – l'espace d'une seconde, il est absolument libéré de tout ; c'est l'instant le plus pur, où il est seul avec le vide. Il enroule les jambes autour de la colonne. En face de lui, sur l'autre colonne, Cricket attend. Puis la grue amène vers eux une poutrelle d'acier géante qui traverse le ciel petit à petit, avec prudence, méthodiquement, et les deux hommes l'empoignent pour la tirer à eux. « C'est bon ? » demande Cricket. « O.K. ! » Ils mettent la poutre en place avec une force brutale, parfois à grands coups de marteau de caoutchouc ou en cognant avec leur clé à écrous. Bien vite la sueur leur dégouline le long du torse. Ils introduisent les boulons et les fixent sans forcer ; ils seront bloqués plus tard. Puis ils décrochent les colliers – à présent, la poutrelle est entre les deux colonnes, et l'ossature de l'édifice grandit. Clarence Nathan et Cricket s'avancent sur cette poutrelle et se rejoignent en son milieu. Un pied dans le vide, ils remontent sur la boule casse-tête, en se tenant par les bras, et ils redescendent sur le tablier, où attendent les autres. Parfois, pour plaisanter, quand il est en haut de la colonne, Clarence Nathan sort son harmonica et souffle dedans, en le tenant d'une main. La mélodie est quasiment emportée par le vent, mais, de temps en temps, du bas, les hommes perçoivent quelques notes – des sons irréguliers, étirés, comme un coassement, ce qui, à l'occasion, vaut à Clarence

Nathan le surnom de Treefrog (« grenouille rainette »), qui ne lui plaît guère.

« Bien », dit Treefrog en arrivant au bout de la première poutrelle avec Angela.

Elle respire fort. Malgré le manteau de fourrure, il voit sa poitrine qui se soulève et retombe. « Tu me feras jamais monter là-haut !

— C'est pas difficile.

— Fais-moi descendre. Tu veux juste tirer ton coup. T'es comme les autres. Je me sens pas bien, Treefy. Ah ! Treefy.

— C'est moins haut que ça en a l'air, tu vas voir.

— J'veux mes chaussures.

— T'as qu'à te figurer que t'es par terre.

— Mais j'y suis pas.

— Si tu te dis que t'es par terre, ça ira tout seul, pas de bobo.

— J'suis pas un bébé, dit-elle en essuyant sur son manteau un doigt couvert de sang.

— J'ai jamais dit ça.

— J'vais pas plus loin. Va me chercher mes chaussures.

— Elles sont là en bas, nom de Dieu !

— Je partirai pas tant que j'aurai pas mes chaussures.

— Bon, alors t'as qu'à rester où t'es.

— Me laisse pas, Treefy. S'il te plaît.

— Regarde-moi faire. »

Il met la main dans la prise qu'il a taillée dans le pilier et, en quelques secondes, il est sur la deuxième passerelle. Deux mètres plus bas, Angela serre toujours le pilier de béton dans ses bras, comme si elle y était scotchée. Treefrog enroule une jambe autour de la poutre, se penche, prend la main d'Angela et, presque violemment, il la fait basculer, l'attrape par la taille et la hisse jusqu'à lui. Il s'attendait à ce qu'elle pousse les

260

hauts cris et se débatte, mais elle lui dit seulement : « Merci, Treefy. »

Elle est assise sur la poutrelle, grelottante. Elle ne pleure plus, elle cligne plusieurs fois de son bon œil, et essuie le sang sur l'autre.

« J'me sens pas bien.

— Tout ce que t'as à faire, c'est traverser là. T'énerve pas. Compris ? Là-haut. Regarde pas en bas. Regarde pas en bas, je te dis !

— Il m'a esquintée.

— Je sais.

— Tu l'as tué ?

— Non.

— Je veux que t'ailles le tuer, dit Angela. Que t'ailles tuer ce salaud. Que tu lui fourres un gant de toilette bleu dans la gorge.

— D'accord.

— Non, le tue pas, Treefy.

— Bon, ça va. Comme tu veux.

— Tu vas pas me lâcher ?

— Fais-moi confiance. Avant, je travaillais sur les gratte-ciel.

— J'ai la trouille, dit-elle en le dévisageant.

— Ça va. Il t'arrivera rien, je te promets.

— T'es dingue.

— Toi non plus t'es pas tout à fait normale.

— Bien sûr que si. Tu vas quand même pas dire que j'ai disjoncté.

— Bon, bon, bon. T'es la femme la plus normale que j'aie jamais vue. Allez !

— T'es chouette, Treefy. »

Il se met derrière elle et la guide sur la poutre étroite. Elle avance avec lenteur et précision, et il garde les bras autour d'elle : seul le mauvais temps l'arrête – par temps de brouillard, de gel ou de pluie, l'acier devient glissant, mais le plus dangereux, c'est la foudre. Ils ont un paratonnerre de fortune tout en haut de la charpente, mais au premier signe d'orage, on leur donne leur journée. Quand il fait beau, ils progressent au rythme d'un étage par semaine. Le soleil se réverbère sur le métal, mais il y a un vent frais pour les rafraîchir. Bien que ce soit contraire au règlement, Clarence Nathan travaille souvent torse nu. Il n'y a encore ni traces de coups de couteau ni cicatrices sur son corps. Lafayette, le chef d'équipe, leur parle de chutes d'eau gelées au Canada, d'escalade de glace avec des chaussures spéciales, des cordes, des mousquetons et des piolets, de séjours dans des gîtes et d'incantations adressées au ciel. Cette idée d'aller escalader un fleuve plaît bien à Clarence Nathan, il s'imagine face à une paroi gelée, à mi-hauteur de la cataracte ; il entend l'eau couler doucement sous la glace.

Le vendredi, après leur temps de travail, les hommes boivent de la bière tous ensemble, assis en rang d'oignons sous les poutrelles les plus hautes, les jambes dans le vide, et ils laissent tomber leurs cannettes vides dans les filets au-dessous d'eux. Ils aiment afficher cet air de nonchalance ; la nonchalance est leur don le plus précieux. Ils ne s'en départent jamais. Même lorsqu'ils voient des nuages de mauvais temps s'accumuler autour d'eux, ils restent là assis à parler. On débouche des cannettes. On accroche son casque à la taille par un mousqueton. Beaucoup de casques ont des autocollants : des insignes Harley Davidson, des badges des New York Mets, un écusson du parc national de Yellowstone, un macaron du Hard Rock Cafe et, souvent, des drapeaux canadiens avec une feuille de marijuana au centre. On parle du week-end qui vient – qui on va voir, combien on va dépenser, combien de fois on va baiser. Leurs gros rires sont emportés par le vent. Ne parviennent à cette hauteur que de très faibles échos de la ville : une sirène de temps à autre, le Klaxon d'un camion. Les hommes attendent que Lafayette soit parti pour sortir des sachets de cocaïne, de fines pailles rouges et parfois un peu d'herbe. Les allumettes enflamment le bout des joints. Les rasoirs réduisent en fine poudre les grumeaux blancs. Quelqu'un met les bras autour d'une grosse ligne de coke pour qu'il ne s'en envole pas une miette.

Défoncé à la marijuana – il ne sniffe pas de coke – Clarence Nathan parle aux hélicoptères qui arrivent de l'autre côté de l'East River ou de l'Hudson.

Après le travail, il prend le métro jusqu'à la 96e Rue et rentre chez lui en faisant le reste du chemin à pied, tandis que le soleil descend dans le ciel à l'ouest. Sa clé à écrous accrochée à sa ceinture de travail bat en cadence contre sa cuisse. Il a l'impression d'être encore là-haut sur les poutrelles, de flotter, et il fait très attention de ne pas mettre les pieds sur les fissures du trottoir. Il n'a pas loin à marcher pour arriver jusqu'au petit appartement où il vit avec sa famille sur West End Avenue, à la 101e Rue, mais il descend d'abord à Riverside Park, en fumant. Parfois, avant d'y arriver, il s'arrête devant un parcmètre et s'amuse à faire son vieux numéro : grimper dessus et se tenir en équilibre sur un seul pied.

Il garde la tête baissée et il compte ses pas. Chose curieuse, il aime s'arrêter sur un nombre pair, encore que ce ne soit pas absolument nécessaire. C'est juste un jeu. Dans le parc, il est souvent abordé par des prostitués qui lui proposent une pipe. Le parc est un de leurs repaires d'élection. « Pas aujourd'hui », dit-il. Parfois, ils le sifflent ; ils aiment bien le voir en T-shirt sans manches, avec ses bras tout en muscles. À la porte de son appartement, c'est la plaisanterie habituelle – « Je suis rentré, mon chou » – et Dancesca paraît, comme si elle sortait tout juste de l'écran du téléviseur, maquillage parfait, tresses africaines, peau noire, dents blanches, leur petite fille accrochée à sa jambe. Dans l'entrée, Clarence Nathan ôte sa chemise et Dancesca lui caresse la poitrine et le pince pour le taquiner. Lenora l'attend à la porte pendant qu'il se douche et efface la crasse de la journée de travail. Quand il sort, il la soulève et la fait tourner en l'air au-dessus de sa tête jusqu'à ce qu'elle s'écrie : « Arrête ! papa, ça tourne. » Après le dîner, c'est lui qui la met au lit. Sur le mur de sa chambre, Lenora a fixé une grande feuille de plastique bleu transparent qu'elle appelle son aquarium. Sous le plastique, il y a des photos, qu'elle a découpées – des poissons, des coquillages, des plantes et des personnes. Un polaroïd de ses parents, le jour de leur mariage, est placé tout en haut, dans la partie de l'aquarium réservée à ceux qu'elle préfère. Photographié devant le bureau de l'état civil en 1976, Clarence Nathan porte une grosse cravate brune et un pantalon pattes d'éléphant. Il a les cheveux courts. Dancesca est déjà en robe de grossesse. Ils ont un air gêné, et perplexe. Elle croise les mains sur son gros ventre. Lui serre les doigts nerveusement. Leurs épaules se touchent à peine. Mais, à l'arrière-plan, presque triomphant, nu-tête, Walker montre son crâne chauve d'un air comique.

Il y a aussi une photo en noir et blanc de Walker posant à l'entrée d'un tunnel avec des compagnons de travail. Les autres, avec leurs grandes moustaches, ont un air sombre. Mais Walker, lui, couvert de boue, a l'air heureux. Une pelle appuyée contre la hanche, il a les mains croisées sous les bras et les biceps bombés.

Avant de s'endormir, Lenora fait tourner les photos dans son aquarium. Clarence Nathan s'assied à son chevet. Quand elle sombre enfin dans le sommeil, il lui envoie un baiser de la porte de la chambre. Parfois, pour s'amuser, il ferme les yeux et traverse les pièces à l'aveuglette. L'appartement est petit et vétuste, mais propre ; il y a une chaîne stéréo, un canapé à fleurs, un vieux poste de télévision, et la cuisine est pleine d'appareils rouges et blancs. La baignoire était dans la salle de séjour, mais à présent, elle est remplie de toutes sortes de choses et recouverte d'une bâche. Sur les murs, dans des cadres, il y a des croquis de devantures new-yorkaises, cadeaux de Walker.

Clarence Nathan ouvre une cannette de bière, vient s'asseoir sur le canapé à côté de Dancesca, et ils regardent la télévision. Plus tard, dans la soirée, ils font l'amour, et Dancesca roule sous lui comme un fleuve. Après quoi, ils se remettent devant la télé. Ce rythme un peu morne lui plaît bien. Il aurait voulu que son grand-père vienne vivre avec eux, mais Walker veut mourir à Harlem, dit-il, dans cette pièce où il passe ses journées à parler avec les seuls fantômes qui lui importent ici-bas. Il veut mourir en murmurant un petit mot à chacun d'eux : Sean Power, Rhubarbe Vannucci, Con O'Leary, Maura, Clarence, Louisa Turiver, et surtout Eleanor, qui lui sourit d'un air coquin en arrangeant sa coiffure et en se hissant sur le lavabo.

Treefrog met un pied en avant pour maintenir Angela pendant qu'il la guide le long de la poutrelle.

« Encore deux pas, lui dit-il. Encore deux pas et tu y es. »

Elle agite les bras en l'air : il les lui colle au corps. Il la prend dans ses bras et sent la chaleur de son manteau de fourrure. Elle progresse pas à pas sur la poutre et, juste avant d'atteindre le rebord du nid, elle fait un brusque mouvement en avant et s'y agrippe des deux mains.

« Ça y est, j'y suis, dit-elle en enjambant le muret et en souriant. C'est pas dur. »

Il se lance devant elle, fait deux pas, allume une bougie sur la table de chevet.

« Oh là là, s'écrie-t-elle.

— Ça servait d'entrepôt. C'est là qu'ils mettaient leur matériel. Il a dû y avoir une échelle ou un escalier pour monter ici à une époque, mais maintenant y a plus rien. Il vient presque jamais personne.

— Les enjoliveurs, ça sert à quoi ?

— Ça sert d'assiettes.

— Merde alors, un feu de signalisation !

— C'est Faraday qui l'a trouvé.

— T'as l'électrac ?

— Je t'ai dit que non.

— Ah là là, c'est grand ? Ça va jusqu'où ?

— Jusque tout là-bas au fond ; y a une caverne.

— Treefrog, l'homme des cavernes.

— J'vais graver un pétroglyphe.

— Qu'est-ce que c'est que ça ?

— Rien. Écoute, Angela, il faut qu'on te soigne. T'as l'œil qui saigne.

— Ça me fait plus mal du tout, dit-elle en se tâtant.

— C'est à cause de la poussée d'adrénaline. Il faudrait qu'on te soigne avant que ça commence à te faire mal.

— Je suis présentable ? demande-t-elle en ramassant son sac à main par terre.

— Ouais.

— Tu mens. »

Elle fourrage dans son sac et elle se met à sangloter. « Elijah va nous tuer.

— On se cachera là derrière », dit-il en attrapant une bougie. Ils plongent au fond de la caverne. Il pose la bougie sur une étagère de fortune, et la flamme dessine des formes étranges sur la roche grossièrement équarrie. Angela se bouche le nez.

« Pas possible, c'est ici que tu chies, dit-elle.

— Non, non.

— Ça sent la merde. Ça me plaît pas du tout, ici. J'veux mes chaussures. J'veux me voir dans ma glace.

— Regarde, c'est là que j'ai toutes mes cartes, dit-il en montrant une rangée de sacs bien fermés.

— Je me fous de tes cartes. Elijah va nous tuer. »

Elle repasse dans la première pièce encore faiblement éclairée par le jour qui tombe des grilles du tunnel.

« Moi, je reste pas ici, pas question, il va nous tuer.

— Assieds-toi sur le lit.

— Pas question, Treefy.

— Je te toucherai pas.

— J'suis sûre qu'il va nous tuer, dit-elle en tripotant sa dent de devant qui remue.

— Faudrait que tu voies un docteur.

— Non, réplique-t-elle d'une voix plaintive en faisant bouger sa dent d'avant en arrière dans la gencive.

— Pourquoi pas ?

— J'aime pas les docteurs. J'aime que le docteur Treefrog. »

Il sourit et montre la boîte métallique jaune au pied du lit. « J'vais faire bouillir de l'eau et te nettoyer la figure.

— J'ai soif.

— J'ai pas de drogue. »

Elle fait quelques pas timides sur la terre battue pour aller jusqu'au tapis et elle s'assied sur le lit. Treefrog allume les restes de bois à brûler et de journaux. Angela se réchauffe les mains au-dessus du feu, puis elle se met à tripoter une boîte de cassette vide qu'elle a trouvée par terre. Elle se sert du bord du petit carton qui est à l'intérieur pour se curer les dents du bas, puis, d'une pichenette, elle envoie les débris dans le feu.

Treefrog s'écarte, ne voulant pas lui faire peur, et il s'assied par terre au pied du lit en attendant que l'eau bouille.

« Ça me fait mal à présent, dit Angela en se glissant dans le sac de couchage.

— Je vais t'arranger ça quand l'eau va bouillir.

— Ça fait vraiment vraiment mal.

— Je sais », dit-il. Et puis, après un long silence : « Je me demande où est Castor. Des heures que je l'ai pas vue.

— Comment elle fait pour grimper jusqu'ici ?

— C'est moi qui la monte. »

Angela s'enfonce un peu plus dans le sac de couchage. « Tu vas me soigner, Treefy ? »

Il se souvient alors que, lorsqu'elle avait cinq ans, Lenora avait eu une forte fièvre et, pendant une semaine, il n'était pas allé au chantier pour rester à la maison tandis que Dancesca travaillait. Il allait faire les courses au supermarché du quartier. Il réchauffait des boîtes de bouillon de poule sur la cuisinière. Lenora était couchée dans son lit, à côté de sa feuille de plastique bleu. Le père et la fille passaient en revue toutes les photos de la maison. Elle mettait de côté celles qui lui plaisaient. Il les faisait retirer pour qu'elle puisse les placer dans son aquarium. Quand la fièvre montait, il lui passait un linge humide sur le front et lui donnait le bouillon tout doucement à la cuiller, en soufflant dessus d'abord pour être sûr qu'elle ne se brûlerait pas la langue.

« Treefy.

— Hein ?

— Tu m'écoutes ?

— Hein ? Ouais.

— Tu vas me protéger ? »

Il trempe son foulard dans l'eau bouillante, se retourne et lui dit : « Bien sûr que je vais te protéger, Angela. »

Le samedi Walker prend un taxi pour venir de la 131e Rue et il demande au chauffeur de klaxonner sous les fenêtres de Clarence. Il y a cinq étages à monter, sans ascenseur, et ses jambes et son cœur renâclent à l'idée de grimper. Le jeune couple descend avec la petite, Clarence Nathan se penche vers la portière pour payer le chauffeur, à qui il laisse un bon pourboire.

Il aide Walker à descendre de voiture et il doit empêcher Lenora de bousculer le vieillard. Walker s'est fabriqué une canne, sur laquelle il prend appui. Ce qui lui reste de cheveux a la couleur d'une arête de hareng et de nouvelles rides se sont creusées dans les rides plus anciennes.

« Comment va ma petite citrouille ? demande Walker en se penchant.

— Bonjour, pépé. »

Walker se redresse. « Bonjour, ma belle.

— Bonjour, Nathan, dit Dancesca.

— Ma parole, tu embellis de jour en jour », lui dit-il.

Ils descendent au parc tous les quatre avec une lenteur infinie. Walker a un chapeau neuf, un Hansen, avec une toute petite plume piquée dans le ruban au-dessus du bord. Lenora trotte devant les adultes, qui passent en revue les événements de la semaine – les résultats du base-ball, les matchs de football, les caprices de la météo. La conversation est plaisante, et parfois même Walker parle de ses fantômes. Dancesca aime bien ce qu'il raconte sur Eleanor. Clarence Nathan, qui a entendu ces histoires maintes et maintes fois, marche souvent en avant avec sa petite fille.

C'est une époque merveilleuse, les plus beaux jours de sa vie.

Même quand il pleut, ils vont au parc en se serrant sous leurs parapluies. Clarence Nathan essuie le siège des balançoires avec un pan de sa chemise, et quelquefois Dancesca apporte une serviette sur laquelle il fait une première descente, afin que le toboggan soit sec pour Lenora. Ces visites du samedi sont entièrement centrées sur la petite. Les adultes la poussent tour à tour sur la balançoire. Ils restent ensemble au pied du toboggan pour la recevoir. Ils la font grimper sur les dinosaures en fibre de verre. Walker se sert de sa canne comme d'une toise et mesure l'enfant. Parfois, il sort une balle de son nombril, mais c'est un tour qui ne plaît guère à la petite fille, il lui fait peur.

Au printemps, tous les quatre, ils étendent une couverture par terre sous les cerisiers en fleur, et ils mangent des sandwichs au concombre, le délice de Walker. Quand le soleil baisse de l'autre côté de l'Hudson, ils quittent le parc tout doucement, Clarence Nathan hèle un taxi, glisse un billet de vingt dollars à son grand-père, et le vieux monsieur rentre chez lui.

Un samedi après-midi où Lenora et Dancesca sont en visite ailleurs, Walker emmène Clarence le long d'un tunnel de chemin de fer sous Riverside Park. Il y a une grille d'accès au tunnel, mais le verrou a sauté. Les deux hommes l'ouvrent, se glissent à l'intérieur et se trouvent sur l'escalier métallique. Walker pousse du pied une aiguille hypodermique pleine de sang qui tombe tout en bas. « Saloperies », dit-il. Tout d'abord, ils sont dans le noir, mais ensuite leurs yeux s'habituent à l'obscurité et ils discernent les grilles au sommet de la voûte et les peintures murales juste en dessous. Des pétales de fleurs de cerisiers tombent régulièrement à travers les grilles. Ils voient une silhouette émerger de l'ombre, un homme qui tient des bombes de peinture. Le grand-père et le petit-fils se regardent, puis ils remontent à la surface, Clarence Nathan prenant Walker par l'épaule pour l'aider à gravir la pente abrupte du remblai.

« J'ai travaillé ici, autrefois, dit Walker en montrant le tunnel derrière eux. J'ai creusé et jointoyé là en bas. »

Il lui nettoie méticuleusement sa blessure à l'œil : il trempe son foulard dans l'eau bouillante, le tord sur le bord, et il le rince dans la casserole jusqu'à ce qu'il voie l'eau rougir, même dans la semi-obscurité. Comment était-elle, enfant, à l'époque où elle avait de l'eau chaude couleur de rouille ? Son père l'emmenait-il jouer sur les balançoires ? Se tenait-elle les bras croisés sur les genoux à l'arrière de la voiture ? Aurait-elle pu imaginer qu'il puisse exister un lieu encore plus sombre qu'un champ de maïs en Iowa la nuit ? À quoi ressemblerait la carte de sa chair, à une échelle minuscule, s'il se faisait le cartographe de ces corpuscules qu'il voit là dans cette petite trace de violence autour de son œil ?

En pansant la plaie, il sent le souffle d'Angela dans son cou. Un peu de la lumière matinale pénètre dans le tunnel – il y a maintenant assez de jour pour qu'Elijah puisse faire sa ronde. Treefrog aurait dû lui enfoncer sa clé à écrous dans la gorge ; il aurait dû frapper plus fort, comme son père autrefois, ce père qu'il n'a pas connu, qui a occis un mécanicien et un flic. L'espace d'un instant, une vision lui traverse l'esprit : il voit un manche de pelle s'enfoncer profondément dans le crâne d'un Blanc. Son père lui fait un clin d'œil et lui dit : « C'est rien, mon garçon, juste un bon *home run*. »

Treefrog humecte le bout propre du foulard avec sa langue. S'il avait un peu de gin, il pourrait désinfecter la plaie, mais peu importe, elle sera vite cicatrisée. Il plie le foulard en carré et l'applique doucement sur la joue d'Angela. Il se penche et pose un baiser sur le haut de son front. « Tu pues, mec, lui dit-elle.

— Dors. »

Il remonte la fermeture Éclair du sac de couchage, attrape une ou deux couvertures et va se mettre dans son fauteuil. Il enlève du feu la casserole d'eau souillée de sang. Comme les flammes jaillissent soudain, il se réchauffe les mains et pense à son harmonica, mais les yeux d'Angela papillonnent, et bientôt elle va s'endormir.

Resserrant les couvertures autour de lui, il laisse mourir le feu et interroge le silence, à la recherche de Castor. Angela se tourne un peu dans le sac de couchage, et ses lèvres touchent l'oreiller. En souriant, il répète ce qu'elle vient de lui dire : « Tu pues, mec. » Parfois, quand il était couché à côté de Dancesca, elle sentait sur lui l'odeur de transpiration qu'il avait rapportée du chantier, même après sa douche. Elle s'écartait de lui en s'écriant : « Infraction ! — Quoi ? — T'as pas payé ! — Comment ? — Tu sens mauvais, Clar. — Ah. » Et il se levait pour retourner se laver, se rasait de près, s'arrosait les joues d'eau de Cologne, revenait au lit et se pelotonnait contre elle. Elle avait maigri depuis leur mariage. Il regrettait ses rondeurs, ses seins opulents, mais il ne le lui disait pas ; il lui arrivait même d'en tirer une certaine fierté – alors que d'autres en prenant de l'embonpoint s'éloignaient de leur mari, sa femme, au contraire, se rapprochait de lui.

Une fois, elle l'a accompagné à Houston, où il travaillait sur un gratte-ciel avec son équipe. Ils ont laissé Lenora dans la famille de Dancesca. C'était la première fois que Dancesca prenait l'avion ; les fines pailles rouges dans les verres lui ont beaucoup plu. Elle en a gardé sept – une pour chaque année de Lenora. La chaleur était écrasante, même en hiver, ils en étaient accablés. Après la journée de travail, ils ne bougeaient à peu près pas de leur chambre d'hôtel – c'était le bon temps, la plus belle époque de sa vie. Le climatiseur bourdonnait. Dancesca était fascinée par les petits flacons de shampoing dans la salle de bains. Sur les tables de chevet, il y avait des gobelets en plastique sous cellophane, qui restaient intacts, car Dancesca et

Clarence se versaient le gin directement dans la bouche. Elle adorait se faire fondre des glaçons sur le ventre. Ils voulaient envoyer un télégramme à Walker, mais ils ne trouvaient rien d'autre à lui dire que « Nous sommes au Texas, dans l'État de l'étoile solitaire ».

Un soir, dans un bar des faubourgs de la ville, Dancesca, Cricket et lui prenaient un verre. La musique tonitruait. L'alcool leur martelait les tempes. À une table voisine, il y avait des types qui travaillaient sur les derricks. Cricket les a défiés de marcher sur le toit de l'établissement – simple affaire d'équilibre, disait-il. Le pari était de cent dollars. Tout le monde est sorti dans la nuit. Le bâtiment avait deux étages et un toit en forme de V renversé. Cricket et lui ont fait le parcours les yeux fermés. Les types des derricks ont vainement essayé de suivre, sidérés. Une fois revenus à l'intérieur, Cricket et lui ont ramassé leurs gains et ils ont picolé ensemble en se donnant de grandes claques dans le dos. Tout d'un coup, une queue de billard s'est écrasée sur la nuque de Clarence Nathan. Il est tombé par terre, il a voulu se relever et il a glissé dans son sang. Dancesca s'est mise à hurler. Quatre hommes ont fondu sur Cricket. Clarence Nathan a eu la poitrine entaillée par un violent coup de couteau. On l'a emmené à l'hôpital. Sa première cicatrice. Dancesca est restée à son chevet, et ensuite, pendant des mois – une fois rentrés à New York –, elle l'a soigné avec un emplâtre spécial qu'elle lui étalait amoureusement sur la poitrine. Elle lui massait le torse avec cette pâte jaune, puis ses doigts s'égaraient plus bas et s'arrêtaient, en extase.

Treefrog ouvre les yeux et regarde Angela endormie.

Tendrement, il touche le bord de l'œil, où le sang suinte encore sur la plaie. Il la nettoie encore une fois, puis il retourne à son amère obscurité. Il souffle sur le feu pour le ranimer. Dans le Goulag, il n'y a plus qu'une petite quantité de riz et de la nourriture pour chat. Il sort le riz, le mesure dans une tasse, lave la casserole et l'essuie avec le pan de sa deuxième chemise, la plus propre. Il tourne le riz avec un doigt, attend qu'il soit cuit, et il réveille Angela en l'embrassant sur la joue. Elle mange voracement et, quand elle a fini, elle lui demande : « Qu'est-ce qu'on va faire, Treefy ? »

Il la regarde et hausse les épaules.

Elle sort de sa poche le dessin qu'il a fait de son visage sur papier quadrillé, le déplie, le regarde, se touche la joue et dit : « J'parie qu'à présent ces montagnes-là sont encore bien plus grosses.

— Je pourrais faire une carte de toi sans les gnons.

— Pourquoi tu fais des cartes ?

— J'en fais de partout. Même de mon nid.

— Pourquoi ?

— Au cas où Dieu viendrait me chercher.

— Quoi ?

— Qu'il puisse se repérer pour venir jusqu'ici.

— T'es de la secte des Jumpers ou quoi ?

— Non. C'est juste pour qu'il puisse me retrouver. »

Elle se retourne dans le sac de couchage en soupirant. « T'es cinglé. » Elle met un doigt sur sa dent branlante et, avec l'autre dent de devant, elle se coupe le bout d'un ongle trop long. Avec la rognure de son ongle, elle finit de se curer la dent du bas. « J'avais de très belles dents, dit-elle. Tout le monde disait que j'avais des dents magnifiques.

— T'as toujours des belles dents.

— Arrête de mentir.

— Je mens pas. »

Il la regarde à la lueur de la bougie cracher la rognure de son ongle. « Treefy ? dit-elle. J'ai soif. J'veux aller au ravitaillement. »

Et il comprend aussitôt que cela ne va pas durer, que bientôt elle sera partie, qu'elle ne va pas rester dans son nid, qu'il n'y peut rien ; elle va partir aussi vite qu'elle est venue. Les genoux contre la poitrine, il serre les couvertures contre lui, il sent le battement morne de son cœur contre sa rotule. De petits élancements lui traversent le foie. Il lui demande une cigarette : elle fouille dans son sac et en ressort les mains vides.

« Merde, dit-elle. J'vais aller voir Elijah.
— Impossible.
— Et pourquoi ?
— Le gant de toilette bleu. »

Ils restent en silence pendant presque une heure, et il se demande s'ils ne vont pas rester ainsi éternellement. Peut-être que quelqu'un descendra là et trouvera leurs os, qui auront blanchi dans le nid. S'il avait une pendule, il pourrait estimer le coût de tout ce silence. Un cent les vingt minutes. Trois cents l'heure. Soixante-douze cents la journée. Il pourrait finir millionnaire. Il se balance sur son fauteuil et repousse ses longs cheveux, qui lui cachent les yeux.

Mais brusquement il se redresse, joint les mains, cherche dans sa poche et en sort son couteau suisse.

« Attends, tu vas voir », lui dit-il.

Il se tâte la barbe, passe ses doigts tout du long. Il déplie les ciseaux et ouvre les lames, s'assied au bord du lit, et se met à tailler. Il est surpris de sentir combien le froid lui mord le menton dès qu'il enlève la première touffe de poils.

« C'est fou ce que ça te rajeunit », dit Angela.

Il sourit et, en partant du milieu du menton, il remonte jusqu'en haut de la patte gauche, puis il fait la même chose de l'autre côté. Les poils de barbe tombent sur ses genoux ; il les regarde et leur dit : « Je me souviens de vous. » Les ciseaux ne coupent guère ; il sent qu'il s'arrache la peau des joues. Il continue tout de même à couper aussi ras que possible. Avec un rasoir, il pourrait faire mieux, se raser de plus près, atteindre sa vraie substance, peut-être même parvenir jusqu'à l'os. Tout en se rasant, il raconte à Angela que parfois, là-haut, il grave son vrai nom dans la neige, pour ne pas l'oublier : Clarence Nathan Walker.

Il actionne les deux petites lames des ciseaux avec le pouce et l'index, sans même avoir besoin de faire passer son couteau rouge d'une main dans l'autre. Quand il en a fini avec sa barbe, il ôte son bonnet de laine et se tâte les cheveux.

« Ah non, touche pas à tes cheveux. Je les aime bien.
— Attends une minute. »

Pour ne pas abîmer la lame de son couteau, il en prend un autre, un couteau de cuisine bien tranchant. Il jette ses longues mèches tout emmêlées dans le feu, et il les sent brûler. Il se remet à l'ouvrage avec les ciseaux jusqu'à ce qu'il ait le dessus du crâne tondu à ras.

« Viens ici, dit Angela.
— Viens me chercher », réplique-t-il.

Il va se blottir auprès d'elle sur le lit et tire les couvertures sur eux. Il n'enlève pas ses vêtements, pas même son pardessus. Elle se tourne pour lui faire face et coller ses cheveux contre sa tête. Il sort la langue et sent dans sa bouche le goût de toute cette crasse souterraine, mais, peu lui importe, il garde la langue dans cette chevelure, et Angela sourit en lui caressant le visage et ce qui reste de sa barbe.

« T'es mignon, Treefy, t'es vraiment mignon. »

Elle le prend dans ses bras et il se serre contre le sac de couchage fermé. Il respire profondément, croise les bras sur sa poitrine et se rapproche encore. Elle roule et gémit à l'intérieur du sac. Il se penche pour en détortiller le fond, où elle s'est emmêlé les pieds et, quand elle respire mieux, il se pousse contre elle de tout son long. Le tunnel est illuminé par les phares d'un train, le nid est inondé de lumière à l'approche de ces feux, et le corps de Treefrog suit le rythme du claquement des wagons contre les rails.

Au passage des wagons éclairés, des ombres mouvantes s'ébrasent, comme une toile qui se tisse et palpite sur le mur du nid. Il toussote en aspirant l'odeur du duvet d'Angela. Soulevant les couvertures par le bord, il ôte ses gants et se saisit de la fermeture Éclair. Angela se tourne à peine et Treefrog sent sa gorge se dessécher au fur et à mesure qu'il ouvre le sac de couchage, un cran de la fermeture après l'autre.

Il arrive en haut de l'estomac et il sent la tiédeur du manteau de fourrure.

« Treefy », dit-elle.

Ce n'est pas un manteau de prix, à en juger par le plastique autour des boutons, à l'endroit où ses mains se sont égarées. Les trois premiers boutons défaits, il tâte le quatrième et s'arrête. Il lui ouvre tout grand ses trois corsages. Il effleure la chemise thermolactyl sous laquelle il devine les belles et douces rondeurs de son corps. Il l'entend lever la main – un bruissement dans le sac de couchage – et leurs deux mains se rejoignent. Elle le guide sous la chemise, il ressent le choc du contact avec sa peau et elle lui dit : « T'as la main froide, mec. » Il la retire, la réchauffe en la frottant contre lui et la glisse de nouveau sous le thermolactyl. C'est une matière qui colle au corps, il n'a guère de place pour manœuvrer. Angela le guide, et la chemise remonte tout en haut de son ventre. Elle la retrousse au-dessus de ses seins. Les doigts de Treefrog rôdent près des mamelons et sa main se met en coupe comme s'il allait les saisir, mais il reste en suspens, puis se retire pour aller toucher le nombril, et, lorsqu'il la caresse, il entend son souffle rauque dans l'oreiller sale.

« Treefy, murmure-t-elle encore une fois.

— Clarence Nathan », dit-il.

Et puis elle pousse un « Aïe ! » quand il lui touche les côtes.

Elle garde une main collée sur la sienne, en haut de l'estomac, tandis que ses doigts vagabondent ; elle a le cœur qui bat très fort, il le sent – c'est la première femme qu'il touche ainsi depuis des années. Fulgurance de l'adrénaline, apesanteur de la pensée, légèreté du sang, somptueuse érection. Sa main décrit des cercles à côté du sein, sans le toucher – il ne le peut pas –, et il laisse sa main planer au-dessus du paysage bosselé du mamelon. « Attends, Treefy », dit-elle dans un murmure. Elle retire maladroitement son jogging et ses dessous et s'allonge de nouveau. Elle a la tête sur l'oreiller, elle lui sourit et il se rapproche un peu – doucement, te casse pas la figure. Elle lui saisit la main et la plaque contre son sein, et, pendant un moment, Treefrog ne ressent même pas le besoin de redoubler son geste. Elle ne dit pas un mot, pas un seul, rien, elle le prend simplement par les épaules, le serre plus fort, et il lui écrase la poitrine, il oublie tout et vient encore plus près ; elle lui a défait sa braguette et il entre dans la tiédeur de cette femme qui bientôt gémit, dans les affres profondes d'un être à la limite de l'ennui et d'une farouche passion humaine.

Dans la soirée, Elijah les appelle en criant sous la passerelle, puis il lance dans le nid un sac en plastique noir sanguinolent, qui atterrit avec un bruit sourd.

Avant de quitter le nid, il choisit par terre une zone dont il n'a pas fait le relevé depuis longtemps. Il prend une feuille de papier vierge et tire un trait horizontal d'un côté et une longue ligne droite dessous, en se servant du bord du sac en plastique pour guider le crayon.

Il traverse le nid en tâtant le paysage avec les pieds. Il montre à Angela comment inscrire les données. Il avance, se signale de la voix, et elle marque au crayon les endroits où le sol se relève, chaque centimètre faisant l'objet d'un ajout sur le graphique – elle allume le briquet et note scrupuleusement. Il recule en traînant les pieds ; il sait exactement ce que ses talons vont rencontrer. Il est obligé de se courber en deux pour sortir de la caverne. Ses pieds butent contre sa collection d'enjoliveurs, et Angela décrit un demi-cercle avec le crayon. En se dirigeant vers l'avant du nid, il monte sur le matelas. À la descente, on a une impression de dénivelé énorme. Il tâtonne avec les mains au-dessus de la table de chevet, monte le long de la bougie de sabbat, redescend à toute vitesse, évite de justesse le feu de signalisation cabossé, et il arrive au bout du nid, à l'endroit où on plonge à pic dans le tunnel. Il refait le parcours en sens inverse, s'assurant que tout est correct, s'attardant au-dessus du matelas, les yeux fermés.

La bougie brûle jusqu'au bout. Le suif coule et s'imprègne dans la terre.

Il termine son graphique – la caverne, le lit, la bougie de sabbat, le petit tertre sous lequel il a enterré Castor –, et il obtient à la fin un relief de vallées, de falaises, de montagnes et de gorges – un itinéraire difficile, il le sait, même pour Dieu.

Il enroule de l'adhésif sur sa chaussure à l'endroit où la languette est partie, il s'élance sur la passerelle, puis il aide Angela à descendre. Elle suit timidement, lentement. Il a pris des couvertures. « Où on va ? » demande Angela. « J'ai pensé à un endroit », répond-il. « J'ai soif », dit-elle. Alors il lui dit tout bas qu'ils vont quelque part où elle trouvera du ravitaillement. Elle lui demande s'il a assez d'argent et il fait signe que oui. Elle traverse le tunnel en sautillant, ramasse ses chaussures à talons, secoue la neige, puis revient, se penche sur la pointe des pieds pour l'embrasser et lui dit : « Allez, j'espère que tu me racontes pas d'histoires. »

Il s'essuie les yeux. Puis il prévient que cette fois, s'il voit Elijah, il le tuera sans hésiter, il lui fracassera le crâne, il l'étranglera, il en fera de la bouillie qu'il enfouira dans la terre à côté du corps de Castor. Mais, tout au long de ce parcours de l'ombre dans le tunnel, ils n'entendent pas une âme ; quand ils sortent enfin là-haut, ils trouvent un temps froid et clair, sans neige. Ils traversent le parc et prennent la rue jusqu'à un magasin ouvert toute la nuit, où il achète des cigarettes. Angela remonte son col et tâte son visage meurtri. Puis elle s'arrête un instant et sourit. « De la coco », dit-elle, et, dans son impatience, elle se fait une overdose de rouge à lèvres sur la bouche.

14

Enfin heureux

Il habitait toujours là-haut à la 131e Rue. À présent, sa vie n'était plus guère faite que de silence. Mais moi, tu comprends, je l'aimais plus que tout au monde, alors, tous les trois, on allait le voir autant qu'on pouvait. Il fabriquait des meubles, comme je t'ai dit. Mais je sais pas pourquoi, à la fin de sa vie, il s'est mis dans la tête de fabriquer un crincrin. Il a pris du bois, et il l'a découpé en forme de violon – comme ça, tu sais ? Il avait enroulé du papier de verre autour d'un bouchon, et il était là toute la journée à vernir, à découper, à poncer. Et puis il a dégoté du crin de cheval, va savoir où, et il s'est fait un archet. Il disait que la musique, c'était une sorte de don chez lui ; y avait ce piano qu'avait beaucoup compté dans sa vie, et tout. Même que ma grand-mère avait joué du piano dans les tunnels, mais ça, c'est autre chose. Tiens, enveloppe-toi dans cette couverture, ma vieille. Ouais, enfin. Il se faisait du thé chez lui avant de descendre travailler à son crincrin, dehors, devant la maison, avec cette espèce de truc pour garder la théière au chaud. C'était un cache-théière qui venait de la mère de ma grand-mère, Maura O'Leary. Et un jour, en faisant son thé, voilà qu'il se le met sur la tête ! Ses enfants lui avaient fait le coup un jour. Et il me l'avait fait à moi aussi quand j'étais gamin. Juste parce que ça lui plaisait bien, il trouvait ça drôle. Et peut-être qu'il aimait bien l'avoir sur la tête pour garder ses souvenirs au chaud, ou quelque chose comme ça.

Donc il descendait s'asseoir dans la rue avec son violon à moitié fini et ce foutu cache-théière sur la tête. On se moquait de lui, mais il s'en foutait ; il était mourant, alors il pouvait se permettre ce genre d'excentricité, tu vois. Un jour, je lui ai acheté un walkman – dans ce temps-là, j'avais du fric –, mais ce genre de truc, ça l'intéressait pas. Putain, il avait même dégoté un petit cache-théière pour Lenora, mais elle aimait pas avoir ça sur la tête, et on la comprend. On allait le voir très souvent et on restait là avec lui devant la maison, c'était le bon temps, les plus beaux jours de ma vie. Et quand il a joué de son crincrin pour la première fois, on était tous là, Lenora aussi. Ah ! purée, il jouait comme un pied, putain, c'était affreux ! Abominable ! tu comprends ? Mais, en même temps, c'était beau. Et il s'est mis à chanter ce blues qui va pas du tout avec le violon : *Seigneur, j'suis tellement au fond du trou, quand je lève les yeux, il me semble que j'vois que le fond.* Mais on était tellement heureux tous ensemble là devant la maison qu'on a changé les paroles, et on chantait : *Seigneur, maintenant que j'suis en haut du ciel, quand je baisse les yeux, il me semble que j'vois que du ciel.* Y avait les voitures qui passaient. On entendait même des coups de feu plus bas dans la rue, mais on y faisait pas attention.

Et c'est un des trucs que j'ai toujours dans la tête. Lever les yeux et voir que le fond du trou ; baisser les yeux et voir que du ciel. J'ai jamais rien entendu de plus chouette, qu'on le prenne comme on voudra.

Je sais bien que t'as froid, ma vieille, mais moi aussi. Ah ! putain, le froid qu'il faisait ce jour où j'ai été tout seul le voir chez lui ! Dancesca et Lenora, elles étaient parties voir l'autre famille ; on a tous deux familles, qu'on le veuille ou non. Comme ce vieux Faraday. Donc j'ai pris l'escalier et, comme je fumais à l'époque – non, non, ma vieille, seulement des cigarettes –, je faisais toujours attention d'éteindre ma clope dans le pot de fleurs à l'étage en dessous, parce que je lui avais dit que j'avais arrêté de fumer.

Plus tard. Je te l'ai dit.

Enfin bref. Écoute ça.

J'étais donc tout seul, et je frappe à la porte. D'habitude, il était plus ou moins recroquevillé sur son canapé, avec ses vieilles douleurs, mais, cette fois-là, il vient m'ouvrir – c'était en 1986, il avait quatre-vingt-neuf ans et ça commençait à sentir le sapin. Ce jour-là, il m'ouvre la porte et il me dit : J't'ai vu arriver dans la rue, mon garçon. Il était tout habillé, avec son pardessus, son écharpe, et ce foutu cache-théière ridicule. J'entre et je retire mon manteau, je m'assois et je branche la télé, et je tombe sur le match de base-ball entre les Yankees et les Red Sox. Il me demande qui est-ce qui gagne. Et moi je lui dis que les Yankees viennent de marquer, mais c'était pas vrai. Y avait ce vieux pote à lui qu'aimait bien les Dodgers et les Yankees. Alors mon grand-pépé il était content quand c'étaient les Yankees qui gagnaient. *Home run* des Yankees, que je lui dis. Alors il vient près du canapé et il me dit : Si on allait faire un tour ? Il fait froid dehors, je lui dis, mais lui il me répond : Aujourd'hui, je me sens bien, je serais capable de faire des milliers de kilomètres à pied. On ferait mieux de regarder le match, que je dis, mais lui il m'attrape et il me tire pour me faire lever – il avait encore de la force - et on enfile notre pardessus, et nous voilà dehors, le vieux avec son cache-théière sur la tête ; il fait un froid de canard et y a personne dans la rue que deux trois types qui vendent de l'héro et de l'alcool.

On va jusqu'à l'épicerie et on s'achète le *Daily News*, et je lui avais jamais vu une énergie pareille. Il paraît que, des fois, quand on va mourir, ça donne plein d'énergie.

Non, pas toi, Angela, t'es pas près de mourir, voyons.

Et puis il se fourre un peu de tabac dans la bouche, mais je dis rien, et pourtant j'ai bien envie d'une cigarette. Il disait toujours qu'à son âge il pouvait bien avoir un vice, et que s'il y a une chose qu'un vieux regrette dans la vie, c'est de s'être conduit trop bien. Bref, on prend le métro, on change deux, trois fois, et on descend tout en bas jusqu'à ce tunnel où il a creusé y a des années. On sort et on se trouve là au bord de l'East River, près d'un dépotoir, à côté de l'ancien bureau des Douanes, et voilà qu'il me dit : Y a un anneau en or là au fond, sous le fleuve. C'est l'alliance de ton arrière-grand-mère. Je sais, je lui dis, parce que, cette histoire-là, il me l'a racontée des milliers de fois. Et après ça, tu sais ce qu'il me dit ? J'ai bien envie d'aller faire un tour dans ce tunnel pour saluer mon vieux copain Con, c'est ça que j'ai envie de faire.

Hein ?

J'ai envie d'aller faire un tour, là, sous le fleuve, qu'il dit.

Et naturellement, je lui dis : Mais t'es fou. Alors il soupire et il me dit : Allez viens, on va descendre et on prendra le métro.

On peut pas aller à pied dans le tunnel, je lui dis.

Je t'ai dit qu'on allait prendre le métro, fiston, t'as compris ?

Alors on descend les marches – j'oublierai jamais ça –, on met nos jetons, et je l'aide à descendre. Il avait toujours sa canne. Au bord du quai, on attend qu'une rame arrive – c'est la ligne M, c'est ça ? Et quand elle arrive, avec les freins qui grincent, il me retient par le coude et il me regarde comme ça droit dans les yeux et il me dit : Alors ? Et moi je lui dis : Tu veux qu'on y aille à pied, c'est ça ? C'est dimanche, qu'il me dit, on va attendre pour voir combien de temps y a entre deux rames. Ça pourrait bien être une demi-heure. Le dimanche, y a moins de trains. Je sais plus combien de temps on a attendu, mais bien trente-cinq minutes, et alors on se regarde – je le jure sur la tête de ceux qui sont là-haut – et on se met à rire, mon grand-papa et moi. Et puis les portières se referment et on reste tout seuls sur le quai. On se fait un signe de tête. Allez, qu'il dit, juste un petit bout de chemin, c'est tout. Tope là. J'étais rapide en ce temps-là, plus rapide que maintenant, alors je saute sur la voie et je tends les bras pour l'attraper et l'aider à descendre. On est pas forcés d'y aller, je lui dis, et il me répond : Si, je voudrais bien. J'ai envie d'y aller. Juste quelques mètres.

Méfie-toi du troisième rail, je lui dis. Et lui, tout heureux, il me répond : Le troisième rail, je connais, mon p'tit gars.

Et puis il me dit : T'as un briquet ? Je demande pourquoi. Au cas où la rame suivante a de l'avance, il me dit, on pourra l'allumer pour que le conducteur nous voie.

Je lui donne le briquet et je lui demande combien de temps on devrait mettre à pied. À peu près un quart d'heure, il répond. On ferait bien de se presser, je lui dis.

On s'éloigne un peu du quai et on commence à avancer dans le noir. Le plus noir de tous les tunnels. On avance en se tenant par la main, j'ai pas honte de le dire.

Donne-moi un peu ta main.

T'as froid, je sais. Tiens, prends mes gants.

Au milieu de la voie, à l'endroit où ça descend, il me lâche la main et il me tient par l'épaule, en marchant à un pas derrière moi. C'était comme si on avait eu un bandeau sur les yeux. Je sais pas pourquoi on s'est pas arrêtés, mais enfin bon, on a continué. Et moi, j'arrête pas de me dire : On aurait dû apporter une torche électrique. Mais ça l'empêche pas de me signaler toutes sortes de trucs : la bande métallique rouge et blanc sur le mur, les virages, l'endroit où un soudeur a flambé.

Ce tunnel-là, y a personne dedans, bien sûr. Personne pourrait y vivre. Trop étroit. Mais y a des gens qui sont passés, des types qui font des graffiti ; ce mec, COST REVS 2000 et plein d'autres, sauf qu'y a personne comme Papa Love ; personne au monde est capable de peindre comme Papa Love. Et nous deux, on reste tout près l'un de l'autre, et je me dis : Là au-dessus, y a des bateaux sur l'eau, et y a Brooklyn et Manhattan, et on est en train de marcher sous le fleuve. On grelotte tellement il fait froid et humide. J'ai la trouille et j'arrête pas de me retourner. À cette époque-là, ça allait, j'avais pas perdu la boule, j'étais pas encore devenu fou.

Je sais que je suis pas fou, Angela.

Ouais, toi aussi t'es chouette.

Le soleil et les cigarettes.

Mais écoute.

Écoute donc.

On aurait dû faire demi-tour, mais on a continué. Y avait aucun bruit dans le tunnel et on était à un endroit où ça tournait, et c'est là qu'il prend le briquet et qu'il l'allume à ras du sol plusieurs fois. L'alliance, c'est par ici qu'elle est, il me dit. Moi, je vois que du gravier et des cailloux, mais il regarde la voûte au-dessus de nous, et moi je lui demande s'il a trouvé cette alliance et il me dit : Attends une minute. Il se brûle le pouce avec le haut du briquet. Allez viens ! je lui dis. Une minute, je jette un coup d'œil par ici. Allez viens, viens vite, viens vite ! Il referme le briquet, il lève la tête et il dit en parlant à la voûte : C'est les Yankees qu'ont l'avantage à l'heure qu'il est ! Et moi je commence à paniquer, et je me sens mal parce que le *home run* des Yankees, c'est pas vrai, pas du tout, mais je dis rien. J'ai la trouille. Alors je lui prends le Zippo, je l'attrape par son pardessus et je le traîne le long du tunnel. Pas de rats, pas plus de Skagerrak que de Barents, rien – juste notre respiration. Et alors il me dit : Oui, je me rappelle. Tu te rappelles quoi ? Et il me répond : Je me dérappelle.

Allez viens.

Seigneur Dieu ! qu'il dit, comme il disait des fois.

Magne-toi ! Je tends le bras derrière moi pour le tirer par la manche. J'essaie de garder le Zippo allumé, mais il s'éteint tout le temps. Faut rester loin du troisième rail et tout. Marcher bien au milieu des voies. De plus en plus vite, et je tire toujours sur son pardessus. Il arrive pas à avancer, et moi je me demande s'il va falloir que je le porte.

Ça va, Angie, laisse-moi. Ça va bien.

Angie. Angela. Peu importe.

Écoute juste.

Peut-être qu'il s'est senti rajeuni, subitement, une connerie de ce genre, quatre-vingt-neuf ans, mais tout d'un coup il en avait plus que dix-neuf ; peut-être qu'il courait après lui-même dans son passé – un, deux, trois, un coup et retour –, peut-être qu'il revivait son ascension à travers le tunnel et le fleuve et tout – mais non. Je le tire tant que je peux, et on aperçoit enfin les lumières de la station de métro – à une bonne distance – et maintenant je hurle, je lui hurle : Allez, avance, allez ! Il s'arrête un peu, il met ses mains sur ses genoux, il se plie en deux, et il dit : Y a des années que je me suis pas senti aussi bien.

Et puis il reste là debout à regarder. Peut-être qu'il reconnaissait le coin. Peut-être qu'y avait des trucs qui lui revenaient. Mais il bougeait plus. Alors je le tire de plus en plus fort. Il a les pieds qui font bom-bom par terre, et je vois enfin le quai et je me dis : Putain, on y est, on arrive. Ça y est, on est arrivés. On a marché sous le fleuve. On a fait tout le chemin à pied, d'une rive à l'autre. Il lève sa canne, et à ce moment-là j'entends le roulement d'un train et le barouf des avertisseurs, et les phares qui brillent au loin, et moi – moi je suis rapide –, je saute sur le quai et je me penche pour l'attraper sous les bras, pour le tirer à moi – les phares du train arrivent sur nous – et il a une main qui glisse, il se raccroche, le chapeau tombe – c'est ça qui est horrible, tu comprends, c'est le cache-théière, y a pas plus idiot que ce truc-là – et il tend la main pour le rattraper, et moi, j'essaie de le retenir, et il est là qui me regarde, et je jure sur la tête de ce qui est là-haut – je jure, oui je le jure, je l'aimais, je l'aimais, je l'aimais, Angie –, il lève les yeux vers moi avec cet air de me dire : Et maintenant qu'est-ce qu'on fait, fiston, maintenant qu'on est heureux ?

Il y a ce rêve : Clarence Nathan se coupe les deux mains et il se suce la moelle des os, jusqu'à ce qu'il trouve un corridor vide dans lequel il marche, dans une folie aussi désespérée que celle de Manhattan.

Dancesca s'est occupée de moi. Elle aussi elle était rudement triste. Et Lenora, elle arrêtait pas de pleurer. Elle a même mis la canne du grand-père dans l'aquarium, mais on n'arrivait pas à la faire tenir. Enfin personne a jamais été plus regretté que ce vieil homme-là. Je revois tout le temps ça dans ma tête – lui, traîné le long de la voie, et moi, hurlant sur le quai, et les roues du train qui grincent. Et puis, tout d'un coup, un silence comme j'en ai jamais entendu. Après ça, je pouvais plus rien faire. J'étais paralysé. Plus rien, là, dans les mains. C'est pas possible d'aimer un homme plus que je l'aimais.

Non, je suis pas triste.

Je pleure pas.

Je te dis que non.

Et ça, là, tu vois, tu vois ça – c'est à ce moment-là que j'ai commencé. Je voudrais tuer mes mains, tu comprends, et tout ce que je touche, je le touche deux fois. Comme ici, et là. Ça m'arrive encore des fois, mais plus autant. Maintenant, c'est juste par habitude. Mais à cette époque-là, si je peux pas toucher la chose deux fois, je deviens fou, comme si quelqu'un m'avait vidé une moitié du corps. Je suis retourné sur les gratte-ciel, mais je faisais plus rien de bien, je mettais un temps fou à monter, j'avais la tête qui cognait et j'ai compris qu'ils voulaient me virer. Alors, un soir, je suis resté là-haut sur le gratte-ciel, tout en haut – on en était au quarante-septième étage à ce moment-là – avec ce copain à moi, Cricket. Il a donné un peu de fric aux gardiens pour qu'ils nous laissent tranquilles. Il faisait froid, et le ciel était plein d'étoiles. J'étais dans un état affreux, j'avais la tête qui cognait. C'était dangereux sur l'acier parce qu'il avait plu et il avait un peu gelé. La ville était tout illuminée, comme certains soirs.

Pour moi, c'était comme une de ces photos où toutes les lumières sont floues parce qu'on a laissé l'obturateur fermé, tu vois ce que je veux dire ?

On est montés en haut de l'échelle, on était un peu éméchés, on avait bu deux ou trois bières. Cricket arrêtait pas de me dire : Tu perds la tête, c'est pas possible. Mais moi, je pensais à mon grand-père, et rien pouvait m'arrêter. On est arrivés sur le tablier et je suis monté sur une poutrelle en X. Sans problème. Mais Cricket, lui, comme il était un peu éméché, il avait plutôt les jetons. Il a fini par monter lui aussi, mais je l'ai jamais vu grimper aussi lentement. J'ai sorti les cigarettes de ma poche.

J'en ai allumé une et je lui ai lancée, à l'autre bout de la poutrelle, mais il arrivait pas à les attraper. C'étaient pas des bougies, mais t'aurais dû voir ces cigarettes avec leur bout rouge voltiger en l'air. À une ou deux reprises, Cricket a réussi à en attraper une, et alors il mettait les mains autour, mais la plupart du temps elles passaient par-dessus bord – sans doute qu'elles restaient prises dans les filets plus bas. Mais t'aurais dû voir tous ces bouts rouges. Comme ça. J'ai bien dû en allumer deux paquets. Et je les lançais en l'air. Je suis resté là sur cette poutrelle toute la nuit, et j'ai pas honte de te dire que j'ai pleuré comme un enfant. Toute la nuit je suis resté assis là à essayer de lancer mes cigarettes, parce que je voyais rien de mieux à faire.

Et c'est à ce moment-là que j'en ai écrasé une ; c'est comme ça que ça a commencé.

Putain, ouais, je me suis esquinté, mais j'ai rien senti.

Je me suis brûlé le dos de la main, un petit trou, comme un cratère. Et puis j'ai fait pareil sur l'autre main, avant que Cricket puisse m'arrêter. Il m'a empoigné en disant : Ah, mon pauvre vieux. Il m'a pris par l'épaule et il a dit : C'est rien, ça va passer. On est rentrés avant le jour, et Dancesca elle était dans tous ses états, elle devenait folle. Elle me fait asseoir, elle me fait des tas de caresses et tout, elle me met de son fameux emplâtre sur la main. Une recette qu'elle tient de sa famille.

Ouais, c'est comme une pâte jaune pour cicatriser.

Ah, elle a des beaux yeux noirs, elle te ressemble beaucoup.

Des belles dents, ouais.

Tu vas avoir ta coco, je te l'ai dit.

Trois heures du matin peut-être.

Mais Angie. Angela.

T'aurais dû voir ces petits bouts de cigarette rouges qui voltigeaient.

Clarence Nathan regarde les formes que prennent ses trombones. Il les déplie complètement et il tient le fil métallique étiré au-dessus de la flamme du gaz.

Quand le métal chauffe et rougit, il le tord en se servant de petites pinces. Une légère courbure, et il souffle dessus, le laisse refroidir et durcir. Il renvoie en arrière une mèche qui lui cache les yeux. Il lui faut faire très attention : le trombone se brise facilement. Il le maintient au-dessus de la flamme avec les pinces et courbe le métal plusieurs fois, patiemment. Quand c'est fini, on dirait le corps d'un serpent qui s'enfuit. Mais il y a aussi d'autres formes : un bateau, un petit œil, une pyramide, une pelle.

S'éloignant du fourneau à gaz, Clarence Nathan va s'asseoir à la table de la cuisine – pieds nus sur le plancher, il sent les têtes de clou toutes froides –, il fume et il regarde les spirales de fumée bleue au-dessus de lui. Dans le coin, une télé grésille, l'écran couvert d'une neige grise. Tout le reste est extraordinairement calme. Il pose les trombones sur le plan de travail pour les laisser refroidir, et quand ils sont prêts il les chauffe et porte le métal au rouge. Il les met sur ses bras et appuie avec le poing jusqu'à ce qu'un éclair de douleur le transperce.

Il ferme les yeux, il serre les dents, les tendons de son cou se gonflent et un hurlement retentissant sort de sa gorge. Dancesca entend cela si souvent qu'elle ne bouge même plus de sa chambre.

Seul le corps est impliqué ; le cœur, nullement. Une sensation. Une jouissance. Il l'attend, il l'accueille : il n'est plus qu'un corps, avec la douleur pour contenu. Sa peau ressemble à un paysage désertique avec toutes ces empreintes, ces brûlures également réparties sur les deux moitiés de son corps, qu'il s'inflige avec une curiosité de spectateur.

Il s'est même fait des incrustations dans les pieds, si bien que la nuit, quand il marche nu-pieds sur le plancher, il a l'impression que ces marques lui parcourent tout le corps. Il essaie de se rappeler combien de mois se sont écoulés depuis la mort de Walker – si c'est trois mois, il décide que c'est quatre mois ; si c'est cinq mois, il décide que c'est six mois ; et si on est en septembre, un mois impair, il le transforme en octobre.

Dehors, en marchant, il évite soigneusement les fissures des trottoirs. Il compte ses pas, et s'arrête sur un nombre pair. Il lui arrive même de repartir en arrière afin de tomber juste. Et puis il doit refaire le même parcours pour être sûr qu'il appuie autant sur le pied gauche que sur le pied droit. En entrant dans une épicerie, il monte la marche et la redescend. Les commerçants l'ont à l'œil. Quand il a acheté ses cigarettes, il leur dit : « Merci, merci. » Il rentre et se remet à ses trombones. Il continue à se faire des marques sur le torse.

Dancesca prépare des dîners abondants pour meubler le silence des soirées. Assis à table, il tape ses fourchettes contre les assiettes vides. Lenora lui demande pourquoi il mange avec deux fourchettes, jusqu'à ce que sa mère lui murmure quelque chose à l'oreille.

Et après, sa fille lui demande : « Dis papa, t'es fou ?

— Va dans ta chambre immédiatement, petite », dit Dancesca.

Elle regarde Clarence Nathan et lui dit : « C'est juste une idée qui lui passe par la tête. »

Sur le chantier, les chefs d'équipe ont remarqué une chose étrange : tout ce qu'il touche, il faut qu'il le touche avec ses deux mains. En 1984, le jour de son vingt-neuvième anniversaire, il leur affirme qu'il a vingt-huit ans. Ils ont appris ce qui s'est passé avec les cigarettes. Et maintenant, c'est devenu une habitude. Il est renvoyé et, pour s'inscrire au chômage, il remplit le formulaire deux fois.

Chez lui, il éteint la télé. Mais, pour la symétrie, il faut qu'il tourne le bouton avec la main gauche aussi. Seulement le bouton ne peut plus tourner dans le même sens, alors il rallume le poste. Et il l'éteint une deuxième fois. Il s'aperçoit alors qu'il a oublié sa main droite. Il remet la main sur le bouton. L'écran s'éclaire.

Il allume, il éteint, allume, éteint, allume, éteint.

Allume.

Éteint.

Et puis il ne sait plus par quoi il a commencé. Par allumer ? Par éteindre ? Il s'arrache les cheveux, se couche par terre, met ses chaussures, les lace aussi serrées l'une que l'autre et il tape sur la télé des deux pieds. Le verre vole en éclats. Passant la main à l'intérieur du poste, il est ravi de compter un nombre pair de petits morceaux. Il les remet dedans tous ensemble et il tape encore une fois sur l'écran des deux pieds.

Il reste assis par terre, à se balancer d'avant en arrière, la tête dans les mains.

Le matin, il doit se préparer deux tasses de café. Les boire alternativement. Se beurrer quatre tartines. S'assurer qu'il y a un nombre pair de grains dans sa confiture de fraises.

S'il ne fait pas, en tout, égale mesure, son cerveau se met à battre. On revient et on recommence. On revient et on recommence.

Dans la pièce, quand il approche du canapé, quelque chose le trouble. Il voit un fantôme qu'il voudrait éviter.

« Eh bien, jure-le, dit-il tout bas sans s'adresser à personne.

— Je le jure.

— Jure sur ta vie que tu ne lui donneras plus un sou.

— Je le jure. »

Tout cela répété deux fois.

Un jour, en appelant les Renseignements, il obtient le numéro d'un Nathan Walker dans Manhattan ; une voix lui répond et il raccroche sans dire un mot. Puis il décroche le combiné de la main gauche, recompose le numéro, raccroche une seconde fois. Un instant, l'idée de se suicider l'effleure. Il la laisse se poser là et creuser un sillon dans ses pensées.

On avait un bel appartement, tu sais. Sur West End Avenue. Au cinquième étage ; on avait pas de vue ni rien, mais c'était bien. J'avais gagné de l'argent à travailler sur les gratte-ciel. À ce moment-là, avec ce genre de travail, on se faisait bien cinquante mille dollars par an. On avait de l'argent à la banque. Nos fonds étaient en baisse, mais on arrivait à se débrouiller. J'avais une bonne assurance du syndicat.

À peu près trente-deux ans.

Maintenant ? Trente-six, je crois. Et toi, t'as quel âge?

Doucement, te casse pas la figure.

Enfin donc, j'étais installé dans la chambre de Lenora. Tapissée en jaune avec l'aquarium et tout, et maintenant qu'elle est plus grande, y a aussi des stars de cinéma, des copains d'école, des chanteurs – Stevie Wonder, Kool and the Gang. C'est pas que ça lui plaise de plus avoir son aquarium près d'elle, mais je suis dans cette chambre-là pour me remettre la tête d'aplomb ; c'est pour ça que je suis là. Alors, elle dort avec Dancesca. Mais elle vient tout le temps me voir. J'installe une lampe bleue au-dessus de l'aquarium et ça fait tout briller sous le plastique jusqu'en bas, et ça lui plaît bien. C'est comme un vrai aquarium, plus éclairé en haut et plus sombre au fond. Même Faraday, il aurait trouvé ça bien. Une fois, avec Lenora, on a été à Penn Station tous les deux et on s'est fait photographier dans une de ces cabines avec un siège tournant, quatre photos d'elle et quatre de moi, et on les a mises en haut de l'aquarium. Tiens, regarde, j'en ai encore une, tu vois ?

Ouais.

Et, tu sais, tous les jours, elle m'apporte à manger sur un plateau. Des sandwichs, du café et tout. Du lait dans un joli petit pot. On m'enlève même la croûte de mes sandwichs. Et elle est là à me regarder et elle me demande : Papa, pourquoi on te donne pas de couteau ? Maman dit qu'il faut pas te donner de lacets pour tes chaussures, comment ça se fait ?

Des fois, Dancesca entre aussi, et elle s'assoit sur le bord du lit ; elle me coupe les cheveux et elle me dit : Ça aurait pu arriver à n'importe qui. C'est pas ta faute. Et elle m'amène Lenora pour me dire bonsoir et m'embrasser et tout. C'est une enfant super. C'est vrai, elle a son aquarium là, sur le mur, et y a Walker là, tout en haut. J'ai trouvé le négatif dans le buffet de la cuisine, j'ai été chez le photographe, et j'ai fait un autre tirage, et encore un autre, et encore un autre, et finalement j'en avais tout autour de moi. Je sais plus combien de tirages j'ai fait. Sans doute que j'aurais dû aller dans une maison de fous, mais j'ai été consulter deux ou trois fois, en consultation externe, et ils m'ont dit que j'avais rien, que tout ça, c'était de l'invention. Ils ont des spécialistes du langage et des psychologues, et tous ils disent que je suis un cas très intéressant parce que j'ai pas de déséquilibre chimique, et quand ils me donnent des médicaments, ça fait qu'empirer, alors ils m'en donnent plus, et Dancesca leur dit qu'elle s'occupera de moi. Et c'est ce qu'elle fait. Elle s'occupe de moi vraiment bien. Elle me surveille. Et le soir, elle met une belle table avec une nappe et elle me fait aucune remarque, pourtant, je continue à changer de main tout le temps avec ma fourchette. On parle de choses et d'autres, et on est à peu près heureux, ça s'arrange dans ma tête. Mais je bois un peu, je prends de l'argent dans le porte-monnaie de Dancesca. Je vais acheter de l'alcool dans un magasin pas cher. Des fois une bouteille par jour.

Ouais, ouais.

Elle, elle coupe les cheveux pour gagner de l'argent, et Lenora va à l'école, et moi, je suis à la maison presque tout le temps, et on a même changé de télé quand j'ai cassé l'autre.

Je sais pas, Angie. Peut-être que j'étais fou.

Mais merde, on l'est tous un peu, non ?

Quoi ?

Non.

T'en va pas.

Reste ici. Le soleil va se lever. Tiens, regarde, j'ai trois paires de chaussettes. Mets-les. Tu peux te les mettre aux mains, je m'en fous. Je me fous de tout, maintenant. J'ai jamais raconté cette histoire à personne. Tiens. Mets-les.

Pourquoi tu veux pas les bleues ?

Ah ouais. Pas de problème. J'y pensais plus.

Mais c'est pas des gants de toilette.

Peu importe.

Attends pas d'avoir les doigts gelés.

Regarde, regarde-moi ça. C'est pas beau ? T'en va pas, Angie. Reste ici jusqu'au lever du soleil, qu'on la voie vraiment bien.

Oui, oui.

Marée basse.

Ouais, ouais, ouais, du sable froid, tu te rends compte ?

T'en va pas, Angie.

Elijah ?

Il a juste une épaule pétée. Il te tuera de toute façon. T'as vu ce qu'il a fait à Castor. Remonte cette foutue couverture et écoute.

Écoute, Angela. Il faut que tu me dises quelque chose.

Il faut que tu me dises que tu ne vas pas me détester.

Dis-le-moi.

Parce que je veux pas que tu me détestes.

Dis-le-moi, parce que Dancesca, maintenant, elle me déteste, et Lenora aussi. Elles sont parties, et je les ai jamais revues depuis. Alors il faut que tu me dises que tu vas pas me détester toi aussi.

Il va attendre Dancesca et Lenora à la gare routière de Port Authority. Elles ont passé deux semaines à Chicago chez des parents. Ils rentrent chez eux en taxi tous les trois. Il demande au chauffeur de s'arrêter près d'un parcmètre, et il fait son numéro habituel, mais Dancesca ne regarde pas ; elle garde la tête baissée pendant qu'il d'un parcmètre à l'autre. Il tend les bras en l'implorant de regarder, et finalement Lenora baisse la vitre et lui dit : « Maman veut que tu remontes en voiture. »

Ça va pas bien, tu comprends. Je redeviens un peu fou. Lenora, elle me pose des questions du genre : Pourquoi tu travailles plus ? Pourquoi maman dit que t'es malade ? Pourquoi maman veut tout le temps aller voir ses cousins à Chicago ? Des petites choses comme ça. Elle a neuf ou dix ans, et elle me regarde en me posant toutes ces questions. Des fois, pendant que je suis dans la salle de bains, ou que je regarde la télé, elle change ma photo de place dans l'aquarium, alors, des fois, je me retrouve tout au fond avec le plancton. Ça me fait mal au cœur, mais je dis rien, pas un mot. Me déteste pas. Elle a des petits yeux pour une fillette de son âge, la plupart des gamines ont des grands yeux, mais elle, elle a des petits yeux. Et une cicatrice sur l'oreille, parce qu'elle est tombée de son tricycle. Et elle me regarde. Ça a l'air idiot, je sais, mais c'est des petites choses comme ça qui vous brisent le cœur.

Ouais, je me rappelle ton histoire. T'étais assise à l'arrière de la voiture.

À présent tu la vois, Angie. Enfin, presque. Attends que le soleil soit complètement levé.

Ouais, je me rappelle aussi ton pater.

Cette Cindy, voilà une fille qui sait danser.

Mais écoute. Il faut que je te dise.

Écoute.

Tu sais, plein de fois, on va au parc, tous les trois, et si c'est mouillé, je descends deux fois sur le toboggan avec la serviette sous mes fesses, et si c'est sec, elle y va directement, mais elle devient un peu grande pour le toboggan ; ça lui plaît plus beaucoup, tandis qu'elle aime encore bien les balançoires, peut-être que ça lui rappelle le temps où tout allait bien, avant que je perde la tête comme ça. Peut-être qu'elle se rappelle ce temps-là. Des fois, Dancesca et moi on s'assoit sur un banc et elle me dit : Il faut que tu te reprennes. Et ça, je le sais bien. Je veux dire, c'est pas moi qui me fais ça à moi-même, c'est ma tête qui va pas. C'est juste que, tu sais, cette aire de jeux…

À la 97ᵉ, là.

Ouais.

Attends un peu. Du calme.

Mets la tête sur mon épaule. Voilà. Très bien. T'es pas bien comme ça ?

C'est pas des pleurnicheries.

Mais non, je chiale pas.

Angie.

Écoute, bon Dieu, par pitié.

J'étais dans sa chambre, tu te rappelles ? Je suis dans cette chambre depuis quelques jours. Couché. Seul. Et puis j'entends tous ces enfants arriver et je me dis : Qu'est-ce que c'est que ce bazar ? Je sors de la chambre et je vois tous ces mômes bien habillés et tout. Les copains de Lenora. Je reste là sans dire un mot. Y a un gros gâteau sur la table. Et Lenora qui vient vers moi et qui me dit : Papa, c'est mon anniversaire. Alors, ça me fait un coup dans l'estomac, tu sais, cette espèce de creux, je t'ai déjà expliqué, et je lui dis : Bon anniversaire, bon anniversaire. Et je vois cet énorme gâteau sur la table. Alors je vais à la cuisine et je prends de l'argent dans le porte-monnaie de Dancesca, les cinq derniers dollars. On a pas beaucoup de fric, même ce qu'on a mis de côté, ça baisse. Je travaille plus. Je cache les sous dans ma poche. Je sors et je vais au supermarché, où ils vendent des gâteaux. Je rentre et je vois que mon gâteau est pas aussi gros que l'autre. Alors je vais chercher dans le tiroir de la cuisine, mais Dancesca, elle m'attrape par le poignet : Remets ce couteau en place, elle me dit. C'est juste pour couper le gâteau, je lui dis. Et elle répond : Laisse Lenora couper son gâteau, c'est son anniversaire. S'il te plaît, je lui dis, c'est juste pour arranger les parts.

Je sais pas pourquoi. Mais Dancesca, elle me fait un sourire comme si elle me comprenait et elle m'embrasse sur la joue.

Alors je coupe le gâteau et j'arrange toutes les parts sur deux assiettes, pour que ça soit égal. Je les mets sur deux grandes assiettes blanches.

Parce que j'aime bien que ça soit égal.

Ouais.

Et c'est peut-être bien un des moments où je me suis senti le mieux, assis là dans la pièce à regarder les mômes manger ce gâteau, et pourtant c'est pas Lenora qui l'avait découpé, et les bougies étaient toutes d'un seul côté sur l'autre gâteau. J'étais heureux. Assis là. En père. Et quand tous les gosses sont partis, Dancesca se met à tout ranger et elle dit à Lenora : Si tu allais au parc avec ton papa ?

Lenora, elle grandit à présent, mais je sais pas pourquoi elle aime toujours les balançoires. Elle est plus grande, et plus forte, elle est pas loin de la puberté et tout, mais elle adore ça. Elle pourrait faire de la balançoire toute la journée. Alors on descend. C'est l'été. Des ordures un peu partout. Les cerisiers en fleur le long des allées là-haut. On est devant la balançoire tous les deux. Elle est coiffée avec des nattes. Elle se balance, elle est heureuse, elle me demande de la pousser. Moi, je veux juste la faire monter plus haut. Je suis debout derrière. Elle tient tout juste sur la planchette en bois et elle fait des ronds en l'air avec ses pieds. Au début, c'est juste les chaînes que je pousse en avant. Elle rit. Je l'ai pas fait exprès.

Je le jure.

Mais ma main – cette main-là – passe autour de la chaîne. Et je la touche à peine, sur le côté, du bout des doigts, elle s'en aperçoit même pas, et elle me demande de la pousser encore plus haut – elle a sa robe d'anniversaire – et je le fais pas exprès, putain, je la pousse et je glisse la main sous ses bras, et voilà Dancesca qui arrive dans le sentier avec trois boîtes de Coca-Cola, et quand je la vois je remets la main sur la chaîne. Seulement, après, j'ai recommencé, tu comprends.

Et puis encore une autre fois. À la balançoire.

Et puis j'ai recommencé un soir dans la chambre, quand elle était en chemise de nuit. C'est notre petit jeu à nous, je dis à Lenora. Mais c'était juste sous les bras, c'est tout, je la caressais juste sous les bras.

Non.

Rien à foutre.

Non.

Je t'en parlerai plus.

C'est pas ça.

Je pleure pas.

C'est juste que j'ai froid, c'est tout. J'ai le nez qui coule à cause du froid.

Écoute encore, s'il te plaît.

Y a cette femme, tu vois, qu'avait demandé à venir parce qu'elle disait qu'il y avait des problèmes à l'école avec Lenora. Je me rappelle parce que, quand elle est venue, elle a regardé mes mains qu'étaient pleines de cicatrices et tout. À cause des brûlures de cigarette et de trombone. J'ai mis les mains sous mes fesses et j'étais là assis à attendre. Je suis assis à table avec Dancesca. Y a cette assistante sociale qui vient, et elle est tout aimable avec Dancesca, mais moi, elle me dit pas un mot. Elle me dit juste : Vous voulez nous laisser un moment, s'il vous plaît, monsieur Walker.

C'était la première fois depuis des années qu'on m'appelait comme ça : monsieur Walker. Mais rien que d'entendre mon nom, comme ça, j'ai l'impression que j'ai plus rien dans le corps, comme si on m'avait vidé, alors je sors de la pièce. Je buvais pas mal à ce moment-là. J'avais du gin dans la chambre. Je me jette sur la bouteille. J'écoute même pas ce qui se passe derrière la porte ni rien. Et puis la bonne femme s'en va, et j'entends Dancesca dans la cuisine. Elle fouille dans les placards. J'ai les yeux sur l'aquarium. Quand elle entre dans ma chambre, elle a un couteau à la main, mais elle en fait rien, c'est juste au cas où. Elle se met devant moi avec le couteau. Et puis elle me gifle et elle me laisse avec la tête sur l'épaule, et après elle s'en va. Je sens sa gifle qui me cuit et je me dis dans ma tête : Gifle-moi sur l'autre joue, gifle-moi sur l'autre joue, mais elle est déjà partie. Elle est dans l'autre chambre. Gifle-moi sur l'autre joue, gifle-moi sur l'autre joue. Je vais voir à la porte. Je la regarde. Elle sort les valises. Elle met ses affaires dedans sans les plier, elle bourre deux pleines valises. Elle boucle les serrures. Et puis elle passe devant moi comme si j'existais pas. Lenora est pas là, elle est encore à l'école. Alors Dancesca, elle ouvre l'armoire de Lenora et elle me met un petit soutien-gorge sous le nez. Tu reconnais ? qu'elle me dit, et puis elle remet la tête dans l'armoire et elle remplit la valise. Elle prend toutes les affaires de Lenora et puis elle arrache la feuille de plastique bleu du mur, elle ramasse les photos par terre et elle me jette la mienne à la figure. Pervers ! qu'elle me crie. T'es un pervers, voilà ce que t'es.

Et moi je peux rien dire.

Je suis paralysé, comme je t'ai dit.

Non, c'est pas une garce.

Pas du tout.

Non, c'est pas là que je l'ai touchée.

Non !

Ouais, juste sous les bras. Nulle part ailleurs.

Je l'ai jamais touchée là. Je lui ai jamais touché les seins.

Un peu autour, c'est tout.

C'était pas...

C'est qu'une enfant.

Une enfant, Angie. Une enfant.

J'avais pas de mauvaises intentions.

Je l'ai pas revue une seule fois, après ça. Dancesca, elle l'a retirée de l'école et elle est partie dans sa famille, et elle veut rien entendre de ce que j'ai à dire quand j'essaie de lui téléphoner ; elle a complètement disparu. Ils me disent qu'elle est pas là, qu'elles sont parties toutes les deux ; ils me disent qu'elle est à New York, qu'elle veut pas me parler, mais moi je sais bien où elle est : à Chicago.

L'idée m'est venue d'aller jusque-là-bas, ouais. Un jour.

Angie.

Angie !

Non. Pas du tout. Jamais je l'ai touchée à cet endroit-là, je le jure, jamais, ça je le jure, et c'est la vérité, jamais à cet endroit-là.

C'était pas ça, c'est pas que ça me faisait bander, c'était pas ça du tout.

Je la touchais pas de la façon que tu crois.

Non.

Écoute !

C'est ce que j'ai essayé d'expliquer. J'étais là dans sa chambre et je lui touchais les épaules et j'avais la tête qui se mettait à tourner et je me contrôlais plus et je pensais à autre chose. Non, je bandais pas – t'es pas obligée de me croire –, c'était autre chose, mais Dancesca a pas voulu m'écouter, et personne a voulu m'écouter ; même moi, j'écoutais pas, j'avais pas mal perdu la tête, ça faisait bom bom bom là-dedans, comme j't'ai dit.

Plus ça va, plus j'y pense. J'ai jamais parlé de ça à personne. Mais on a tous notre histoire, non ? On est ce qu'on aime et c'est pour ça qu'on l'aime.

C'est pas du bidon.

Non.

Ah ! non, Angie.

Fais pas ça.

Enfin, regarde.

Là-bas.

Tu vois pas ? Regarde, j't'ai dit que le soleil allait se lever. Regarde. Maintenant, tu la vois. Il fait gris et tout, mais c'est chouette, non ? Hé, Angie.

Putain, Angie, c'que j'voulais dire c'est que tu l'as encore jamais vue, c'est ce que t'as dit.

Angie.

T'as dit que tu voulais voir la mer.

Putain de coco.

Ouais, c'est ça, ma coco. De la coco, j'en ai pas et j'suis pas près d'en trouver. Putain de coco.

La coco, on s'en fout !

Angie.

Hé, Angie, tu peux pas retourner là-bas.

Il va te tuer. Angela !

T'as fait tomber ma putain de chaussette.

Angie.

Angela.

C'est pas ce que tu crois, c'était pas ça.

Angie, merde. Angela. An-ge-la !

Quand je la tenais comme ça, c'est lui que je tirais à moi.

Pendant des semaines, après le départ de Dancesca, Clarence Nathan dort dans la rue, dans d'autres quartiers de la ville. Il a les cheveux courts et il sent le froid lui mordre les oreilles. Dans Riverside Park, il plante son couteau de l'armée suisse dans le ventre d'un rouquin. Il a déjà vu ce type ; c'est aussi un sans-abri. Clarence Nathan est assis sur un banc au bord de l'Hudson et le rouquin lui tape sur l'épaule : « T'as pas une clope, mon pote ? », et Clarence Nathan lui demande de le taper sur l'autre épaule pour la symétrie. Le rouquin se met à rire, se penche en avant et lui pique la cigarette allumée qu'il a à la bouche. C'est une malheureuse petite lame, mais elle troue la peau du rouquin, et quand elle ressort une petite tache de sang se forme sur le devant de son T-shirt. Clarence Nathan détale et, plus tard, dans l'autobus, il se donne un coup de couteau. Quelques semaines après, il revoit le rouquin, qui lui dit qu'il va lui faire la peau, mais Clarence Nathan lui lance deux paquets de cigarettes et ils en restent là ; il ne revoit plus jamais le rouquin. Il traîne sa misère dans toute la ville. La semelle de ses chaussures a lâché et il la répare avec de la colle qu'il vole dans un drugstore. Un après-midi, il aperçoit Cricket qui traverse le parc et il se cache dans les herbes près de la berge. Il y a une foule de drogués et de prostitués dans le parc, mais maintenant ils ne lui proposent plus de lui faire une pipe. Il est brisé, crasseux, il va la tête basse, et il cache son torse musclé sous de longues chemises pour ne pas voir ses cicatrices.

Parfois, il aperçoit une mère et son enfant. Il s'approche vite derrière elles, se couvre le visage, les dépasse, attend près d'un réverbère ou d'un banc public, se retourne pour s'assurer que ce n'est pas elles.

Un après-midi de torpeur, il voit un pigeon voler au-dessus du parc ; l'oiseau pique vers le bas de la pente et s'engouffre par la grille d'accès au tunnel. Clarence Nathan se demande si le pigeon niche à l'intérieur. Il descend sur le remblai qui mène à la grille. Près des pommiers sauvages, quelques fleurs sont écloses. Ses pieds glissent dans la boue. La grille est verrouillée. Il examine les ferrures et il remarque qu'un des barreaux est enfoncé. Il attend un grand moment que son cœur s'assagisse ; puis il penche le corps en avant et se faufile par la brèche. Il reste longtemps sur la plate-forme métallique, comme lorsqu'il est venu là avec son grand-père autrefois. Tout est calme. Le tunnel est haut, large et accueillant. Il a la chair de poule en descendant les marches. Il avance dans ces profondeurs obscures, franchit un tas d'ordures. Il débouche une bouteille, boit une gorgée, et lève les yeux vers la voûte. Son regard plonge au fond du tunnel et il sent alors monter en lui cette évidence, primitive, inévitable : c'est là sa place, il le sait, il est ici chez lui.

En avançant, il voit un arbre mort planté dans un petit tas de terre, et des peintures murales éclairées d'en haut. Plus loin, il s'interroge sur le monde qui vit au-dessus de lui, toutes ces âmes solitaires, chacune avec sa médiocrité et sa honte. Dancesca est là-haut. Lenora aussi. Quelque part, il ne sait pas où. Il a essayé d'appeler Chicago ; on lui raccroche au nez. Il a même envisagé de prendre un billet d'autocar, mais sa souffrance intérieure est trop grande ; il ne peut aller nulle part ailleurs qu'ici ; il aime bien ce lieu, ces ténèbres. En marchant sur un rail, il sent une vague vibration dans le pied, et quelques secondes plus tard arrive un train, à grand bruit d'avertisseurs ; il se range sur le côté pour le regarder passer avec ses voyageurs innocemment assis derrière les fenêtres, et puis le train est déjà loin et il ne lui reste que la marque des phares rougeoyants imprimée sur la rétine. Il va jusqu'au mur et s'allonge sous *L'Horloge molle* de Salvador Dalí ; il n'a pas la moindre idée de l'heure qu'il est.

Il regarde par la grille au sommet de la voûte, guettant le moment où la lumière va disparaître du ciel. Il se passe les mains sur le corps, puis il donne un coup de poing dans le mur et recommence, et chaque fois il sent qu'il s'ouvre les mains. Il continue à frapper et il finit par avoir les deux poings couverts de sang ; il mélange le sang de ses deux mains et frappe jusqu'à l'épuisement – il tape même avec les coudes –, puis il sombre au plus noir des ténèbres, et il n'y a pas un bruit dans le tunnel.

Ses mains le font souffrir, mais peu lui importe ; il voudrait pouvoir les assassiner, les annihiler, les supprimer ; il ne voit plus de raison pour qu'elles restent reliées à ses poignets – ce qu'il veut par-dessus tout, c'est s'en débarrasser.

Il retourne à l'endroit où il a vu voler le pigeon, et au milieu de toute cette obscurité rébarbative, il heurte un pilier. Recouvrant ses réflexes d'acrobate, il grimpe, se retrouve sur une étroite passerelle, qu'il longe, sans se soucier de ses mains meurtries – il ne sent même plus la douleur, elle fait partie de lui, de sa constitution – et le voilà tout en haut du tunnel, n'ayant rien perdu de son extraordinaire équilibre. Pas le moindre signe de vie, rien, personne ; tout est froid, silencieux, hors du monde. Il s'aperçoit avec étonnement que la passerelle mène à une loge en hauteur, et il tend ses mains ouvertes vers cette pièce obscure, s'y laisse tomber et se replie sur lui-même, mais il ne s'endort pas.

Le truc, Angie, c'est que pour enfouir ses mains il faut du temps. Tu écoutes ? Si je voulais, je pourrais enfouir ma main ici même. Regarde. Tu vois comme elle disparaît. Ici, dans le sable. Mes deux mains. Angie. Angela. Mais où tu t'es tirée, putain ? Angie ? Regarde-les, regarde comme elles disparaissent.

15

Nos résurrections ne sont plus ce qu'elles étaient

Il se réveille seul sur le sable de Coney Island, la marée haute est à deux mètres de lui, les vagues apportent des bouts de plastique et de l'écume sale, il entend un bruit d'eau inhabituel autour de lui, un chien-loup anémique lui renifle les pieds. En bougeant, il le fait fuir. Il a les orteils gelés dans ses chaussures, et il se rappelle qu'il a donné ses chaussettes à Angela. Quand il se frotte les cheveux pour enlever le sable, il a un choc en les sentant si courts. Il se lève et secoue le sable de ses vêtements et de ses couvertures. Il veut prendre ses lunettes de soleil dans sa poche, mais elles ont été écrasées, cassées en deux morceaux. Il essaie de les faire tenir en équilibre sur ses oreilles, mais elles tombent dans le sable et il les y laisse ; il regarde la mer et sent venir un changement de temps – ciel rouge dès le matin à l'horizon. Il trouve étrange de voir le soleil se lever si rapidement – seul moment d'ascension brusque avant qu'il n'entre en léthargie et ne poursuive sa course lente, sa tâche quotidienne.

Il tourne le dos et s'éloigne de la plage.

Sur la promenade en planches, il y a un certain nombre de joggers matinaux. Çà et là, quelques amoureux cuvant leur nuit en boîte. Un Juif russe en chapeau noir, avec une grande barbe et des papillotes. Un vendeur de café et de beignets pousse sa petite voiture argentée.

Dans la poche intérieure de son pardessus, il lui reste encore, de l'enterrement de Faraday, un billet de cinq dollars, accroché par des épingles. Il s'achète du café et un petit pain, marche un peu sur les planches, tousse et crache. Il n'y a jamais eu autant de sang dans ses crachats. Il sent la brûlure de café chaud, et son estomac a tellement rétréci qu'il ne peut manger que la moitié de son petit pain. Il jette le reste au chien-loup qui est toujours dans le sable un peu plus bas. Le chien renifle, puis se détourne et s'en va en bondissant. Il entend le roulement du métro aérien au loin. Il compte un dollar vingt-cinq et s'en va vers la station. De la gadoue au bord du trottoir. À présent, il a les paumes pleines de croûtes aux endroits où il s'est blessé.

Il porte la main à son bonnet de laine et s'efface devant deux dames.

« Bonjour, mesdames », dit-il, mais elles l'ignorent et passent bien vite.

Il saute par-dessus le tourniquet ; personne ne l'arrête. Dans le métro, il va s'asseoir dans le deuxième wagon de tête, au milieu de la rangée de sièges, à distance du plan du métro. La rame est pleine de complets-veston et de jupes élégantes ; une femme se poudre le visage. Il remarque que toutes les places sont prises, sauf celles qui sont autour de lui ; il sait qu'il doit sentir très mauvais. Un instant, il se demande s'il ne va pas se lever, céder sa place à une femme – n'importe laquelle – et aller se mettre entre les deux wagons pour que le vent chasse son odeur. Mais, au lieu de cela, il s'étale sur la banquette, se roule en boule, les mains sous la tête, et il se balance au rythme du train. Clarence Nathan s'est vidé de son passé, et tout ce qu'il a jamais connu tient entre ici et un tunnel.

« Ce vieux Sean Power, Dieu ait son âme, un jour, ce vieux Power m'a dit : "Le bon Dieu y est allé carrément, il a lâché un pet, voilà tout." Je trouve ça rigolo, et ça me fait rire, mais moi j'ai pas envie de voir la chose comme ça. Moi je vois ça autrement. Des fois, la nuit, tu sais, je me sens encore monter à travers le fleuve. »

Il s'arrête devant la grille, dans le silence implacable d'une dernière chute de neige ; il ramasse une poignée de neige, se frotte la figure, et se sent rafraîchi, plein d'énergie, alerte. Il a passé la matinée à la gare routière – quinze dollars aller, lui a-t-on dit. Il a vingt dollars en poche. Des bouteilles et des boîtes qu'on lui a rachetées.

Il y a des traces de pas dans la neige, toutes les mêmes, et il sait que ce sont celles d'Angela. Il marche dans ses pas, et ce faisant il les allonge.

Clarence Nathan retire ses deux pardessus et se faufile par la grille. Il s'arrête sur la plate-forme et reprend son souffle tout en se rhabillant. Dans le tunnel, les rayons de lumière bleue étincelante percent l'obscurité çà et là. Les flocons de neige font leur long trajet habituel dans cette lumière – ils tournoient, tombent, s'amoncellent. Il descend les marches et passe rapidement d'un fût de lumière à l'autre, jouissant de leur bref et furieux éclat.

Tondu, enveloppé dans le plus sombre des manteaux, la doublure battant sous ses cuisses, il est décharné et creusé par quelque terrible déchéance humaine. Ses grosses chaussures sont scotchées de part en part, son bonnet violet lui colle aux oreilles, et, dans le rayon lumineux, il renvoie les grains de poussière en tous sens ; on dirait que la lumière elle-même ne veut plus de lui. Pourtant, il se meut avec une étrange fluidité, avec assurance, avançant en équilibre au bord d'un rail. Il est revenu à lui-même, il a bouclé la boucle, chacune de ses ombres le mène à la suivante, il n'est qu'une ombre parmi d'autres dans la galerie des horreurs de l'obscurité. Il frissonne en voyant un petit rat bouger à côté de la voie, comme si l'animal allait le suivre jusqu'à la fin de ses jours. Il ramasse une poignée de cailloux, la lui lance pour le chasser, et il poursuit son chemin.

Trente-neuf jours de neige, de glace et de froid féroce. Il a les pieds si engourdis qu'il ne les sent presque plus. La barbe qui repousse lui assombrit déjà les joues. Mais il avance rapidement, avec détermination, solitaire et sûr de lui.

Devant chez Elijah, il s'arrête, colle son oreille à la porte, et il ne s'étonne pas d'entendre la musique d'une radio en sourdine parmi les gloussements d'Angela. Les yeux fermés, il imagine Elijah, le corps traversé de pulsions amoureuses, malgré son épaule fracassée et sa rotule éclatée, et la tendresse avec laquelle il se prépare sans doute à frapper Angela de toutes ses forces en plein creux de l'estomac. Il remarque que la porte a été réparée et qu'Elijah s'est approprié le siège des cabinets de Faraday. Un instant, ses lèvres esquissent un sourire, mais lorsqu'il pense à Castor le sourire disparaît, et cette porte, il a envie de la pousser et de leur tomber dessus ; il n'en fait rien, et il sait qu'il ne le fera pas, qu'il ne le fera jamais. Il les laissera à leurs brutalités et à tous les hivers à venir.

« Angela, dit-il tout bas, Angie. »

Il donne un coup de poing dans le vide et continue son chemin, passant devant le tas de boîtes vides, le Caddie, le landau, l'arbre mort, l'odeur de merde et de pisse, et toutes les saloperies possibles et imaginables. Il touche du doigt l'arbre mort, se demandant s'il se pourrait qu'il fleurisse un jour. Il rit de cette absurdité – des pétales fabuleux surgissant comme le son d'un piano lointain qui résonna sous terre il y a bien des années. Autrefois, à Harlem, lui a raconté son grand-père, il y avait un arbre, l'arbre de l'Espérance, qui a été abattu pour élargir la Septième Avenue. Il en reste encore un morceau dans un théâtre du haut de Manhattan.

Tandis qu'il s'enfonce dans le tunnel, un souvenir lui traverse soudain l'esprit. Un chant de sa lignée. *Seigneur, j'ai pas vu un coucher de soleil depuis que j'suis descendu là.*

Il plonge une main dans sa poche, trouve une balle rose au fond. En faisant tourner la balle dans la paume de sa main, il devine un mouvement dans les ténèbres. Ses yeux sont désormais si bien exercés qu'il discerne un homme à cheveux longs, barbu, crasseux, et il comprend que cet homme, c'est Treefrog. « Hé-ho », dit-il, et la silhouette lui rend son signe de tête en souriant. Clarence Nathan se retourne et lance la balle contre le mur. À taper d'un côté puis de l'autre, il commence à se réchauffer, et il sent toujours cette présence derrière lui. Il continue à renvoyer la balle contre le mur, en hauteur, au-dessus de l'arbre mort, et pendant qu'il joue ainsi, tout son héritage lui revient : Walker en Géorgie regardant une peau de serpent accrochée au mur ; Walker le visage contre un oreiller qui s'anime dans ses rêves ; Walker au bord de l'East River avec ses compagnons coiffés de leur chapeau ; Walker tout réjoui peignant des pigeons par moitié ; Walker les doigts sur un piano enrubanné ;

Walker défonçant une auto à coups de poing ; Walker au bord d'un lac avec une petite fille ; Walker tenant un bouchon entouré de papier de verre ; Walker sur la voie du métro, qui lève les yeux vers lui ; Walker en chapeau rouge ; Walker porté par un flot énorme, et maintenant, fiston, qu'est-ce qu'on fait, maintenant qu'on est heureux ?

Tout ce qu'on entend dans le tunnel, c'est le bruit sourd du caoutchouc contre le mur tandis que Clarence Nathan maintient la balle en l'air.

Attrapant la balle de la main droite, il se mord l'intérieur des joues. Il jette un coup d'œil derrière lui, où il voit filtrer tous les rayons de lumière. Treefrog est toujours là dans l'ombre, qui le regarde. Ils communiquent en silence, se font un signe de tête, se comprennent. Clarence Nathan lance la balle contre le mur et s'offre le luxe de rire en la rattrapant. Il pose la balle au creux d'une branche de l'arbre et s'en va vers son nid.

La stalactite a commencé à fondre. Il tend une main, rien qu'une, prend les gouttes dans sa paume, se frotte le visage, et ses yeux pétillent : Walker appuie du pouce sur l'aiguille d'un phono qui déraille ; Walker enfonce sa pelle dans le limon brun ; la pagaie bruit pendant qu'il est à genoux dans son canoë plein de mousse ; Walker lit les nouvelles du jour à la voûte d'un tunnel ; Walker valse sur un vélo avec des cages en équilibre sur son guidon ; Walker grave des initiales sur un manche de pelle.

Clarence Nathan traverse la voie et arrive au pilier, il saisit la prise et se hisse. Il est sûr de ses mouvements, chaque geste se répète régulièrement, il pourrait grimper à l'infini le long de ces piliers et de ces poutrelles. À trois mètres du sol, il sait que même s'il voulait tomber ce ne serait pas facile, car ses bras auraient à lutter contre sa mémoire, il se rattraperait et s'accrocherait de tous ses membres, et, bien que mort, son corps serait sans doute encore vivant. La poutrelle est toujours froide au toucher. Sa peau va peut-être y rester collée et y laisser à jamais l'empreinte de sa main. Il marche dessus sans compter ses pas, escalade le deuxième pilier, et franchit la dernière passerelle. Il enjambe le muret en souplesse, près du feu de signalisation, et il regarde l'ombre de Treefrog, en bas, tout seul à présent dans le tunnel. Clarence Nathan reste assis un moment les yeux fermés, puis il cherche une bougie à tâtons par terre, n'en trouve qu'un petit bout, l'allume. Un cercle de lumière se forme autour de lui : un coup de matraque marque Walker d'une cicatrice au front, Lenora tombe d'un tricycle ; Walker est dans une boutique pleine de smokings ; Lenora rentre à la maison son cartable au bout du bras ; Walker d'un coup de poing casse les dents à un soudeur ; Lenora se tapit sous les draps ; Walker s'habille devant une glace, Lenora déplace la photo du vieillard sur un mur ; Walker reste le souffle coupé devant une boutique de cigares ; Lenora ouvre des yeux ronds devant les parts d'un gâteau d'anniversaire ; Walker plonge pour rattraper un chapeau ; une chemise de nuit de fillette aux bretelles baissées ; Walker en canoë dans le tunnel vient rechercher de la mousse, encore et encore, il arrache aux branches des morceaux de Lenora ; Walker soulevé sur un geyser, plus haut, plus haut, encore plus haut.

Penché au bord de son nid, Clarence Nathan regarde les ombres au-dessous de lui et, souriant à demi, il dit à ces ténèbres : « Nos résurrections ne sont plus ce qu'elles étaient. »

Pour lui, point de buisson ardent ou de colonne de lumière. Avec un large sourire, il pousse du pied le bord de la table de chevet.

La bougie a coulé en une flaque de cire qui a durci. Il bouscule la table encore une fois et il regarde le petit lac blanc bouger sous le choc. Puis il cogne plus fort : ça lui fait du bien, c'est ce qu'il faut. Il cogne encore plus fort : la table bascule un instant, se redresse. Un train du matin passe à toute vitesse, mais il l'ignore. Il recule, et, d'un seul coup de pied, il envoie la table s'écraser contre le mur ; le petit lac blanc est sens dessus dessous. Avec une formidable énergie, il soulève la table et la fracasse contre le mur ; il l'entend se fendre et voler en éclats. Il ramasse les morceaux pour les réduire en miettes. Il jette les débris du haut de son nid, et ils atterrissent dans le tunnel, loin des voies.

Il donne un coup de pied dans son feu de signalisation, qui vibre contre le fil de fer et le crochet le maintenant au mur. Il ôte ses deux pardessus, les jette sur son lit et se met à tirer de toutes ses forces. L'objet tremble légèrement ; de la poussière sort par le trou du piton. Clarence Nathan continue à tirer jusqu'à ce que le crochet cède. Il tombe en arrière avec l'engin entre les mains et rit doucement. Il le redresse – doucement, te casse pas la figure –, il enfonce le poing dans les trois globes de verre, d'abord le feu vert, puis l'orangé, puis le rouge. Il sourit en le soulevant et en le jetant par-dessus la passerelle. Le feu de signalisation tournoie, tombe et s'écrase par terre ; le verre se brise en mille morceaux qui se dispersent sur le gravier.

Il saisit la guirlande de cravates suspendue à la voûte, tire dessus pour la décrocher, songe un instant à s'en mettre une autour du front, mais il n'a pas le temps de les dénouer, alors il en fait une boule, la lance, la regarde tournoyer et se déployer, de toutes ses couleurs, puis atterrir en un petit tas. Il prend son harmonica, qui disparaît lui aussi, et, dans son dernier vol, laisse peut-être encore un peu d'air siffler dans ses tuyaux avant de s'écraser au fond du tunnel. Il vide par-dessus bord le contenu de ses bouteilles d'urine en décrivant un grand arc jaune. Les bouteilles vides suivent la même voie. Il soulève son matelas, le retourne, allume son briquet et voit grouiller des asticots sur la face humide, mais il continue à fouiller, cherchant des pièces de monnaie et du tabac. Il trouve quelques cigarettes à demi fumées et une petite bouteille de gin intacte. Il sourit en vidant le gin par terre. Puis il bourre de coups de pied les fantômes endormis d'Angela et de lui-même, retourne le matelas encore une fois et le fait basculer de son nid.

Le matelas atterrit avec un bruit mat et sinistre.

Il balaie d'une main l'intérieur du Goulag pour s'assurer qu'il ne reste plus rien. Puis ce sont les enjo-liveurs qui lui volent des mains, traversent le tunnel en planant, et s'écrasent contre le mur avec un étrange son aigu. Il fait rouler un caillou dans le foyer. Il est vivant, des milliers de gestes sont inscrits en lui, et ses mouvements dans le nid sont calculés ; il se débarrasse de tout, même des cheveux et des poils de barbe restés par terre. Quand il les jette, il les voit tournoyer en l'air comme des plumes.

Il entre dans la caverne du fond, en prenant garde à ne pas bousculer le petit tertre où repose Castor. Il va jusqu'à l'étagère, qu'il fait tomber facilement d'un seul geste.

Ce sont les livres qui partent en premier ; il entre et sort de la caverne et va les jeter du bord du nid : presque tous atterrissent sur le dos, et restent ouverts sur la voie. Dean viendra sans doute les ramasser. Il regarde ses cartes qui gisent dans la boue gelée. Par dizaines. Il sait très bien comment elles vont brûler et quelle sera la conséquence. Une dizaine de sacs hermétiquement fermés voltigent jusqu'à terre, et le voilà près du foyer qui cherche son Zippo. Il froisse les cartes dans ses mains et, éclairé par l'itinéraire du bon Dieu et les visages de sa propre création, il regarde le nid tout autour de lui, et il rit doucement, sans chagrin – les cartes réduites en cendres, les courbes de niveau consumées. La fumée part dans le tunnel et s'échappe vers le monde d'en haut . quatre années de cartes brûlées d'un coup. Il s'approche de son tas de vêtements et bourre un sac en plastique des seules affaires dont il pourrait avoir besoin – deux, trois chemises, un pantalon et une paire de baskets, c'est tout Le sac dégringole près de la voie, où il le ramassera plus tard. Et ce sac sera assez lourd pour qu'il veuille s'en débarrasser.

Désirer, c'est ne pas avoir, se dit-il, en se souvenant de Lenora et de la façon dont il l'a touchée, mais il ne sent plus ce creux douloureux en lui ; il est resté en vie pour arriver à cet instant de paix.

Il devrait s'attarder quelque peu et goûter le plaisir d'un nid vide, mais non. Déjà, il est sur la passerelle, les mollets parcourus d'un petit tremblement. Coudes au corps. Les sept mètres qui le séparent du sol sont un vaste gouffre de ténèbres. La passerelle est toujours un peu gelée. Une moitié de cigarette allumée est perchée au coin de sa bouche. Il ferme les yeux, sourit et réussit à se retourner de quarante-cinq degrés, en procédant progressivement, par degrés infimes, claquant la langue au fur et à mesure. Sa cigarette danse au bord de ses lèvres. La glace crisse sous ses chaussures. Il sait que pour l'aveugle l'abîme est partout, il n'y a que la mémoire pour en signaler l'approche. Le souvenir de la lumière est plus fort que la lumière réelle.

À mi-chemin, le visage figé en un certain sourire, debout sur une jambe, tendant un bras, puis l'autre, changeant de pied, la tête rentrée dans l'épaule, il exécute la danse de la grue au royaume de l'ombre.

Il oscille un peu, sautille, se retourne, les bras bien écartés pour garder l'équilibre. Il lui paraît inouï de n'avoir plus ni cheveux ni barbe, et il se dit que s'il avait une glace, ce qui n'est pas le cas, c'est bien l'unique fois où il oserait se regarder, les yeux fermés. L'absurdité de la chose le fait rire, il se retourne dans l'autre sens, et le tour est complet. Il sait désormais qu'il essaiera d'aller la voir, qu'il n'ira sans doute jamais, mais – s'il y va – il ne demandera rien, il lui expliquera seulement qu'il ne pensait pas à mal en faisant ce qu'il a fait, qu'il était à la recherche de sa lignée, de son héritage, il lui expliquera que, lorsqu'elle était petite, c'est son grand-père qu'il attrapait sous les bras, c'est Nathan Walker qu'il tirait par les épaules, c'est lui qu'il cherchait dans son corps à elle.

C'était Nathan Walker que je tirais par les épaules, que je voulais faire sortir de toi.

Mais, pour l'instant, il écarte les bras tout grand, il tend une jambe devant lui, il rentre la tête sous l'aisselle, la relève et, donnant à son corps une forme nouvelle, Clarence Nathan sourit de son propre ridicule – un, deux, trois, un coup, et retour – et, en écartant les bras, il répète : « Nos résurrections ne sont plus ce qu'elles étaient. »

Il se tourne, fait un petit saut, et il sait que ce n'est pas forcément vrai : atterrissant sur le sol du tunnel, parmi les débris de sa vie, genoux fléchis, le cœur battant, il garde un mot sur la langue, un mot qui, cette fois, reste là tout seul, qui n'a pas de pendant. Il prend le chemin de la sortie, traversant les rayons de lumière, replongeant dans l'ombre, revenant à la lumière, il passe devant les petites loges et s'arrête un instant pour écouter le souffle d'Angela. Il lui envoie un baiser puis continue sa route, laissant derrière lui l'arbre mort et les peintures murales, le corps singulièrement léger, sans projeter aucune ombre dans le tunnel. Arrivé à la grille, il sourit, soupesant le mot sur sa langue, ce mot porteur de possibilités, de beauté, d'espoir, un mot unique : résurrection.

SOURCES ET REMERCIEMENTS

Certains faits relatés dans ce livre sont fondés sur des événements historiques – l'éruption au milieu du fleuve, notamment –, mais ils ont été adaptés pour les besoins du roman.

Je souhaite exprimer ici mes sincères remerciements à ceux et celles qui m'ont permis d'accéder aux archives du New York Transit Museum de Brooklyn, à la Schomburg Library de Harlem, à la New York Public Library et à l'American-Irish Historical Society. Je tiens aussi à remercier les nombreux travailleurs du sous-sol qui m'ont ouvert leur cœur et leur mémoire. Merci aux hommes et aux femmes de Harlem qui m'ont consacré leur temps et ont bien voulu se souvenir avec tant d'honnêteté. Je remercie particulièrement Sean et Sally McCann, Roger et RoseMarie Hawke, le capitaine Bryan Henry, Barbara Warner, Terry Williams, Jean Stein, Chris Cahill, Darrin Lunde, Rick Ehrstin, David Bowman, Tom Kelly, Shaun Holyfield, Shana Compton et Ronan McCann : beaucoup d'entre eux, à la lecture des premières versions du manuscrit, m'ont donné des conseils inestimables. Ma gratitude va aussi à Arthur French, dont l'aide m'a été précieuse bien des fois pour les parties dialoguées. Je sais sincèrement gré à tous ceux qui ont apporté leur soin à ce livre chez Metropolitan Books and Henry Holt, et particulièrement à Riva Hocherman.

Ce livre n'aurait jamais vu le jour sans l'amour, les conseils et le soutien d'Allison, mon épouse. À elle, merci, ainsi qu'à Isabella.

Enfin, je remercie les hommes et les femmes des tunnels de New York qui m'ont laissé pénétrer dans leur vie, et en particulier Bernard et Marco. Ils n'apparaissent pas dans ce livre, mais, sans eux, je n'aurais jamais pu l'écrire.

Cet ouvrage a été imprimé en France par

BUSSIÈRE

à Saint-Amand-Montrond (Cher)
en novembre 2014

Dépôt légal : janvier 2000.
N° d'impression : 2013220.
Nouveau tirage : novemobre 2014.
X02950/17